EL ROBO
DE LA
MONA LISA

Carson Morton

EL ROBO DE LA MONA LISA

algaida INTER

Título original: *Stealing Mona Lisa*

Primera edición: 2013

© 2011 Carson Morton
© Traducción de Pablo Manzano, 2013
© Algaida Editores, 2013
Avda. San Francisco Javier, 22
41018 Sevilla
Teléfono 95 465 23 11. Telefax 95 465 62 54
e-mail: algaida@algaida.es
Composición: Grupo Anaya
ISBN: 978-84-9877-864-9
Depósito legal: Se-39-2013
Impresión: Huertas, I. G.
Impreso en España-Printed in Spain

ÍNDICE

Para mis padres,
Connie y Carson

Basado en hechos reales
Se dice que no hay ningún suceso que no pueda mejorarse al contarlo. Con esta idea y con fines narrativos, se ha modificado la cronología de algunos acontecimientos.

PRÓLOGO

L A VISIÓN DE LA CARROZA FÚNEBRE TIRADA POR CABA-llos y de su macabro séquito surgiendo como un espectro de la vaporosa bruma del final de la maña-na detuvo en seco a Roger Hargreaves.

Atados a un carruaje de cuero negro, cuatro caballos azabache permanecían antinaturalmente inmóviles, con sus cabezas adornadas con penachos de plumas rojas. Tres frailes —manos cruzadas y rostros ocultos por las capu-chas de sus toscos hábitos— contemplaban los adoquines que estaban bajo sus pies. Un empleado de pompas fúne-bres de larga levita negra estaba sentado en el pescante; bajo un brillante sombrero de copa se adivinaba su adusto rostro. El mórbido cuadro abarcaba la mitad del primero de los tres patios conocidos colectivamente como la *cour* de Rohan, un frondoso oasis al final de Saint-Germain-des-Prés.

La fantasmal escena le dio a Hargreaves la inquietan-te sensación de que, de alguna manera, lo estaban espe-rando a él.

Aguantando la fuerte tentación de dar media vuelta y regresar al vivo ajetreo del cercano bulevar Saint-Germain, Hargreaves dio un paso adelante. El caballo principal y el empleado de pompas fúnebres volvieron sus cabezas casi al unísono. Momentáneamente paralizado por la falta de expresión y la mirada penetrante del cochero, Hargreaves lo saludó con una ligera inclinación de cabeza, gesto que le devolvió el cochero de manera casi imperceptible. Desvió la vista y comprobó una vez más la dirección escrita en su cuadernillo de reportero: «23 *cour* de Rohan», presumiblemente una de las estrechas y apiñadas residencias de piedra rosácea de tres plantas, semiocultas por los troncos retorcidos y enredaderas silvestres que serpentean en torno a sus ventanas. Por un momento pensó en preguntar al cochero fúnebre cuál de las casas podría ser, pero descartó rápidamente la idea. No le apetecía en absoluto comunicarse con aquel hombre. Además, él era periodista y podía encontrar sin problemas una simple dirección.

Hargreaves miró el nombre escrito en su cuadernillo: Eduardo de Valfierno, una especie de marqués de algo. Por supuesto, en estos días, media sociedad de París proclamaba su derecho a uno u otro título. Quienquiera que fuese, decía tener información relativa al robo de la *Mona Lisa* —o, ¿cómo la llamaban los franceses? *La Joconde*— del museo del Louvre en 1911. Noticia antigua, evidentemente. La recuperaron no mucho tiempo después del accidente, pero allí podría haber un reportaje. El marqués se había puesto en contacto por teléfono con su periódico, el *London Daily Express,* y habían cerrado algún acuerdo. Para reducir gastos, el director del periódico había telegrafiado a Hargreaves —que ya estaba como corresponsal en París— dándole instrucciones. Al menos, supondría un cambio de ritmo con respecto a cubrir la *Exposition Internationale* en la Plaza de los Inválidos. Si tuviese que escribir otro artículo sobre las maravillas del mobiliario *art déco,* él mismo se tiraría al Sena.

Tratando de ignorar al cochero fúnebre y su séquito, Hargreaves pasó por delante de ellos y, a través de una cancela parcialmente abierta, entró en un pequeño patio. La suerte estaba de su parte. Pegada a la pared, al lado de una gran puerta verde, medio oculta por una ramita de hiedra, había una placa de madera con el número 23 inscrito en ella. Levantó una aldaba de bronce con forma de cabeza de gato y golpeó tres veces con ella sobre una desgastada placa. Mientras esperaba respuesta, no pudo resistirse a dirigir una última mirada al cortejo fúnebre a través de la cancela de hierro forjado.

—¿Qué desea, *monsieur?*

Hargreaves se volvió, sobresaltado. Una mujer bajita, corpulenta, de unos sesenta y bastantes años se asomaba a la puerta en postura un tanto desafiante, con los brazos en jarras.

—*Bonjour, madame* —dijo, quitándose el sombrero hongo—. Robert Hargreaves. He venido a entrevistar al marqués de Valfierno.

La mujer lo examinó con la gélida mirada de una maestra. Después, con un bufido desdeñoso, se giró y, con la espalda sobre la jamba de la puerta, más que invitarlo a entrar, parecía retarlo a que lo hiciese.

Dejándola atrás, Hargreaves se introdujo en un vestíbulo escasamente iluminado.

—Los hombres esos que están en el patio —dijo, tratando de entablar conversación— forman todo un espectáculo.

La mujer no dijo nada. Cerró la puerta y lo condujo hasta una salita abarrotada de muebles disparejos, con las ventanas adornadas con recargadas colgaduras. Trató de distinguir el aroma del aire. Jazmín, quizá. En todo caso, algo extrañamente exótico, mezclado con un desagradable olor a humedad.

La mujer se sentó en una silla de madera de respaldo alto y le indicó un lujoso sofá. Hargreaves se hundió en los gastados muelles. Forzado a mirarla, se sentía como un escolar que fuese a recibir una buena regañina por alguna fechoría. A esto siguió un silencio roto únicamente por el resoplido de uno de los caballos que estaban en el patio.

—*Madame* —comenzó a decir Hargreaves—, creo que sabe usted más de mí que yo de usted.

—Soy *madame* Charneau —dijo abruptamente—. Esta es mi casa de huéspedes.

Hargreaves asintió. Más silencio.

—¿El marqués —preguntó pasado un momento— está aquí?

—El marqués es uno de mis huéspedes —replicó *madame* Charneau.

—¿Puedo... verlo?

—Usted es periodista, ¿no? —dijo la mujer, en un tono que parecía más una acusación que una pregunta.

—Corresponsal, sí. Del *London Daily Express.*

—Y usted compensará al marqués por esta... entrevista —dijo la palabra como si fuese algo desagradable.

—Se ha hecho un trato, sí —dijo Hargreaves, moviéndose, incómodo, en el sofá.

—El marqués es un gran hombre, sin duda —dijo la mujer, como si no lo creyera durante un momento—. Ya se ha retrasado tres meses en el pago de su habitación. Y está muy enfermo. Ya ha visto el cortejo fúnebre en la calle.

—Bueno, sí, claro.

—Mi hermano se dedica a las pompas fúnebres. Como favor personal, ha traído a sus hombres, que tendrían que haber ido a hacer un trabajo en otro sitio.

—¿Tan mal está el marqués?

—Le seré franca, *monsieur.* Si quiere verlo, tendrá que darme el dinero ahora. Yo lo destinaré a pagar su habitación y los honorarios del médico.

La garganta de Hargreaves se tensó.

—*Madame,* no estoy... muy seguro de que pueda hacer tal cosa...

Ella empezó a ponerse en pie.

—En ese caso, le deseo que pase un buen día.

Estaba hecho polvo. No quería regresar a Londres con las manos vacías, así que levantó la mano en señal de que se rendía. *Madame* Charneau se detuvo y volvió a sentarse, con una media sonrisa en el rostro. Hargreaves sacó el fajo de billetes de francos que había preparado y, tras hacer una breve y pesarosa evaluación, se lo entregó a ella.

En cuanto lo tuvo en sus manos, su disposición cambió por completo.

Se puso rápidamente en pie y dijo alegremente:

—Ya lo ve, *monsieur,* la niebla se ha levantado. Después de todo, va a ser un bonito día.

Con un paso más ligero del que antes hubiese apreciado Hargreaves, lo condujo fuera del vestíbulo y, por una escalera, lo llevó hasta el primer piso. Mientras subían, miró subrepticiamente su reloj de bolsillo. Un colega francés tenía entradas para ver a la sensacional norteamericana Josephine Baker y su *Revue Nègre* aquella misma noche en el Moulin Rouge. No estaba muy seguro de que le gustaran tales espectáculos, pero, a fin de cuentas, esto era París. En todo caso, esperaba que la entrevista no le llevara demasiado tiempo.

Al llegar al primer piso, se abrían al pasillo cinco puertas y había otra escalera estrecha que ascendía al piso superior. *Madame* Charneau abrió la primera puerta a su derecha e introdujo a Hargreaves en una habitación oscura y cerrada a cal y canto. En la penumbra, solo pudo distinguir una figura tendida bajo una gruesa manta en una cama de bronce. *Madame* Charneau se acercó a la ventana, descorrió una pesada cortina y una luz fuerte bañó la estancia. El hombre que estaba en la cama se tapó los ojos y volvió la cara a la pared.

Madame Charneau era un modelo de viva y alegre eficiencia mientras arreglaba la sábana y estiraba la manta del hombre.

—Tiene visita, marqués —dijo ella con entusiasmo.

El hombre de la cama no hizo movimiento alguno mientras *madame* Charneau acercaba una silla de madera y le indicaba a Hargreaves que se sentase.

—Este es *monsieur* Hargreaves. Viene a escuchar sus historias.

Con cierta renuencia, Hargreaves se dejó caer lentamente en la silla.

—Bueno, los dejo solos, ¿no? —dijo *madame* Charneau mientras se acercaba a la puerta—. Estaré aquí cerca por si me necesitan —añadió antes de salir de la habitación y cerrar la puerta tras ella.

La mirada de Hargreaves se clavó en el cogote del hombre. Su espeso cabello era de un blanco casi luminiscente, apelmazado por el contacto con la almohada.

—Marqués —comenzó Hargreaves; pero Valfierno, mirando a la pared, levantó la mano para que se callase. Después, lentamente, fue volviendo la cabeza hacia la luz, entrecerrando los ojos frente a la claridad. Sin mirar a Hargreaves, señaló una mesilla llena de varias jarras y botellas—. Claro, claro —dijo Hargreaves—. Tiene sed.

Agradecido por tener algo de lo que ocuparse, Hargreaves cogió una jarra de agua y llenó un vaso. Se lo acercó a Valfierno que, impaciente, lo apartó, derramando parte de su contenido sobre la colcha. Señaló otra vez la mesa. Al lado de la jarra de agua había una botella medio llena de lo que parecía ser ginebra o vodka.

—¿La botella? —preguntó Hargreaves.

Valfierno asintió.

Hargreaves cogió la botella y encontró un vaso pegajoso en el batiburrillo de la mesa. Lo llenó y se lo pasó al hombre. Valfierno se irguió sobre un codo, agarró el vaso y, con ansia, bebió el líquido transparente. Saboreando la experiencia, le entregó a Hargreaves el vaso vacío y se tendió de nuevo con una expresión que se acercaba a la satisfacción, o quizá solo fuese un alivio momentáneo del dolor.

Después, empezó a toser de forma explosiva.

—¿Se encuentra bien? —preguntó Hargreaves, pensando que solo había acelerado el deceso del hombre.

Las toses fueron remitiendo poco a poco, como una tormenta que se desvanece en la distancia.

—Ya me encuentro mejor —concedió. Su voz era hueca, tan seca como el pergamino. Después, por primera vez, miró directamente al inglés a través de unos ojos legañosos e inyectados en sangre. Sus labios se curvaron en una sonrisa ligeramente sardónica y añadió—: Pero gracias por preguntar.

Aunque Hargreaves estimaba que el hombre quizá no tuviese aún sesenta años, aparentaba más edad de la que en realidad tenía, con su rostro cetrino y demacrado, sin afeitar.

—¿Ha traído el dinero? —preguntó Valfierno, aclarándose la voz y ganando resonancia.

Hargreaves dudó.

—¡Ah!, sí... el dinero. Para no mentir, se lo entregué a *madame* Charneau para su custodia.

—¡Esa bruja! —escupió Valfierno, arrastrando otra serie de toses atroces—. Solo deseo vivir para atormentar algo más a esa *putain* —añadió, tosiendo de nuevo y moviendo la cabeza resignado—. No se preocupe. No queda mucho tiempo. ¿Está preparado?

Hargreaves asintió y sacó del bolsillo de la chaqueta su cuadernillo y un lápiz.

—Completamente preparado. Estoy seguro de que nuestros lectores estarán deseando conocer con todo detalle la historia del robo de la pintura más grandiosa del mundo. He preparado unas preguntas...

Valfierno le cortó con un seco gesto de la mano.

—¡Nada de preguntas! ¡Nada de respuestas!

Hargreaves retrocedió ante la explosión.

—No tema —dijo Valfierno, suavizando la voz—. No se va a ir con las manos vacías. Le contaré una historia. ¿Le gustan las historias?

—Si son ciertas —replicó Hargreaves, tirante.

Valfierno asintió.

—En ese caso, le contaré una historia verdadera.

Valfierno hundió profundamente la cabeza en la almohada y se quedó mirando el techo como si viera algo oculto en la profundidad de las grietas del yeso.

—¿Ha estado alguna vez en Buenos Aires, señor...?

—Hargreaves, y no, no he tenido ese placer.

—Placer, en efecto —dijo Valfierno, ignorando el impaciente sarcasmo en la voz de Hargreaves—. La fragancia de los jacarandás llena el aire; las parrillas-café atraen con sus tentadores aromas, y los tangos interpretados por las orquestas típicas atormentan el alma con sus elusivas promesas de amor.

Cerrando el puño y llevándoselo al corazón, se volvió a mirar directamente a los ojos del reportero.

—¿Alguna vez ha experimentado *le coup de foudre*[1], señor Hargreaves? ¿Se ha enamorado alguna vez a primera vista?

Hargreaves se movió incómodo.

—Yo diría que no.

—¿Sabe que un hombre puede caer bajo el hechizo de una mujer sin darse cuenta siquiera?

Hargreaves no estaba consiguiendo ninguna información. Tenía que hacer que este hombre volviera al tema de la entrevista.

—Mencionó usted Buenos Aires.

Valfierno volvió el rostro de nuevo al techo. Sus ojos se cerraron y, por un momento, Hargreaves creyó que se había dormido o algo peor. Pero entonces se abrieron, brillando con reluciente intensidad a través de la lechosa bruma.

—Sí —dijo—. Buenos Aires: allí empieza mi historia.

---

[1] Una pasión violenta y súbita. *(N. del T.)*.

PRIMERA PARTE

Ceba bien el anzuelo y el pez picará.

SHAKESPEARE, *Mucho ruido y pocas nueces.*

Capítulo 1

EL MARQUÉS DE VALFIERNO ESTABA EN PIE DÁNDOSE toquecitos en la palma de la mano con la empuñadura de su bastón de caballero, al pie de la escalinata del Museo Nacional de Bellas Artes. Su panamá le ensombrecía el rostro y su inmaculado terno blanco contribuía a reflejar el fuerte sol sudamericano, pero él seguía sintiendo un incómodo calor. Podría haber optado por esperar en la parte superior de la escalera, a la sombra del pórtico del museo, pero prefería siempre saludar a sus clientes al nivel de la calle y subir con ellos hasta la entrada. El hecho de subir juntos la escalinata encerraba algo que favorecía la conversación fácil y animada, como si su cliente y él se embarcaran en un trascendental viaje, un viaje que los enriquecería a ambos.

Miró su reloj de bolsillo: las cuatro y veintiocho. Joshua Hart sería puntual. Había amasado su fortuna asegurándose de que sus trenes llegaran a su hora. Se había convertido en uno de los hombres más ricos del mundo llenando aquellos convoyes de pasajeros que leían sus periódicos, y cargándolos con montañas de carbón y hierro con destino a sus propias fábricas para producir el acero que necesitaban los nuevos Estados Unidos.

Las cuatro y media. Valfierno repasó la plaza con la mirada. Joshua Hart, el titán de la industria, llegaba como la locomotora de uno de sus trenes: un hombre corpulento con forma de tonel, robusto a sus sesenta años, vestido con un terno negro, a pesar del calor. Valfierno casi podía ver el espeso humo ascendente desde la chimenea de su sombrero de copa.

—Señor[1] Hart —dijo Valfierno cuando el hombre de menor estatura se plantó frente a él—, como siempre, es un honor, un placer y un privilegio verlo.

—Guárdese las gilipolleces, Valfierno —dijo Hart con solo un ligero indicio de irónica camaradería—. Si este país dejado de la mano de Dios fuese un poco más cálido, no me extrañaría descubrir que fuese el mismo Hades.

—Me parece —dijo Valfierno— que el diablo se encontraría como en casa en cualquier clima.

Hart se permitió una reticente sonrisa de aprecio por esta observación mientras se secaba la cara con un pañuelo blanco de seda. Solo entonces se percató Valfierno de la presencia de las dos delgadas mujeres, ambas con sendos vestidos blancos, de encaje, y ambas más altas que Hart, juntas tras él como los coches de un tren enganchados con flexibilidad. Una de ellas tendría cincuenta y tantos años; la otra, unos treinta y pocos quizá. Con el paso de los años, Valfierno había cerrado tratos con Hart en diversas oca-

---

[1] En español en el original. *(N. del T.)*.

siones, sabía que estaba casado, pero nunca había conocido a su esposa. Como no podía ser de otra manera, dio por supuesto que la mujer más joven era su hija.

Valfierno se quitó el sombrero a modo de saludo y, con la mirada, le pidió a Hart que se las presentase.

—¡Ah, sí!, claro —empezó Hart con un gesto de impaciencia—. Le presento a mi esposa, *mistress* Hart...

Hart señaló a la mujer más joven, que sonrió recatadamente y solo estableció un breve contacto visual con Valfierno.

—... y esta —dijo Hart con un deje de desaprobación en su voz— es su madre.

La mujer mayor no dio respuesta alguna.

Valfierno inclinó la cabeza.

—Eduardo de Valfierno —dijo, presentándose a sí mismo—. Es un placer conocerlas.

El rostro de *mistress* Hart estaba parcialmente oculto por la amplia ala de su sombrero y la primera impresión de Valfierno fue la de una piel blanca y suave y un mentón delicadamente apuntado.

La madre de *mistress* Hart era una mujer guapa, algo cansada, cuya plácida sonrisa estaba como petrificada, igual que su mirada, una mirada fija, concentrada en un punto más allá del hombro de Valfierno. Sintió la necesidad de darse la vuelta para ver lo que estaba mirando, pero lo pensó mejor. «¿Era ciega acaso? No, no era ciega. Era otra cosa».

—Señoras mías, confío en que estén disfrutando de su visita —dijo.

—Todavía no hemos podido ver mucho —empezó a decir *mistress* Hart—, pero esperamos...

—Querida —la cortó Hart con forzada cortesía—, el marqués y yo tenemos asuntos que tratar.

—Claro —dijo *mistress* Hart.

Hart se volvió hacia Valfierno.

—Vamos a ello, ¿no?

—Naturalmente, señor —replicó Valfierno con una breve mirada hacia *mistress* Hart mientras ella apartaba suavemente una mosca del hombro de su madre—. Después de usted —añadió, enfatizándolo con un amplio movimiento de la mano.

Él había previsto que las damas pasaran primero, pero Hart comenzó inmediatamente a subir las escaleras. *Mistress* Hart pareció dudar un momento y decidió seguir a su esposo sin esperar.

Valfierno tuvo el detalle de dejar un escalón de diferencia con respecto a Hart con la idea de mantener sus cabezas al mismo nivel.

—No quedará defraudado, se lo aseguro.

—Mejor así.

Valfierno echó una mirada atrás. *Mistress* Hart conducía a su madre subiendo la escalinata.

Cuando llegaron arriba, Valfierno sacó su reloj de bolsillo.

—El museo cierra en quince minutos —dijo—. Perfecta coordinación.

Entraron en el vestíbulo, deteniéndose y volviéndose cuando *mistress* Hart y su madre entraban tras ellos.

—Creo que lo mejor es que os quedéis aquí, en el vestíbulo —dijo Hart—. Lo entiendes, ¿verdad, querida? —añadió en un tono atento pero firme.

—Había pensado que a madre y a mí nos gustaría ver algunas de las...

—Volveremos mañana... y tendréis más tiempo para apreciar el arte. Ya dije que creía que lo mejor era que os quedaseis en el hotel. Ahora, por favor, haz lo que te digo.

Valfierno notó que *mistress* Hart estaba a punto de protestar, pero, tras una breve pausa, apartó la vista y dijo simplemente:

—Como quieras.

La mirada que Hart dirigió a Valfierno era inconfundible: ¡basta de cháchara! Con una breve inclinación de cabeza hacia *mistress* Hart, Valfierno lo condujo por el museo.

Los dos hombres atravesaron un gran atrio, moviéndose a través del polvo en suspensión, visible con los rayos del sol vespertino. Los pocos visitantes que seguían en el museo se encaminaban ya en dirección opuesta, hacia la salida.

—Si se puede decir —comenzó Valfierno—, su esposa es encantadora.

—Sí —dijo Hart, claramente distraído.

—Y su madre...

Hart lo cortó.

—Su madre es imbécil.

Valfierno no fue capaz de encontrar respuesta a eso.

—Está ida —continuó Hart—. No tenía sentido traerla, pero mi mujer insistió.

Un momento después, Valfierno y Hart estaban ante *La ninfa sorprendida,* de Édouard Manet, colgado en una pared aislada que corría por el centro de la galería conocida como Sala 17. Una ninfa rellenita y curvilínea sostiene firmemente un vestido blanco sedoso contra sus pechos para ocultar su desnudez. Se vuelve hacia el intruso que la ha sorprendido sentada y sola en un bosque silvestre, preparándose quizá para bañarse en el estanque que se halla tras ella. Sus ojos están abiertos de par en par por la sorpresa, pero sus labios carnosos, solo ligeramente abiertos, sugieren que, aunque sobresaltada, no está asustada.

Valfierno había estado aquí muchas veces antes y siempre se preguntaba quién era el intruso: ¿un completo extraño? ¿Alguien a quien conocía que ella esperaba que la siguiera? ¿O acaso el intruso era el mismo Valfierno o cualquier otro que se sintiera intimidado por ella?

—Exquisito, ¿no? —dijo Valfierno, más como afirmación que como pregunta.

Hart lo ignoró. Estaba mirando la pintura, evaluándola con la mirada suspicaz de un hombre que trata de encontrar defectos en un caballo de carreras que está pensando comprar.

—Es más oscuro de lo que creía —dijo Hart por fin.

—Sin embargo, la suave luz de su piel aparta la mirada de la oscuridad, ¿no le parece? —señaló Valfierno.

—Sí, sí —dijo Hart; la impaciencia de su voz delataba su creciente agitación—. ¿Y dice usted que es una de sus obras más celebradas?

—Una entre muchas —concedió Valfierno—. Pero, desde luego, muy famosa.

Ninguna alabanza excesiva. Dejó que la pintura y la avaricia del cliente hicieran todo el trabajo.

Valfierno dejó que el silencio que siguió flotara en el ambiente. En estas cuestiones, el ritmo lo era todo. Dejó que *mister* Joshua Hart, de Newport (Rhode Island), lo asimilara todo. Le dejó absorberlo hasta que el pensamiento de dejar Argentina sin el objeto de su obsesión fuera inimaginable.

—Señor Hart —dijo por fin, mirando su reloj de bolsillo—, solo quedan cinco minutos para que cierren.

Joshua Hart inclinó la cabeza hacia Valfierno, con los ojos fijos en la pintura.

—Pero, ¿cómo lo va a conseguir? Todo Buenos Aires se levantará en armas. Vendrán a por nosotros.

—Señor, todo museo que se precie tiene copias de sus obras más importantes preparadas para exponerlas si le sucede algo a aquellas. El público en general nunca sabrá siquiera que falta.

—Pero no es el público quien me preocupa. ¿Y la policía? ¿Y las autoridades?

Valfierno ya esperaba la reacción, el momento en el que al cliente le asaltan las dudas y trata de convencerse a sí mismo de que ha viajado miles de kilómetros para admirar el objeto de sus deseos, pero ahora teme que los riesgos implicados sean demasiado grandes.

—Usted sobrestima las posibilidades de las autoridades locales, señor. Cuando puedan arreglárselas para organizar su investigación, usted estará fumándose un cigarro en la cubierta de su barco mirando ya la costa de Florida.

Hart no supo qué decir durante un momento, buscando objeciones. Finalmente, dijo:

—¿Cómo puedo saber que usted no me entregará una copia en vez de la obra original?

Esta era la pregunta que Valfierno había estado esperando. Miró a un lado y a otro de la estrecha galería. Estaban solos y no por casualidad. Valfierno avanzó hacia el cuadro e hizo señas a Hart para que se le acercara. El rostro de Hart se tensó por la ansiedad, pero Valfierno lo animó con una sonrisa tranquilizadora. Hart miró también a ambos lados de la galería antes de dar un paso adelante. Valfierno sacó una adornada pluma estilográfica de su bolsillo. Con estudiada parsimonia, desenroscó el capuchón, lo colocó sobre la parte trasera del cuerpo de la pluma y se la ofreció a Hart, que reaccionó como si de una mortífera arma se tratase.

—Adelante, cójala —lo animó Valfierno.

Con cautela, Hart aceptó la estilográfica. Valfierno agarró un lado de la parte inferior del marco y, con cuidado, lo apartó de la pared.

—Haga una señal en la parte trasera de la tela. Sus iniciales, si le parece. Algo que pueda reconocer.

Hart dudaba.

—Nos queda poco tiempo, señor —lo dijo sin prisa ni preocupación. Una sencilla constatación de un hecho.

La respiración de Hart se hizo trabajosa y entrecortada mientras, inclinándose hacia la pared, agarraba la esquina inferior del marco con su mano izquierda y garabateaba algo en la parte de atrás de la pesada tela. Valfierno dejó que la parte inferior del marco quedara suavemente en su posición, asegurándose de que el cuadro quedara derecho.

—Espero que sepa lo que está haciendo —dijo Hart, devolviéndole la estilográfica.

Valfierno puso el capuchón en su sitio.

—El resto déjemelo a mí.

Al salir de la galería, Valfierno y Hart se cruzaron con un desgarbado joven del personal de mantenimiento, que llevaba un largo guardapolvos blanco y una capucha que le cubría la cara, mientras pasaba una fregona por el suelo húmedo. A un lado del arco de entrada, habían colgado un letrero provisional que rezaba: «GALERÍA CERRADA». Hart lanzó al hombre una mirada de desprecio cuando se vio obligado a pisar sobre un pequeño charco. No se dio cuenta de que Valfierno y el empleado de mantenimiento intercambiaron una fugaz mirada y, al pasar, el marqués le hizo una ligera y convenida inclinación de cabeza.

Valfierno, Joshua Hart y las dos damas fueron los últimos visitantes que salieron del museo. Hart fue el primero en bajar la escalinata, en evidente estado de agitación. Valfierno descendió con *mistress* Hart y su madre.

—Mañana —comenzó— tendrán mucho más tiempo para disfrutar de las joyas del museo.

—Sí —dijo *mistress* Hart—. Eso espero.

Joshua Hart estaba esperando al final de la escalera, dándoles la espalda. En cuanto pusieron el pie en la plaza tras él, se volvió y le disparó a Valfierno una pregunta en tono desafiante:

—Y ahora, ¿qué pasa?

Valfierno miró a su alrededor para asegurarse de que

no hubiera cerca ningún oído indiscreto.

—Por la mañana, le llevaré el objeto en cuestión a su hotel.

—Tengo que decirle —manifestó Hart— que estoy empezando a sentirme incómodo con toda esta cuestión.

Cierto grado de resistencia del cliente en el último minuto no era raro, por supuesto, pero Valfierno no había previsto esta salida de Hart.

—No hay nada de que preocuparse; puedo asegurárselo.

—Necesitaré cierto tiempo para pensarlo. Quizá no sea una buena idea, después de todo. —Hart hablaba más para sí mismo que para otra persona.

Valfierno tuvo que cambiar de tema rápidamente. Lo último que deseaba era que su cliente le diera demasiadas vueltas a los posibles riesgos implicados.

—Me parece que necesita airear la mente un rato —dijo con su voz más tranquilizadora—. La noche está cayendo. La frescura del aire invita a una exploración de la ciudad.

—¿A esto le llama fresco? —dijo Hart—. A duras penas puedo respirar.

—En realidad —comenzó *mistress* Hart en respuesta a Valfierno—, habíamos hablado de hacer quizá una visita al zoo —dijo, con una voz que parecía esperanzada, aunque indecisa.

—Una magnífica idea —dijo él, agradecido por la involuntaria ayuda prestada por la joven mujer—. Está abierto por lo menos hasta las siete y el recinto del jaguar es visita obligada.

—Mi madre tiene muchas ganas de ir a verlo, ¿no es así, madre?

La mujer mayor solo mostró una ligerísima reacción, más al tacto de la mano de su hija que a sus palabras.

Hart prestó atención a las mujeres por primera vez desde la salida del museo.

—No digas tonterías —dijo, enmascarando su irritación bajo una capa de preocupación—. Hace demasiado calor para eso y las calles son demasiado peligrosas por la noche. Es mejor que regresemos al hotel.

Los labios de *mistress* Hart se entreabrieron ligeramente como si fuera a responder, pero no dijo nada.

Valfierno sintió la urgente necesidad de apoyar los deseos de la joven dama:

—Puedo asegurarle —dijo— que las calles son perfectamente seguras en esta zona.

—¿Y quién es usted ahora? —preguntó, mordaz, Hart—. ¿El alcalde, acaso?

Valfierno sonrió, ladeando ligeramente la cabeza.

—No oficialmente, no.

A Valfierno le encantó notar el breve esbozo de sonrisa que atravesó el rostro de *mistress* Hart.

—Es hora de irnos —dijo Hart, cortante, volviéndose a su esposa—. Vamos, querida —añadió y, sin esperar a las mujeres, comenzó a cruzar la plaza a grandes zancadas.

—Hasta mañana por la mañana, señor Hart —le dijo Valfierno.

—Debo pensarlo —le espetó Hart con un movimiento desdeñoso de la mano—. Tengo que pensarlo.

Mistress Hart saludó a Valfierno con una ligera inclinación de cabeza, mientras agarraba a su madre y seguía a su esposo.

Valfierno se quitó el sombrero.

—Señoras —dijo a modo de despedida.

Hart y las dos mujeres se sumergieron en la muchedumbre que invadía las calles al fresco de la caída de la tarde. Tras una profunda inspiración, Valfierno se llevó un pañuelo blanco a la frente y se permitió sudar por primera vez en toda la tarde.

Dentro de la galería, el joven de mantenimiento del guardapolvos blanco se encontraba ante *La ninfa sorprendida* de Manet. Miró una vez más a todos lados para asegurarse de que estaba solo, dio un paso adelante y, con la mano izquierda, levantó la parte inferior del marco, separándolo de la pared. Metió la mano derecha por detrás del cuadro; hizo presión sobre la parte trasera del lienzo y lo arrastró hasta que asomó su borde inferior. Lo agarró y, lentamente, tiró de él hacia abajo como si estuviese corriendo una cortinilla sobre una cortina. Poco a poco, fue apareciendo una segunda pintura, una copia idéntica, la que había colocado detrás de la original la tarde anterior. Siguió tirando ininterrumpidamente hasta retirar por completo la segunda pintura sin perturbar la obra maestra, que seguía en su sitio dentro del marco.

Volvió a dejar suavemente el marco sobre la pared y empezó a enrollar la copia, en la que aparecían las iniciales «J.H.» escritas al dorso con letras estilizadas.

—¿Quién ha cerrado esta galería?

El sonido de una voz autoritaria lo sorprendió. Venía

de la dirección de la entrada de la galería, invisible desde este ángulo a causa del muro aislado central. Uno de los vigilantes del museo, sin duda.

El eco de las pisadas le indicaba al joven que solo disponía de unos segundos antes de que lo descubrieran. Con rápidos movimientos de muñeca, terminó de enrollar la copia. Deslizando el cilindro bajo su largo guardapolvos, se dirigió con brío hacia el extremo de la galería más alejado de la entrada. Giró al final del muro central al mismo tiempo que el vigilante hacía lo propio por el extremo opuesto, por lo que ninguno de los dos vio al otro. Caminando rápidamente hacia la entrada de la galería, ajustó sus zancadas al sonido de los pasos del vigilante, que llegaban del extremo opuesto del muro.

—¿Hay alguien aquí? —Oyó que decía el vigilante mientras atravesaba la entrada de la galería, dejando atrás la señal que previamente había puesto. Cruzó el atrio principal y entró en un pasillo solo utilizado por el personal del museo, sacó una llave y abrió la puerta. Salió; cerró la puerta tras él y se alejó, adentrándose en la marea humana vespertina.

Capítulo 2

Las sombras se alargaban y la primera brisa de la tarde refrescaba el aire húmedo mientras Valfierno regresaba sin prisa a su casa en el barrio de la Recoleta. Llevándose la mano al ala del sombrero ante dos *señoras*[1] bien vestidas, iba pensando en realidad en la vuelta de Émile del museo. No tenía sentido esperar al joven. Podría haberse visto obligado a secuestrarse a sí mismo en el edificio hasta que se fuese a casa todo el mundo, como él mismo había tenido que hacer la noche anterior, cuando colocó la copia detrás de la pintura auténtica.

De uno u otro modo, Émile volvería con la tela en algún momento de esta noche; Valfierno estaba seguro de ello. En todo caso, él había hecho su parte y, por ahora, el asunto se escapaba de sus manos. Siempre era posible, aunque improbable, que hubiesen descubierto a Émile con las manos en la masa, pero no podía permitirse ninguna preocupación por esa posibilidad antes de que ocurrie-

---

[1] En español en el original. *(N. del T.)*.

se. Necesitaba toda su energía para considerar el asunto que tenía entre manos: la creciente posibilidad de que Joshua Hart incumpliera su acuerdo para intercambiar cincuenta mil dólares estadounidenses por lo que creía que era *La ninfa sorprendida* original de Manet.

Valfierno consideró el estado mental de Hart. El hombre había viajado a Sudamérica con una finalidad: adquirir una pintura robada para su colección, la misma colección en cuya constitución el marqués había intervenido en no pequeña medida. Valfierno siempre le había facilitado falsificaciones perfectas, pero Hart estaba absolutamente convencido de que todas ellas eran originales. Hart había viajado a París y a Madrid, pero esta era la distancia más lejana a la que se había aventurado. Quizá tuviera algo que ver con su inquietud. ¿Y por qué había traído a su joven esposa y a su madre, aparentemente enferma mental? A pesar de toda su urbanidad, no parecía especialmente preocupado por su comodidad o disfrute.

Mistress Hart era, por lo menos, treinta años más joven que Hart y, por lo que Valfierno había podido observar en sus limitadas interacciones, se trataba de una mujer muy atractiva. Quizá Hart la hubiese traído con él para tenerla a la vista, para mantenerla a su alcance en todo momento, para apartarla de tentaciones. Y quizá acceder al deseo de su esposa de que su madre la acompañase fuese su única concesión. Valfierno se preguntaba cómo podía haber atrapado a una mujer tan joven y encantadora. «Supongo —pensó— que por eso inventó Dios el dinero».

Dirigió de nuevo su pensamiento al problema que tenía entre manos. ¿Qué haría si Joshua Hart decidía romper su acuerdo? Había demasiado en juego para dejar que eso sucediera. Valfierno tendría que inventarse algo, algún tipo de seguro, pero, por el momento, no tenía ni idea de lo que haría.

Una conmoción en un callejón lateral distrajo la atención de Valfierno. Una banda de golfillos —unas criaturas patéticas que la pobreza y la injusticia habían extendido como una plaga por las calles de Buenos Aires— había rodeado a una elegante joven, pidiéndole dinero. El pulcro vestido blanco de la mujer contrastaba descarnadamente con los sucios harapos de los niños. Al ver a Valfierno, ella corrió hacia él y se echó en sus brazos como un náufrago se agarra a un salvavidas.

—Señor[2] —dijo, e imploró en inglés—: por favor, ¡son como una jauría de animales!

Los pequeños mendigos se aglomeraron alrededor, importunando a ambos con un vigor bien ensayado.

—*¡Señor! ¡Señorita!* —gritaban—. *¡Por favor! ¡Unos pocos pesos! ¡Tenemos hambre! ¡Tengan compasión, por favor, señor, señorita!*[3]

Valfierno puso un brazo, a modo de protección, en torno al hombro de la joven.

—Veo que se ha encontrado con nuestros pequeños embajadores —dijo y, después, manteniendo en alto su bastón para enfatizar lo que decía, añadió—: *¡Largaos, bestezuelas!*[4]

---

[2] En español en el original. *(N. del T.).*
[3] En español en el original. *(N. del T.).*
[4] En español en el original. *(N. del T.).*

Pero su gesto no causó efecto alguno en la minúscula chusma, cuyas manos mugrientas y dañadas se alzaban como tentáculos de un monstruo de varias cabezas. En un rápido movimiento, Valfierno pasó su bastón a la mano izquierda y hurgó en el bolsillo de su chaqueta. Sacó un puñado de monedas y las lanzó al callejón a la mayor distancia de que fue capaz. Como una bandada de palomas que se arremolinaran en torno a unas migajas, los niños se lanzaron tras el reluciente tesoro, farfullando incoherencias.

Mientras los golfillos se peleaban por lo que pudiese tocarles de las monedas de plata y de cobre, Valfierno apartó rápidamente a la joven.

—Gracias, señor[5] —dijo ella—. Ha sido usted muy valiente.

—No es nada. Las calles están llenas de estos pobres desdichados. No se los puede culpar por su infortunio. ¿Se encuentra usted bien?

—Solo gracias a usted, señor[6].

Ella alzó la vista y Valfierno pudo verla bien por primera vez. Tendría unos veinte años y mostraba unos grandes ojos verdes como esmeraldas bajo unas cejas perfectamente arqueadas. De algún modo, se las había arreglado para crear con su boca, grande y sensual, con unos labios carnosos, una sonrisa inocente y humilde, digna de una venus de Botticelli.

—Es usted estadounidense —dijo.

---

[5] En español en el original. *(N. del T.)*.
[6] En español en el original. *(N. del T.)*.

—Sí. Soy estudiante. En la *universidad*[7]. Aunque me temo que mi castellano sea muy malo.

—En ese caso, tiene suerte, porque mi inglés es muy bueno.

Ella asintió y bajó la vista con timidez.

—No estoy muy seguro de que las calles sean seguras para una joven sola —continuó diciendo—. ¿Adónde va? Quizá debiera acompañarla hasta su destino.

—No, señor[8]. Estoy perfectamente, de verdad. Iré por la calle principal hasta llegar a mi habitación. Usted ha sido más que amable. Debo irme.

Y, con una sonrisa más inocente, se volvió hábilmente y se alejó por la calle. Él la observó un momento antes de darse cuenta de que las voces de los golfillos de la calle se habían detenido. Retrocedió unos pasos para echar un vistazo al callejón. Los pequeños mendigos habían desaparecido, pero le llamó la atención algo curioso. Algunas monedas de cobre y aun alguna de plata seguían en el suelo, allí donde él las había lanzado.

Valfierno miró hacia atrás, en la dirección que había tomado la joven, pero no se la veía por ningún sitio. Dudó solo un instante antes de tocarse la americana sobre su bolsillo interior, el bolsillo en el que guardaba la cartera.

El bolsillo estaba vacío. La cartera había desaparecido.

Tocó también el bolsillo del reloj. También vacío.

Valfierno sonrió.

---

[7] En español en el original. *(N. del T.)*.
[8] En español en el original. *(N. del T.)*.

—Buen trabajo, chicos. Hoy os habéis ganado el dinero.

La joven estaba de pie, de nuevo rodeada por los mendigos callejeros, con los brazos extendidos y agarrando con sus pequeños dedos sucios los billetes que ella les distribuía extrayéndolos de la cartera de Valfierno.

—Hay de sobra para todos —dijo ella en castellano—. En esta ocasión, hemos cogido a un pez gordo.

Estaba en un callejón sembrado de basura, donde no podían verla quienes pasaran por la calle principal. Los chicos aullaban eufóricos mientras recogían sus recompensas. Pero, en medio del entusiasmo, el chico más alto vio algo por encima del hombro de Julia y se quedó helado. Los otros chicos lo siguieron mientras se les abrían los ojos como platos de miedo y de sorpresa.

Julia se volvió. Bloqueando la salida del callejón estaba el caballero del fino traje blanco. A su lado, un *policía*[9] uniformado con una mirada de ufana satisfacción en su rostro. Por extraño que pareciera, la expresión del caballero parecía indicar que estaba más divertido que irritado.

La escena inmóvil saltó por los aires cuando los chicos salieron disparados como insectos inmersos en un rayo de luz. Con infantil agilidad, saltaron sobre muros y vallas, dejando a la joven sola con todas las vías de escape cerradas.

—Señor[10] —dijo ella, volviendo al inglés con toda la sinceridad que pudo reunir—, una vez más me ha salvado de esos terribles niños...

---

[9] En español en el original. *(N. del T.).*
[10] En español en el original. *(N. del T.).*

Valfierno se rio.

—Mire, si solo hubiese sido el dinero de la cartera, bueno, se lo habría ganado. Pero me temo que el reloj que cogió tiene cierto valor sentimental para mí.

Aun sonriendo, le retuvo la mano. Su inocente expresión se transformó rápidamente en otra de resignación. Se encogió de hombros y se adelantó, poniendo la cartera y el reloj de bolsillo sobre la mano de Valfierno.

—Me temo que la cartera no esté tan abultada como antes —dijo ella, tratando de suavizar su culpa con una sonrisa coqueta.

—No esperaba que lo estuviese —dijo Valfierno—. Y puedo decirle que su español ha mejorado muchísimo desde la última vez que la vi.

—Conozco a esta chica —dijo el *policía*[11], dando un paso adelante y agarrándola por el brazo—. *Una carterista gringa*[12]. Esta vez, pasará mucho tiempo disfrutando de nuestra hospitalidad.

—Por favor, señor[13] —dijo ella, implorando a Valfierno—, usted me ayudó una vez. Aquí las cárceles son unos lugares terribles para los hombres; no digamos para una mujer indefensa.

—¡Oh!, no sé —dijo Valfierno—. Tengo la sensación de que usted sabrá cuidar de sí misma. ¿Cómo se llama?

—¿Por qué voy a tener que decírselo? —dijo enfadada.

---

[11] En español en el original. *(N. del T.)*.
[12] En español en el original. *(N. del T.)*.
[13] En español en el original. *(N. del T.)*.

—Por ninguna razón en absoluto.

—Julia... Julia Conway.

—El marqués de Valfierno. A su servicio.

Mientras el *policía*[14] la mantenía agarrada, Valfierno dio unas vueltas alrededor de ambos, evaluándola.

—Se lo ruego, señor —imploró—. Yo no duraría un día en ese hoyo infernal.

—Bien pensado —consideró Valfierno—, puede que haya una alternativa, una forma de devolverme lo que me ha robado y sacarla de este apuro.

—Espere un momento —dijo Julia, girando la cabeza de un lado a otro para mantenerlo a la vista—. No sé qué clase de chica cree que soy, pero...

—No se haga ilusiones —la interrumpió Valfierno mientras cogía los billetes que todavía quedaban en su cartera y se los entregaba al *policía*[15]—. Gracias, Manuel. Ya me encargo yo de ella.

—*De nada, señor*[16].

El *policía*[17] soltó el brazo de Julia y le dirigió una mirada un tanto lasciva antes de marcharse.

—No, yo tenía en mente otra cosa completamente diferente —dijo Valfierno, ofreciéndole el brazo—. Un trabajito para aprovechar sus destrezas.

Julia dudaba. Su expresión era difícil de interpretar. Ella acababa de robarle y, sin embargo, parecía más que nada divertido. Fuera lo que fuese lo que estuviese tra-

---

[14] En español en el original. *(N. del T.)*.
[15] En español en el original. *(N. del T.)*.
[16] En español en el original. *(N. del T.)*.
[17] En español en el original. *(N. del T.)*.

mando, le hacía gracia. Y, si implicaba el uso de sus propios talentos particulares, quizá también ella lo pasase bien.

—¿Y bien? —insitió él—. ¿Qué dice?

Ella se encogió de hombros y tomó su brazo.

Capítulo 3

MISTRESS ELLEN HART ESTABA SENTADA A UNA ME-
sita de caoba en la sala de estar de la lujosa *suite* de
su esposo en el Gran Hotel de la Paix. Su madre
estaba sentada frente a ella, mirando por la ventana las par-
padeantes luces de gas que jalonaban la avenida Rivadavia.
La mujer tenía la misma expresión de siempre. Su cara solo
revelaba una vaga satisfacción, como si estuviera mirando a
través del mundo que la rodeaba algún lugar y tiempo distantes y felices. A Ellen le hubiese gustado poder hablar con su
madre incluso de las cosas más corrientes y molientes; pensaba en lo maravilloso que sería oír su voz de nuevo, mirarla a
los ojos, decirle —decirle a todo el mundo— lo que albergaba en los recovecos más profundos de su corazón.

Pensaba en las últimas palabras que su madre había
dicho:

—Estoy cansada, querida. Creo que debería irme y
tumbarme un rato.

Fue la última vez que estaba segura de que su madre la
había mirado y la había reconocido. Ella la había ayudado a

tumbarse en el sofá cama de su apartamento de Nueva York, el que estaba a continuación del ventanal que se asomaba a Central Park. Su madre la miró a los ojos y le sonrió un «gracias» silencioso. Después, sus párpados se cerraron como para dormir, pero acabó en un coma a causa del derrame cerebral que la asaltó silenciosamente durante el sueño. Pasó más de una semana hasta que recobró la consciencia. Su médico de cabecera dictaminó que estaba físicamente sana, sin trastornos de los miembros ni del cuerpo, pero su mente era otro asunto. «Quizá con el tiempo...», dijo.

Pero habían pasado diez años desde entonces y Ellen sabía en su corazón que su madre nunca volvería a ser la misma, que tendría que contentarse con la fotografía viviente en la que se había convertido. Con mucha ayuda había aprendido a encargarse de satisfacer muchas de sus necesidades casi en la medida en que podía hacerlo antes del derrame. Pero nunca recuperó su capacidad de comunicación. Ellen no tenía ni idea de si su madre comprendía alguna de las palabras que le decía. Pero aún podía verla, sentir su mano, rodearla con sus brazos y oler su cabello. Y con estas cosas tenía que conformarse.

La puerta que daba al dormitorio principal se abrió y apareció Joshua Hart, sin el cuello duro y con los faldones de la camisa colgando sobre el pantalón.

—Querido —dijo Ellen en tono agradable, pero un poco sorprendida—, todavía no te has vestido para la cena.

—¿Qué has dicho? —preguntó él distraídamente.

—La cena. Son las ocho pasadas.

—¡Oh!, no vamos a ir a cenar —dijo él como si ella ya debiera saberlo—. Pide que suban algo.

—Pero madre y yo acabamos de vestirnos, como puedes ver...

—Bueno. Quizá deberías haberme preguntado primero —dijo, cortante.

—Pero ya lo hice, querido. Hablamos de ello esta tarde.

—Simplemente, es que tengo demasiadas cosas en la cabeza —dijo, con una voz que delataba su irritación. Después, hizo una inspiración profunda y añadió en un tono tranquilizador forzado—: Lo comprendes, ¿no, querida? Y, desde luego, para ella no supone ninguna diferencia.

Ellen se volvió a su madre, pero la mirada de la anciana estaba fija en algún punto distante, más allá de la ventana.

—Únicamente, había pensado —comenzó— que estaría bien salir un rato.

—Haré lo que quieras cuando regresemos a Nueva York —dijo él, en un tono condescendiente—. Si queréis comer algo, pide que lo suban, por favor.

El hombre se sentó en una silla a un pequeño escritorio y cogió un periódico, poniendo fin a la conversación.

—Te sugerí —dijo ella, vacilante— que no viniésemos contigo a este viaje, que nos quedásemos en casa.

Hart levantó la vista de su periódico, manifiestamente irritado por que ella no dejara el tema.

—Tú eres mi mujer —empezó él, como si le explicara algo a un crío—. Adonde yo vaya, vienes tú. Así ha sido siempre. Procura recordarlo.

Ella bajó la vista y respondió con calma:

—Naturalmente, querido.

Él suspiró con impaciencia, dejó el periódico y se levantó.

—Ellen —dijo, conciliador ahora—, trata de entenderlo, por favor. Tengo muchas cosas en qué pensar. Este es un asunto muy serio. Haré lo que quieras cuando volvamos. Te lo prometo.

Ella asintió con una sonrisa resignada mientras tomaba su mano.

Él elevó la suya y la besó.

—Ahora —dijo con brío— tengo trabajo que hacer —y, dicho esto, dio la vuelta y desapareció en su dormitorio.

Ellen sostuvo la mano de su madre, la apretó suavemente y dijo en voz baja:

—Debes de tener hambre. Voy a pedir la cena, ¿vale?

* * *

Caminando a la luz de las farolas de gas del barrio de la Recoleta, mientras se dirigía a la casa de Valfierno y a un incierto futuro, Julia Conway empezó a tener dudas y a considerar la posibilidad de escapar. Pero descartó rápidamente la idea. ¿Adónde iba a ir? ¿A volver a unir sus fuerzas con aquellos horribles niños y sus lascivas y sugerentes observaciones? ¿A volver a las calles a pescar objetivos fáciles? No, había algo en este hombre elegante y sereno que la intrigaba. Le daría una oportunidad y descubriría lo que tenía en mente, dando por supuesto, evidentemente, que no se trataría de nada divertido. Si él... bueno, no tenía mal aspecto para ser un hombre mayor,

LONG BEACH PUBLIC LIBRARIES | Hours effective October 1, 2015

www.lbpl.org — This information is available in an alternative format by request to Main Library at (562) 570-7500

	SUN	MON	TUE	WED	THU	FRI	SAT
MAIN • 570-7500 101 Pacific Ave. Long Beach, CA 90822	CLOSED	CLOSED	12 - 8	12 - 6	12 - 7	10 - 5	10 - 5
ALAMITOS • 570-1037 1836 E. 3rd St. Long Beach, CA 90802	CLOSED	CLOSED	12 - 7	12 - 6	12 - 7	10 - 5	10 - 5
BACH • 570-1038 4055 Bellflower Blvd. Long Beach, CA 90808	CLOSED	CLOSED	12 - 7	12 - 6	12 - 7	10 - 5	10 - 5
BAY SHORE • 570-1039 195 Bay Shore Ave. Long Beach, CA 90803	12 - 4	CLOSED	12 - 7	12 - 6	12 - 7	10 - 5	10 - 5
BREWITT • 570-1040 4036 E. Anaheim St. Long Beach, CA 90804	CLOSED	CLOSED	12 - 7	12 - 6	12 - 7	10 - 5	10 - 5
BURNETT • 570-1041 560 E. Hill St. Long Beach, CA 90806	12 - 4	CLOSED	12 - 7	12 - 6	12 - 7	10 - 5	10 - 5
DANA • 570-1042 3680 Atlantic Ave. Long Beach, CA 90807	CLOSED	CLOSED	12 - 7	12 - 6	12 - 7	10 - 5	10 - 5
EL DORADO • 570-3136 2900 Studebaker Rd. Long Beach, CA 90815	CLOSED	CLOSED	12 - 7	12 - 6	12 - 7	10 - 5	10 - 5
HARTE • 570-1044 1595 W. Willow St. Long Beach, CA 90810	CLOSED	CLOSED	12 - 7	12 - 6	12 - 7	10 - 5	10 - 5
LOS ALTOS • 570-1045 5614 E. Britton Dr. Long Beach, CA 90815	CLOSED	CLOSED	12 - 7	12 - 6	12 - 7	10 - 5	10 - 5
MARK TWAIN • 570-1046 1401 E. Anaheim St. Long Beach, CA 90813	CLOSED	CLOSED	12 - 7	12 - 6	12 - 7	10 - 5	10 - 5
NORTH • 570-1047 5571 Orange Ave. Long Beach, CA 90805	12 - 4	CLOSED	12 - 7	12 - 6	12 - 7	10 - 5	10 - 5

North Library will be closing July 31, 2016 and re-opening September 10, 2016 as the new Michelle Obama Library at 5870 Atlantic Ave., Long Beach, CA 90805

pero incluso los carteristas tienen sus principios. Y no sería la primera vez que alguien trataba de aprovecharse de ella. Ella se las había arreglado antes y confiaba en que también se las arreglaría ahora para salir airosa.

Trató de sonsacarle algo en relación con los planes que tenía para ella, pero él no dijo gran cosa, asegurándole únicamente que no le acarrearía ningún daño. Cuando llegaron a la casa de Valfierno, en la avenida Alvear, solo había descubierto que parecía poseer un talento ilimitado para unas evasivas encantadoras.

—¿Esta es su casa? —preguntó ella mientras atravesaba una decorativa verja de hierro forjado que daba paso a un camino adoquinado a la sombra de una fila de magnolias en flor.

—La casa pertenece a mi familia desde hace generaciones.

Julia siguió a Valfierno hacia una mansión de tres plantas que, en realidad, era relativamente pequeña y modesta en comparación con las demás grandes casas de la zona.

—¿Y, a todo esto, a qué se dedica usted?

—Digamos que me intereso por las bellas artes.

Valfierno abrió una de las puertas dobles talladas y, con un gesto, la invitó a pasar. Julia entró en un enorme vestíbulo circular dominado por una gran escalinata que ascendía hasta dividirse en dos ramas, a izquierda y derecha, dando acceso a las plantas superiores de la casa.

—Espera aquí —dijo Valfierno, dejando sus guantes sobre una mesita—. Y procura no robar nada —añadió antes de desaparecer tras la escalera.

—No se preocupe por mí —respondió ella, mientras examinaba con la mirada cada rincón de la estancia.

En el patio trasero, en el interior de una cochera transformada, iluminada con velas y luz de gas, Yves Chaudron daba delicadas pinceladas a una copia fiel de *La ninfa sorprendida*. Mientras trabajaba, miraba una copia maestra colocada sobre un caballete situado a un lado. En realidad, casi podía haber pintado de memoria la obra maestra. Esta copia sería la número cinco... ¿o era la seis? Por supuesto, ahora que sus piernas habían empeorado, tenía más tiempo para pintar. Pensaba con frecuencia que debería esforzarse más para moverse, pero, ¿para qué? A los sesenta y seis años, la pintura era todo lo que le quedaba; con ella llenaba prácticamente todo su tiempo, con exclusión de todo lo demás. De hecho, no había abandonado la gran casa desde hacía casi un año. En todo caso, no tenía muchas razones para hacerlo. Ya había visto lo suficiente del mundo exterior. Recrear las pinceladas de los maestros era lo único que le proporcionaba placer en estos tiempos.

—¡Ah, Yves! —dijo Valfierno, entrando a grandes zancadas—, has logrado mucho más de lo que habría podido esperar. ¡Excelente! Si todo va bien, pronto tendremos que darnos un respiro.

El hombre mayor puso la paleta que sostenía en la mano izquierda sobre la superficie de la pintura para dar apoyo a la mano que sostenía el pincel.

—Entonces —dijo, aplicando pintura a las delicadas facciones del rostro de la mujer—, ¿ha picado nuestro pez?

A las palabras del hombre siguió un largo, cansado suspiro.

—No del todo, pero pronto. Quizá requiera algo más de persuasión. Pareces cansado, Yves. Es tarde. Ya has hecho bastante por hoy —dijo Valfierno, contemplando la pintura—. Por lo que veo, casi has acabado.

—No se acaba nunca —dijo Yves—. Solo espero tener la sabiduría suficiente para descubrir el momento adecuado para marcharme.

—Entonces, este es el momento —dijo Valfierno—. Además, quiero que vengas a la casa y conozcas a alguien.

En el vestíbulo, Julia permanecía en pie, admirando una figurita particularmente exquisita, parte de un juego que adornaba la repisa de la chimenea de un gran hogar. La cogió y la examinó brevemente antes de introducirla en un bolsillo de su vestido con diestra, practicada eficiencia.

—¿Qué haces?

Sobresaltada, se volvió hacia la entrada principal. Un hombre alto y joven estaba en el umbral. En una mano, sostenía un arrugado guardapolvos blanco; en la otra, un lienzo enrollado.

—Solo estaba comprobando la cantidad de polvo que hay aquí —replicó Julia, pasando el dedo por la repisa para reforzar su afirmación.

El joven dejó el guardapolvos y el lienzo sobre una mesa antes de acercarse a ella, con la sospecha grabada en el rostro.

—En todo caso, ¿quién eres? —preguntó él.

—Podría preguntarte lo mismo —dijo ella con su voz más indignada.

—Émile —interrumpió Valfierno al salir de detrás de la escalera—. Ya estás de vuelta. Y veo que ya conoces a *Miss* Conway.

—Julia, por favor —dijo ella con cortesía teatral—. Encantada de conocerte.

—Acabo de atraparla robando —estalló Émile.

—¡Cómo te atreves a acusarme de robar! Estaba admirando las figuritas; eso es todo.

—Entonces, ¿qué tienes en el bolsillo?

—¿Por qué no lo averiguas?

—Émile —dijo Valfierno haciendo caso omiso de su conversación—, tendrás que trasladar tus cosas inmediatamente. Julia dormirá en tu habitación.

—¿Qué?

—Tú puedes dormir encima de la cochera.

—¡Pero si es una vulgar ladrona!

—¿A quién estás llamando vulgar? —protestó ella.

Émile iba a decir algo cuando Yves, apoyándose en un bastón, apareció por detrás de la escalera.

—No puedo recordar la última vez que oí una conmoción así —dijo, divertido.

—Permíteme presentarte a nuestro maestro pintor —dijo Valfierno—. *Monsieur* Yves Chaudron, *Miss* Julia Conway.

Yves hizo una ligera inclinación de cabeza.

—*Enchanté, mademoiselle.*

—Eso está mejor —dijo Julia dirigiendo una mirada mordaz a Émile.

Émile respondió metiendo rápidamente la mano en el bolsillo de ella.

—¡Quítame las manos de encima! —gritó ella, mientras trataba de empujarlo.

Émile levantó la figurita con gesto triunfal.

—*Voilà!* Esto es lo que robó de la repisa.

—No es más que una copia —dijo Yves, encogiéndose de hombros—. Sea bienvenida.

Émile y Julia se miraron mutuamente como un par de gatos beligerantes hasta que Valfierno detuvo la confrontación.

—Bien. Ahora que ya nos conocemos mejor todos, te mostraré tu habitación.

Dando, desafiante, la espalda a Émile, Julia se acercó a Valfierno quien, en vez de adelantarse para mostrar el camino, se quedó parado frente a ella tendiéndole la palma de la mano. Ella le dirigió una mirada de inocente incomprensión antes de meter finalmente la mano en su bolsillo y sacar de él una cartera.

La boca de Émile se abrió de par en par mientras se tocaba el bolsillo vacío. Valfierno le cogió la cartera, pero siguió con la palma de la mano tendida hacia ella. Julia se encogió de hombros y, con una sonrisa traviesa dirigida a Émile, sacó un reloj.

—Es muy buena —dijo Valfierno, cogiendo el reloj y devolviendo ambos artículos a Émile—, pero no puedes perderla de vista. —Puso una mano en el hombro de Julia y, con un gesto, señaló la parte trasera de la casa—. Por ahí. Y creo que ya es hora de que tengamos una pequeña charla acerca de cómo puedes sernos útil.

CAPÍTULO 4

AVANZADA LA MAÑANA SIGUIENTE, VALFIERNO Y JULIA entraron en el vestíbulo del Gran Hotel de la Paix. Valfierno, vestido, como de costumbre, con un impoluto terno blanco, llevaba una larga maleta de cuero. Julia llevaba el nuevo conjunto que él le había comprado aquella mañana en la avenida Corrientes y, a ojos de todo el mundo, parecía una joven distinguida y elegante.

—Dígame quién soy ahora —le preguntó, divertida, mientras se ajustaba el cuello alto de la camisa. Valfierno le dirigió una mirada de advertencia—. ¡Oh, sí! —añadió—. Su sobrina. No es muy emocionante.

—Eso habrá que verlo —dijo para sí mientras se acercaban al mostrador de recepción.

—¿Qué desea, señor? —preguntó un recepcionista alto, mientras les dirigía su evaluadora mirada apuntando al extremo de su larga y fina nariz.

—La habitación del señor[1] Hart, por favor —contestó Valfierno—. Nos está esperando.

---

[1] En español en el original. *(N. del T.)*.

Valfierno llamó a la puerta de la *suite* de Joshua Hart.

—Recuerda que tienes que ser encantadora —advirtió a Julia.

—Simplemente, fíjese en mí.

La puerta se abrió, apareciendo *mistress* Hart. Valfierno juraría que, cuando sus ojos se encontraron, el rostro de ella se había ruborizado ligeramente.

—*Mistress* Hart —dijo él, llevándose el sombrero al pecho—, *buenos días*[2].

—Buenos días, marqués —respondió ella, componiéndose rápidamente.

Era la primera vez que Valfierno la veía sin su sombrero de ala ancha. Hasta ese momento, no se había percatado de lo raro que le resultaba ver su rostro por completo. Ciertamente, era muy sorprendente, aunque quizá, a primera vista, no pudiera decirse que fuese una belleza manifiesta. De hecho, él nunca había visto antes un rostro como el suyo. Sus iris eran de un agradable color café oscuro y su mirada caía ligeramente hacia las comisuras exteriores sugiriendo un punto de tristeza. Tenía la nariz recta, aunque un poco ancha para su cara, si bien este detalle quedaba más que compensado por su boca, que era un perfecto capullo de rosa de ese mismo color natural.

—Eduardo, por favor —la corrigió. Y esta es mi sobrina, *Miss* Julia Conway. Ha venido de visita desde Nueva York.

—Entren, por favor.

---

[2] En español en el original. *(N. del T.)*.

La *suite* constaba de una gran sala de estar con un mobiliario que, en un hotel parisiense, se habría considerado pasado de moda pero que, en Buenos Aires, era el colmo de la elegancia. A derecha e izquierda había puertas que Valfierno supuso que conducían a los dormitorios. La madre de *mistress* Hart estaba sentada a la pequeña mesa al lado de la ventana que daba a la bahía. Miraba al exterior sin reconocer a los visitantes.

—Le haré saber a mi esposo que están ustedes aquí —comenzó a decir *mistress* Hart, pero, antes de que pudiera dar un paso, Joshua Hart salió del dormitorio principal, toalla en mano, con los tirantes caídos.

—Valfierno, me preguntaba cuándo aparecería...

Se detuvo a media frase cuando se percató de la presencia de Julia, cambiando de inmediato su comportamiento. Se limpió los restos de crema de afeitar del rostro, dejó la toalla en una mesa y se puso bien la camisa.

—Buenos días, señor[3] Hart —dijo Valfierno—. Le presento a mi sobrina, *Miss* Julia Conway. Como le he dicho a *mistress* Hart, está de visita, procedente de Nueva York, y no hace falta decir que su discreción es absoluta en esta materia.

—Encantado de conocerla —dijo, efusivo, Hart, colocándose los tirantes sobre los hombros—. Perdone mi aspecto, por favor.

—No se preocupe, por favor —dijo Julia con una ligera reverencia—. Es un placer conocerlo, señor.

---

[3] En español en el original. *(N. del T.)*.

—Valfierno —dijo Hart mientras recogía su americana del respaldo de una silla y se la ponía—, nunca me había dicho que tenía una sobrina tan bella.

—Aquí la belleza sobreabunda —dijo Valfierno con una mirada a *mistress* Hart, que rápidamente apartó la vista.

En el último momento, Hart dijo:

—Ya conoce a mi esposa.

Julia asintió con gracia.

Cuando Hart terminó de ajustarse la americana, se adelantó, tomó la mano de Julia y la besó con gesto dramático.

—Encantado, sin duda —dijo.

Julia mostró una sonrisita perfectamente modulada de vergüenza. «Es ciertamente muy buena», pensó Valfierno.

Hart la llevó hasta una silla acolchada.

—Póngase cómoda, por favor.

Julia se sentó, ejecutando una elaborada representación de arreglarse el vestido.

—Bien —comenzó Valfierno—, ¿vamos a los negocios?

El gesto de Hart adquirió una repentina severidad. Se dio la vuelta, alisando la parte delantera de su americana mientras murmuraba:

—Supongo que para eso estamos.

Valfierno abrió la valija y extrajo la pintura enrollada.

—Evidentemente, teníamos que recortarlo de su marco, por lo que hay una pérdida menor por los bordes, pero nada significativo.

Desenrolló parcialmente la tela y señaló las iniciales a tinta en una esquina inferior del dorso.

—Es su marca, ¿no?

Hart examinó cuidadosamente la marca. Tras un momento, levantó la vista. Parecía casi enfadado por no encontrar nada que objetar.

—No ha habido ninguna noticia de un robo —dijo, más como acusación que como comentario.

—En el sitio del cuadro, en el muro de la galería, está colgada una copia. En estas cuestiones, no se puede perder el tiempo. Sería malo para el negocio.

Hart se dio la vuelta.

—No lo sé. Todavía no estoy seguro de que sea prudente seguir con esto.

—Pero, señor[4] —dijo Valfierno en tono tranquilizador— *es* su marca.

—Sí, sí, es mi marca —dijo Hart, impaciente—. Pero lo que le estoy diciendo es que no estoy seguro de que sea una buena idea.

Valfierno actuaba como si esto no tuviera ninguna consecuencia en absoluto.

—Es una lástima. Ha hecho usted un largo viaje.

—Este país me hace ser aprensivo. ¿Qué pasa si me detienen en el muelle?

—Unos pocos dólares norteamericanos solventarán cualquier dificultad, se lo aseguro.

—Necesito más tiempo para pensarlo —dijo Hart—. Vuelva por la mañana.

—Tenía entendido que usted se marchaba mañana —comenzó a decir Valfierno—. ¿No cree que sería...?

---

[4] En español en el original. *(N. del T.)*.

Hart lo detuvo con un estallido repentino:

—¡He dicho que necesito más tiempo!

Durante un momento, todo el mundo se quedó paralizado. Después, Hart se volvió hacia Julia y forzó una sonrisa.

—Estas cosas no se deciden a la ligera, comprende, ¿verdad?

Julia asintió con gracia.

—Claro que no —dijo Valfierno, plenamente de acuerdo—. Tiene todo el tiempo que necesite. ¿A qué hora está previsto que zarpe su barco?

—A las once y media —dijo *mistress* Hart, procurando ser útil, pero suscitando únicamente una mirada desaprobadora de su marido.

—Entonces, me encontraré con usted en el muelle por la mañana —dijo Valfierno mientras enrollaba el lienzo—. ¿A las diez, por ejemplo?

Hart dudaba. En la habitación solo se oía el crujido del lienzo mientras Valfierno terminaba de enrollarlo.

El marqués rompió el silencio:

—Y quizá podamos convencer a la señorita Julia de que se reúna con nosotros de nuevo.

—¡Oh!, me encantaría —dijo Julia, añadiendo—: Es decir, si *mister* Hart no tiene inconveniente.

Julia miró a Hart con una expresión angelical y esperanzada en el rostro.

«¡Dios mío!», pensó Valfierno, «¡solo falta que le diga cuánto le gustan los barcos grandes!».

—Naturalmente que no, querida —dijo *mister* Hart—. Será un placer.

—Entonces, en eso quedamos —dijo Valfierno mientras devolvía la pintura a la valija—. Vamos, Julia.

Cuando Julia se levantaba de la silla, su bolso se deslizó de su regazo al suelo.

—Permítame —dijo Hart, agachándose para recogerlo.

—¡Oh, no se moleste! —dijo Julia, agachándose ella misma. Su movimiento repentino acabó en una colisión con *mister* Hart, obligándola a agarrarse momentáneamente a su americana para no perder el equilibrio.

—Lo siento, querida —dijo Hart mientras recogía el bolso y se lo entregaba.

Ella se irguió también y lo cogió.

—No, he tenido yo toda la culpa.

—No, yo he sido muy torpe —insistió Hart.

—Bueno, señor —intervino Valfierno—, no parece que se haya producido ningún daño permanente. Debemos irnos —añadió; abrió la puerta y dijo—: Julia...

Con una sonrisa final y una reverencia, Julia lo siguió al pasillo.

—Hasta mañana, entonces —dijo Valfierno con una venia de deferencia antes de seguirla.

Hart cerró la puerta tras ellos. Se volvió y vio a su esposa en pie, inmóvil, mirándolo.

—Una chica encantadora, ¿no? —dijo, un poco incómodo.

—Encantadora —replicó ella, antes de sentarse a la mesa y cubrir la mano de su madre con la suya.

—Bien —fue todo lo que dijo Hart antes de desaparecer en su dormitorio.

En un callejón cercano al hotel, Julia le dio a Valfierno la cartera y el pasaporte de Hart.

—Precioso —dijo Valfierno.

—Todo en un día de trabajo —dijo ella, tratando de quitarle importancia, pero sin poder disimular del todo una sonrisa de satisfacción.

—Toma —dijo Valfierno, devolviéndole la cartera—. Te toca guardarlo.

—Me voy a reservar un trozo de la tarta.

—No seas codiciosa. —La amonestó Valfierno mientras apretaba la cartera en su mano—. Y además, aún no hay tarta, y podría no haberla.

Capítulo 5

Valfierno pasó el resto de la mañana sentado en un pequeño café con vistas a la entrada del Gran Hotel. Su plan dependía de la reacción de Joshua Hart al descubrir la desaparición de su pasaporte. El objetivo era explotar la vulnerable situación del americano ofreciéndole un simple quid pro quo: Hart compraría la pintura a cambio de un pasaporte presuntamente falsificado que le facilitaría Valfierno. El truco estaba en conseguir esto sin levantar sospechas. También requería otro encuentro con Hart hoy mismo, y ese encuentro tendría que producirse por casualidad.

Valfierno esperaba que, tras descubrir la pérdida, Hart saliera del hotel, dirigiéndose al consulado de los Estados Unidos, en la avenida Sarmiento, en el barrio de Palermo. Sabía que la obtención de un nuevo pasaporte podría llevar hasta seis semanas. Hart utilizaría su influencia para agilizar el proceso, pero, aun así, le llevaría una semana, como mínimo. Hart volvería al hotel frustrado y de mal humor. Entonces Valfierno se las arreglaría para toparse con él en la calle. No estaba seguro de lo que le diría exactamente al hombre, pero siempre pensaba mejor sobre la marcha.

A mediodía, Hart seguía sin aparecer. Después, a primera hora de la tarde, la espera de Valfierno se vio recompensada cuando vio a *mistress* Hart, que salía del hotel escoltando a su madre. Tenía que tomar una decisión rápida: «¿esperaba a Hart o aprovechaba esta oportunidad potencial?».

Dejando unas monedas sobre la mesa, se levantó y siguió a las dos mujeres a una distancia prudencial cuando entraron en una calle bulliciosa salpicada de restaurantes. Unos minutos después, *mistress* Hart estaba sentada con su madre a una mesa al aire libre bajo la sombra de un jacarandá, en el patio de un pequeño café.

Valfierno se detuvo un momento antes de cruzar la calle. Mientras se acercaba, una explosión de color atrajo su atención. Las panojas azules, casi púrpuras, de flores que adornaban el árbol se conjuntaban perfectamente con los colores de la pamela de ala muy ancha de *mistress* Hart.

—¡*Mistress* Hart —dijo Valfierno, deteniéndose frente a su mesa y fingiendo sorpresa—, qué inesperado placer!

Ella levantó la vista, un poco sobresaltada.

—Marqués...

—¡Oh, no! —dijo Valfierno, quitándose el sombrero mientras se acercaba a la mesa—. Eduardo, o Edward, si lo prefiere. Debo insistir, ciertamente.

Mistress Hart le devolvió una educada sonrisa.

—Veo que ha descubierto uno de los secretos mejor guardados de Buenos Aires —dijo Valfierno abarcando con un gesto del brazo el restaurante—. El *asador*[1] prepara los mejores *chinchulines*[2] de toda la ciudad.

—Pensé que dar un paseo y quizá tomar un té le vendría bien a mi madre —dijo *mistress* Hart—, aunque se espera que volvamos pronto. ¿Le importaría... acompañarnos?

—¡Oh!, no querría molestarlas.

Con una fugaz mirada a su madre, ella se volvió y dijo:

—Me gustaría que se quedara. Nos gustaría que se quedara.

—Bueno. Un momento, quizá —dijo Valfierno mientras separaba la silla restante y se sentaba.

—El plato que ha mencionado —dijo *mistress* Hart—, la especialidad del chef...

—¡Ah, sí! Los *chinchulines*[3]. Me parece que en el sur de los Estados Unidos los llaman *chitlins*.

—Ya —dijo ella con un mohín divertido—. De cerdo... —añadió, señalando discretamente el estómago.

—Así es —dijo Valfierno—. Mencionó usted el té. Le recomiendo la *yerba mate*[4], una deliciosa especialidad local.

Valfierno llamó al *camarero*[5] y pidió para los tres té y pasteles. Cuando el hombre se apartó, Valfierno hizo algunos comentarios sobre el tiempo y la calidad de los distintos restaurantes que había en aquella calle y después,

---

[1] En español en el original. *(N. del T.).*
[2] En español en el original. *(N. del T.).*
[3] En español en el original. *(N. del T.).*
[4] En español en el original. *(N. del T.).*
[5] En español en el original. *(N. del T.).*

como de pasada, le preguntó su opinión sobre Buenos Aires.

—A decir verdad —replicó *mistress* Hart—, no hemos tenido muchas oportunidades de ver la ciudad. Mi esposo prefiere quedarse en el hotel la mayor parte del tiempo.

—Es una lástima. Dicen que Buenos Aires es el París de Sudamérica, una fama bien merecida.

Llegó el té con unos pasteles de cacao dulce. Valfierno, cuidando de no parecer demasiado inquisitivo, limitaba sus observaciones a lo relativo a la comida y la bebida. Insistió en que bebieran el té mediante las *bombillas*[6], las tradicionales cañas metálicas que el *camarero*[7] había traído, y *mistress* Hart así lo hizo, divertida. Mientras comían y bebían, se produjo una pausa bastante larga y algo incómoda. Valfierno esperó a que fuera *mistress* Hart quien rompiera el silencio. No se vio defraudado.

—Tengo que... pedirle disculpas por mi esposo —comenzó a decir con cierto titubeo—. Este viaje ha sido muy estresante y, aunque no puedo decir que apruebe del todo sus intenciones en la cuestión de la pintura, debe comprender que sus preocupaciones contribuyen en gran medida a su estado de ánimo en general y a su indecisión en particular.

—Naturalmente —dijo Valfierno, acompañando la palabra con un gesto de la mano—. Comprendo perfectamente sus dudas. Antes de proceder, debe sentirse cómodo con la transacción; así ha de ser.

---

[6] En español en el original. *(N. del T.)*.
[7] En español en el original. *(N. del T.)*.

Ambos intercambiaron unas sonrisas atentas.

Se produjo otro silencio. Valfierno esperaba que ella mencionara la pérdida del pasaporte de su esposo. Tenía la sensación de que quería abrirse a él, pero se reservaba por alguna razón. Tenía que aventurarse; a veces, hacía falta un empujón para penetrar incluso los límites más externos de la intimidad.

—Me intriga, sin embargo, una cosa —comenzó, indeciso.

—¿Sí?

—Bueno, perdone mi franqueza, pero...

Se detuvo, haciendo como si le costara continuar. Como había previsto, la expresión de *mistress* Hart adoptó un aire inquisitivo, que él interpretó como una autorización tácita para proseguir.

—*Mistress* Hart —continuó—, si me permite decirlo, es usted una mujer muy hermosa...

—Marqués... —dijo ella, aparentando sentirse ofendida por la observación, pero revelando con un ligero rubor que también la había halagado.

—Solo pongo en palabras lo evidente. Lo que quiero decir es... me parece que usted podría haber escogido a cualquier hombre. ¿A qué debe su buena fortuna *mister* Joshua Hart?

—Marqués —dijo ella en un intento evidente de proyectar más indignación de la que sentía—, me temo que eso no le importa.

—Evidentemente no —concedió Valfierno—. A mi imprudencia solo la supera mi curiosidad. Bueno, me temo que ya he abusado demasiado de su tiempo.

Puso unas monedas sobre la mesa.

—¡Oh!, no hace falta —protestó *mistress* Hart.

—Naturalmente que no —dijo Valfierno mientras cogía su sombrero y se levantaba de la mesa—, pero es un placer hacerlo. Creo que la veré de nuevo por la mañana.

—¡Oh! Pero ha ocurrido algo —dijo—. Ha estallado una crisis.

Valfierno respiró con alivio. Por un momento, pensó que había cargado demasiado la mano, siendo demasiado agresivo. Lentamente, tomó asiento de nuevo, con la preocupación pintada en su rostro.

—¿Una crisis? ¿Qué clase de crisis?

—Bueno, verá —comenzó ella, dudando un momento antes de continuar—, parece que mi esposo ha perdido su cartera y su pasaporte. En realidad, sospecha que una de las camareras puede habérselos robado.

—Sin duda, puede ir al banco y al consulado de los Estados Unidos para solicitar un nuevo pasaporte —sugirió Valfierno.

—El dinero no es problema. Pero su pasaporte... Telefoneó inmediatamente al consulado, pero le informaron de que, en el mejor de los casos, pasaría una semana o más antes de que le expidieran un nuevo documento. El viaje de regreso dura casi dos semanas. Dos días después de nuestra llegada prevista a Nueva York, tiene que presidir una reunión para discutir la consolidación de los ferrocarriles de la Costa Este.

—Conoce bien los negocios de su esposo —dijo Valfierno.

—¿Acaso es tan raro? Él cree que no me interesa nada de lo que atañe a sus asuntos, pero sé de ellos más de lo que probablemente querría. Y sé que, si no está en esa reunión, podría costarle mucho dinero.

—Ciertamente, *es* una crisis —admitió Valfierno.

—De manera que —concluyó *mistress* Hart— si mi esposo se ve obligado a permanecer en Buenos Aires un día más de lo previsto, me temo que se pondrá completamente insoportable.

Valfierno se echó hacia atrás, tocándose los labios con la punta de los dedos. Se tomó su tiempo; no quería que ella pensara que tenía preparado lo que diría a continuación. Después, como si se le hubiese encendido una luz repentina en la cabeza, su mirada se clavó de repente en ella y se inclinó hacia delante con entusiasmo.

—Creo, *mistress* Hart, que nuestro encuentro de hoy estaba predestinado. Soy un hombre con muchas conexiones. Estoy seguro de que, con un poco de suerte, puedo tener los documentos que necesita su marido para mañana por la mañana.

—¿Podría hacerlo? ¿Lo haría?

—Desde luego —dijo Valfierno, y se detuvo antes de añadir en voz baja—: Sobre todo por usted.

Ante estas palabras, ella retrocedió y su expresión, que un instante antes había mostrado entusiasmo, de repente se puso en guardia.

—Y, por supuesto —corrigió Valfierno—, por su querida madre también.

—Se lo agradeceríamos mucho. Es usted muy amable.

Él hizo una ligera inclinación de cabeza en señal de reconocimiento, pero entonces una sombra de preocupación atravesó su rostro, acompañada de un suspiro de cansancio.

—¿Ocurre algo? —preguntó *mistress* Hart.

—Bueno —comenzó Valfierno, enfatizando su aparente renuencia a continuar—, sigue aún en pie la pequeña cuestión de mi acuerdo de negocio con su esposo.

—La pintura.

—Sé que usted no lo aprueba —prosiguió Valfierno—, pero corrí un riesgo importante para conseguir el lienzo, por no hablar de los gastos.

—Me lo imagino —dijo ella, alerta.

—Parece que su esposo no está muy seguro de si quiere que nuestro acuerdo llegue a buen puerto, en mutuo beneficio. Si se viese obligado a permanecer en Buenos Aires durante una semana o más, yo dispondría de más tiempo para convencerlo de que sus temores son infundados.

Ella volvió a sentarse en la silla, sin poder ocultar la decepción pintada en su rostro.

—Lo entiendo perfectamente. Usted tiene sus propias consideraciones en esta cuestión.

—Y, compréndalo, no solo pienso en mí mismo. Hay otras personas implicadas que también han corrido un gran riesgo.

—Por supuesto, usted debe hacer lo que crea conveniente —dijo ella, tratando de alterar la voz lo menos posible—. Ahora, creo que deberíamos volver al hotel —añadió, y puso la mano sobre el brazo de su madre.

—Por favor —dijo Valfierno, tocando brevemente el antebrazo de ella—, *mistress* Hart. Solo menciono estas cosas porque no tengo más remedio. No tengo intención de echarme atrás en cuanto a mi oferta anterior. Naturalmente, supondrá algunos gastos menores, pero su esposo tendrá los documentos necesarios por la mañana.

Ella iba a decir algo cuando él levantó la mano.

—No, está decidido. Estoy encantado de serle útil. El acuerdo entre su esposo y yo no debe preocuparla.

Él había llegado hasta donde podía. A los ojos de Hart, Valfierno habría tenido conocimiento legítimo de la pérdida de su pasaporte por medio de su esposa. Ahora podía ponerse en contacto con Hart y ofrecerle sus servicios. Naturalmente, tendría que conseguir su objetivo original relativo a la pintura antes de entregarle un pasaporte *falsificado* poco antes. La operación tenía un tufillo a chantaje un poco fuerte para el gusto de Valfierno, pero no veía otra alternativa. Se sentía extrañamente culpable de la manipulación a la que había sometido a *mistress* Hart, pero había sido inevitable.

—Ahora, si me permite, haré las gestiones necesarias.

Mientras recogía su sombrero y echaba su silla para atrás, se percató de que *mistress* Hart miraba nerviosa a su madre, como si buscara consejo.

Antes de que él pudiera levantarse, dijo ella, no muy convencida:

—Quizá...

—¿Sí?

—Quizá... haya una forma de que ustedes, mi esposo y usted, puedan beneficiarse de esta situación.

El corazón de Valfierno se aceleró. ¿Acaso era posible que ella fuese a facilitar aún más el asunto?

—¿Y de qué modo? —preguntó Valfierno, sentándose de nuevo en su silla.

Ella se volvió una vez más hacia su madre y Valfierno pudo notar el deseo que sentía de compartir la situación con ella. Por fin, se volvió hacia él, con una fina expresión de resolución en su rostro.

—Usted podría decirle a mi esposo... —dijo, vacilante.

Valfierno la estimuló con una mirada inquisitiva.

Ella inspiró un instante antes de dejar que brotaran las palabras.

—Podría decirle que solo le proporcionará el pasaporte si le compra la pintura.

—*Mistress* Hart —dijo Valfierno con auténtico asombro—, me sorprende.

Ella se inclinó hacia delante.

—Sería justo tener en cuenta la cantidad de problemas a los que usted ha hecho frente. —Lo dijo con un inesperado fervor, pero rápidamente recobró su aplomo, reforzando lo dicho al añadir—: Y, además, sé que a mi esposo, a pesar de sus dudas, le sigue gustando tener la pintura en sus manos.

Esto era más de lo que Valfierno podía esperar. Si le proponía directamente el intercambio a Hart, corría el riesgo de infundirle sospechas. O bien Hart podría sentirse acorralado y, simplemente, rechazarlo sin más. Pero, si su esposa le presentara la idea y le dijera que lo había pensado mejor y que, al menos en principio, lo aceptaba, Hart estaría más inclinado a seguir adelante. Por supuesto, podría reprochar a su esposa que lo hubiese aceptado en su nombre, pero Valfierno lo justificaba diciéndose a sí mismo que el hecho de abandonar Buenos Aires lo antes posible también la beneficiaba a ella y beneficiaba a su madre.

—Como decía usted —musitó Valfierno—, en beneficio mutuo.

—Yo se lo diré —añadió ella, plenamente comprometida ahora y acariciando su idea—. Le diré que me encontré en la calle con usted, hablamos y que yo le hice esta propuesta. El tiempo revestía la máxima importancia, por lo que me tomé la libertad de aceptar ese acuerdo en su nombre. ¿Lo ve? Resuelve los problemas de todos. Usted recibe el pago de sus esfuerzos y nosotros podremos regresar mañana a Nueva York.

Valfierno simuló que sopesaba todo esto mentalmente mientras no salía de su asombro por el entusiasmo de ella con la idea.

—Puede que no le haga gracia que no se le consultara sobre la cuestión —dijo finalmente él.

—El dinero no tiene importancia para él —respondió *mistress* Hart, tratando de vender la idea de nuevo—. Le preocupan hasta cierto punto las autoridades, sí, pero eso no es nada en comparación con su deseo de abandonar su hermosa ciudad lo antes posible.

Valfierno desvió la vista, moviendo la cabeza y poniendo en su rostro una expresión de divertida incertidumbre.

—Bien —lo retó ella—, ¿qué dice?

Valfierno la miró, dejando que el momento se alargase un poco más, antes de que su cara se iluminara con una sonrisa apreciativa.

—Digo, *mistress* Hart, que es usted una mujer muy notable.

Mistress Hart estaba visiblemente encantada de que él hubiera aceptado su propuesta. Pero su sonrisa solo duró unos segundos.

—Muy bien, entonces —dijo, recuperando la compostura—. Madre, tenemos que irnos.

Valfierno se levantó mientras *mistress* Hart ayudaba, solícita, a su madre a ponerse en pie.

—Nos veremos mañana a las diez en el muelle —añadió ella, mientras recogía su sombrero y sus largos guantes blancos—, una hora antes de que zarpe el barco.

—¿Y está segura de que quiere hacer esto?

—Sí, muy segura. Buenos días, marqués. Vamos, madre.

Mientras *mistress* Hart guiaba a su madre de vuelta, en dirección al hotel, Valfierno experimentaba una extraña combinación de sentimientos: euforia, a sabiendas de que su plan había tenido éxito, superando todas las previsiones, y cierta medida de culpa por haber implicado a aquella mujer.

Al volverse para marcharse, se dio cuenta de que un único guante blanco estaba en el suelo, bajo la mesa. Lo recogió y estaba a punto de llamarla cuando se detuvo. Sintió el sedoso tejido de la prenda entre sus dedos, vaciló un momento y después lo deslizó en su bolsillo.

Capítulo 6

AQUELLA NOCHE, EN LA CENA, JULIA DEMOSTRÓ QUE era una invitada muy amena, al menos para Valfierno e Yves. Émile no habló mucho. El ama de llaves de Valfierno, María, sirvió *carbonada criolla*[1], un estofado de vacuno condimentado con rodajas de pera. A pesar de la incertidumbre acerca de lo que fuera a traerles el día siguiente, el grupo comió con ganas y dio cuenta de varias botellas de vino tinto tempranillo. Tras acabar el postre, a base de pastelitos de miel, Valfierno e Yves acribillaron a preguntas a la recién llegada.

—Cuéntanos, exactamente, ¿cómo adquiriste tu talento particular? —preguntó Valfierno, rozando las puntas del pulgar y del índice para ilustrar sus especiales aptitudes.

—Sí —añadió Yves—. ¿Qué edad tenías cuando empezaste?

Ella tomó otro trago de vino y sonrió orgullosa.

—Once años.

---

[1] En español en el original. *(N. del T.)*.

—¿Once? —preguntó Valfierno, impresionado—. ¿Por qué tan tarde?

Valfierno e Yves intercambiaron sonrisas, pero Émile se limitaba a mirar el interior de su copa de vino, medio vacía.

—Sí, ríanse —dijo ella de buen humor—, pero once años es un poco tarde, en realidad.

—¿Y te han cogido alguna vez? —preguntó Valfierno—. Quiero decir antes de ayer, claro.

—En realidad, me pillaron con las manos en la masa la primera vez que intenté robar una cartera.

—¡Vaya! —dijo Yves, divertido por la forma de contarlo, como sin darle importancia, enorgulleciéndose incluso—. ¡Qué mala pata!

—En realidad, todo lo contrario —lo corrigió ella—, porque me pilló mi tío Nathan.

—¿Trataste de robar la cartera de tu tío? —preguntó Valfierno, asombrado.

—No, el tío Nathan estaba enseñándome a robar carteras.

—Entonces creo que necesitamos saber algo más de este tío tuyo, Nathan —dijo Valfierno antes de indicar a María que rellenara la copa de Julia.

—Bueno —comenzó ella—, digamos que era la oveja negra de la familia...

Su padre era un oficial de banca de nivel medio en Manhattan y ella había llevado una vida de clase media muy prosaica en Fort Lee (Nueva Jersey), en la orilla del río Hudson que estaba frente a la ciudad. Su familia había considerado siempre al tío Nathan como una especie de paria, un individuo despreciable o, en el mejor de los casos, al que había que ignorar. Pero para Julia era su pariente más fascinante con diferencia. No es que no mereciera su fama: había pasado tres largos años en la prisión de Sing Sing, al norte del estado de Nueva York, por falsificación de cheques. Aparentemente, había aprendido la lección y se había alejado del mundo del delito. Sin embargo, a los ojos de la mayor parte de la familia, había cambiado ese mundo por otro aún más reprensible: la enseñanza del oficio.

Se ganaba la vida moviéndose por los crispados márgenes del circuito del vodevil en un acto que consistía en robar las carteras del público asistente para diversión de sus hermanos de clase trabajadora.

Le ayudaba en estas tareas una tal Lola Montez, su atractiva —al menos al favorecedor brillo de las tenues luces de los escenarios— ayudante, otra oveja negra para la familia de él.

Pero no para Julia. En las raras ocasiones en que el tío Nathan llegaba de la calle, ella pasaba con él todo el tiempo posible, empapándose de sus sórdidas historias del escuálido aunque fascinante mundo del espectáculo. Y a él le encantaba transmitir el único talento que había dominado sobre todos los demás: el arte del carterismo. Viajaba mucho y la obsequiaba con historias de sus aventuras en el extranjero, sobre todo en Londres, París y Barcelona. Incluso le enseñó algo de francés y de español, el segundo de los cuales le resultaría particularmente útil con el tiempo. Como él decía siempre, cuanto más público, mayor el número de imbéciles.

Era una alumna rápida y el tío Nathan insistía en que podía haber hecho una fortuna con aquellas manitas y sus largos dedos. Incluso insinuó que algún día Julia podría acompañarlo en escena y, entre los dos, elevarían la actuación a un nivel que llamaría la atención de los promotores de primera categoría de Nueva York y Chicago. La idea se introdujo en sus sueños, poblándolos de visiones de un futuro emocionante y romántico.

Y un buen día, su madre anunció que el tío Nathan había muerto, tiroteado por el marido cornudo de su ayudante Lola. A su familia no le sorprendió en absoluto. De repente, el mundo de Julia perdió todo su brillo.

El día siguiente a su decimosexto cumpleaños, se escapó de casa, con la cabeza llena de promesas de aventuras lejanas y los bolsillos repletos de billetes de dólares que su madre guardaba en su cesto de costura «para un mal día». Aquel día había sido ciertamente malo: llovía a mares.

El dinero la llevó de Nueva Jersey a Charleston (Carolina del Sur), donde las técnicas del tío Nathan le resultaron incalculablemente valiosas. Se introdujo en un grupo de jóvenes prostitutas y propuso un plan infalible. Haciendo de mujer de la calle —aunque, en realidad, nunca desempeñó ese papel, según aseguró a sus oyentes—, adularía y convencería con halagos a un cliente ansioso únicamente para fabricar alguna presunta ofensa y largarse indignada. Cuando el hombre se percatara de que le habían limpiado la cartera, sería demasiado tarde.

En la mayoría de los casos, el pobre tonto se obligaría a volver con el rabo entre las piernas a su casa y su familia. Pero sabía que, más tarde o más temprano, aparecería alguien lo bastante motivado para ir en su busca. Por eso, nunca se quedaba demasiado tiempo en el mismo lugar y continuó moviéndose hacia el sur, siguiendo la línea del Florida East Coast Railway hasta la populosa ciudad de Miami. Tras abusar de la hospitalidad de la ciudad, tomó un barco a São Paulo (Brasil) y, desde allí, terminó viajando a Buenos Aires.

—Y ahora —concluyó— parece que he venido lo más al sur que puedo llegar.

—Bueno —dijo Valfierno—, Tierra del Fuego ofrece pocas posibilidades a alguien que siga tu línea de trabajo.

—Además —añadió ella con indiferencia—, la policía local me retiró mi pasaporte estadounidense hace unos meses.

—Bueno —dijo Yves—, es toda una historia, ¿no crees, Émile?

Émile miró a Yves y se encogió de hombros.

—Si es cierta...

Julia le lanzó una mirada.

—Cierta o no —dijo Valfierno—, es una historia genial.

—¡Brindo por ella! —dijo Yves, levantando su copa.

—Has estado muy callado —le dijo Julia a Émile, con un toque de desafío en su voz—. ¿No tienes ninguna anécdota *tuya* que sea divertida?

—Aunque la tuviese —respondió Émile—, no habría podido meter baza.

—No os peleéis en la mesa, *enfants* —dijo Yves del modo más amistoso.

—Me voy a la cama —anunció Émile, levantándose de la mesa—. *Bonne nuit.*

—*Buenas noches*[2], Émile —dijo Valfierno.

—No olvides esto —dijo Julia, mostrando el reloj de bolsillo de Émile.

Émile agarró el reloj y se fue enfadado.

—No deberías molestarlo tanto —dijo Valfierno después de que Émile hubiese salido de la estancia.

—Es un chico mayor —dijo ella, apurando lo que quedaba de vino en su copa—. Puede cuidar de sí mismo.

Ya anochecido, Valfierno e Yves se sentaron al cálido brillo de una vela en la cochera, dando Valfierno unas chupadas a un cigarro y ambos con sendas copas de tempranillo.

—No sé qué problema tiene Émile —dijo Yves—. Ella es una joven muy simpática.

—Siempre está quitándole cosas del bolsillo —dijo Valfierno encogiéndose de hombros—. Y él detesta eso.

La cochera era una auténtica galería de arte. Varios caballetes sostenían copias de diversas obras maestras en diferentes estados de factura. Además, había decenas de lienzos amontonados sobre las paredes, en su mayoría obras originales de Yves. Valfierno siempre había mantenido la opinión de que, aunque diera la sensación de que las pinturas de Yves carecían de la precisión de las copias que creaba, poseían un estilo propio, característico y convincente.

La obra original de Yves se agrupaba en dos categorías. En la primera, unos edificios con paredes inclinadas

---

[2] En español en el original. *(N. del T.).*

hacia el interior se cernían sobre calles estrechas como si fueran a saltar sobre los pequeños y confiados peatones que deambulaban por ellas; unos colores apagados y desvaídos aumentaban la sensación de opresión. En la segunda, las personas, con ropas de colores poco naturales, brillantes y desgarradores, se sentaban en terrazas de cafés, inclinándose unas hacia otras igual que lo hacían las paredes de los edificios, pero la atmósfera era íntima, sensual incluso. La brillante luz solar se alargaba, con sombras intensas que contrastaban con los luminosos colores que amenazaban con quemar hasta el mismo lienzo.

—¿Sabes, amigo mío? —dijo Valfierno, tomando un trago de vino—. Son muy buenas realmente. Tus obras, quiero decir. Deberías dedicarles más tiempo.

Yves se encogió de hombros ante el cumplido.

—¿Cómo? Tú me haces trabajar como una mula. —Sonrió al decir esto.

—Después de que hayamos concluido satisfactoriamente nuestro actual negocio, nos tomaremos un descanso. No más copias durante un tiempo. Podrás concentrarte en tus propios cuadros. ¿Qué tal suena eso?

—Como un trabajo duro —dijo el anciano.

—¿Y copiar obras maestras no lo es? —preguntó Valfierno.

—La parte más difícil ya está hecha. La elección del tema. La composición. La luz. La técnica. De todos modos, como sabes, siempre me las arreglo para encontrar el modo de dejar mi sello.

Valfierno sonrió. Por regla general, los falsificadores de obras maestras no podían resistirse a hacer alguna modificación, prácticamente indetectable, en las composiciones que duplicaban. Si alguien dedicara algún tiempo a contar el número de perlas del collar de la ninfa en la pintura del museo después de tomar posesión de su nueva adquisición, descubriría que era el beneficiario de una perla extra por su dinero.

—Lo que quiero decir —continuó Yves— es que la técnica puede aprenderse. Pero la inspiración viene de otro sitio completamente distinto, de un lugar misterioso, escondido —dijo, dándose con el puño en el pecho—. Solo la posee el auténtico artista.

—Te subestimas —dijo Valfierno—. Inspiración no es sino otro sinónimo de corazón y tú siempre encuentras un modo de poner tu corazón en todos tus trabajos.

El anciano decidió aceptar esto.

—Es verdad. Sin el corazón, todo se queda en pintura y lienzo.

—Entonces está hecho —declaró Valfierno—. Crearás una obra original precisamente para mí. Un encargo, si quieres. Quién sabe, podría pagarte incluso.

En respuesta, Yves sonrió, tomó un largo trago de su copa y preguntó:

—¿Pescaremos, pues, mañana a nuestro pez?

Valfierno reflexionó unos momentos sobre ello.

—Creo que *mister* Joshua Hart, de Newport (Rhode Island), llevará a cabo la transacción —dijo Valfierno, bebiendo un trago de su vino antes de corregirse—: Es decir, con la amable ayuda de *mistress* Joshua Hart.

Capítulo 7

Joshua Hart, impaciente, miró una vez más su reloj de bolsillo. Tras él, en el muelle, su esposa estaba de pie con su madre. *Mistress* Hart agarraba el asa de una abultada cartera de mano, mientras movía ansiosamente la cabeza, tratando de escudriñar el mar de rostros.

El casco del vapor *Victorian,* de 11 000 toneladas, de la Allan Line, se erguía tras ellos como un sobresaliente acantilado de acero gris. El estruendo de las sirenas interrumpía el murmullo de los miembros uniformados de la tripulación y los corpulentos estibadores mientras trataban de embarcar a una muchedumbre de personas.

—¿Dónde demonios está? —preguntó Hart a su esposa, que, a modo de respuesta, solo podía negar con la cabeza y encogerse de hombros.

En ese mismo momento, Valfierno estaba con Julia, oculto tras la pared de la cercana aduana. Él llevaba el largo maletín de cuero que contenía la pintura. Émile estaba asomado fuera del escondite, observando al norteamericano y su comitiva mientras pululaban por el muelle.

—Está previsto que el barco zarpe dentro de quince minutos —dijo Émile, mirando, nervioso, su reloj de bolsillo.

—Paciencia —respondió Valfierno—. La oportunidad lo es todo.

Émile miró de nuevo su reloj antes de volverse hacia Julia pidiendo su apoyo, pero ella se limitó a irritarlo con una mirada burlona a su reloj que indujo a Émile a guardárselo en el bolsillo.

En el muelle, un hombre de uniforme azul marino lanzó a gritos una última llamada para embarcar.

—¡Maldita sea! —dijo bruscamente Hart—. ¿Dónde diablos está?

—¡Allí! —gritó *mistress* Hart, incapaz de resistir su agitación. Señaló a Valfierno, que se abría paso a través de la muchedumbre que llenaba el muelle. Más allá, Émile y Julia iban tras él, pero cuando Julia accedió al embarcadero, Émile se detuvo. Julia se paró y lo miró.

—¿Qué pasa? —preguntó.

Émile dirigió la mirada al embarcadero de madera y al agua que brillaba debajo, visible a través de las grietas de los tablones.

—No te dará miedo el agua, ¿no? —dijo ella, más como una provocación infantil que como una auténtica pregunta.

Émile le dirigió una mirada glacial.

—Eso es ridículo —contestó él, inmediatamente antes de poner el pie a propósito en el embarcadero y abriéndose paso entre la gente a grandes zancadas, dejándola atrás.

Delante de ellos, Valfierno se acercaba a Joshua Hart.

—¿Dónde demonios se ha metido? —preguntó Hart, airado—. Casi me hace perder el barco.

—Perdóneme —dijo Valfierno sin aliento—. Nuestro coche perdió una rueda.

Émile y Julia aparecieron de entre la muchedumbre y se detuvieron detrás de Valfierno.

—¿Quién es este? —preguntó Hart, señalando a Émile.

—Mi ayudante, Émile. Él me ha ayudado a conseguir los documentos.

—Me alegro de verlo de nuevo, *mister* Hart —dijo Julia.

Ella dio un paso adelante, extendiendo la mano hacia él para saludarlo. Pero se hizo un lío con los pies y cayó hacia delante, lo que la obligó a agarrarse a las solapas del abrigo de Hart para no caerse.

—¡Oh, perdóneme! —dijo ella—. Soy un pato mareado.

Él la saludó brevemente, pero estaba demasiado distraído para darse cuenta de lo que ocurría.

—Bueno, ¿los ha traído? —preguntó Hart, apartándose de Julia.

—Naturalmente.

Valfierno hizo una seña con la cabeza a Émile. El joven sacó un pasaporte con varios papeles que sobresalían del mismo. Hart hizo ademán de cogerlo, pero Valfierno interpuso su mano, adelantándose a la de Émile.

—Lo primero es lo primero, señor —dijo con un leve reproche.

Hart dudó.

«No me diga que todavía tiene dudas», pensó Valfierno. «No puede seguir pensando en esperar aquí, en Buenos Aires, a que el consulado le entregue un pasaporte nuevo».

Cuidando de mantener una expresión de completa indiferencia en su cara, Valfierno se volvió a *mistress* Hart. Para un observador superficial, él se limitaba a saludarla con una educada sonrisa, pero sostuvo la mirada más de lo necesario.

Mistress Hart dudó un momento antes de decir:

—Querido, el barco va a zarpar.

Hart se volvió hacia su mujer con una dura mirada antes de asentir a regañadientes. Ella dio un paso adelante, sosteniendo la cartera de mano. Valfierno hizo una seña a Émile, quien, mientras entregaba el pasaporte a *mistress* Hart con una mano, cogía la cartera de mano con la otra. Joshua Hart arrebató el pasaporte de las manos de su mujer y lo abrió, sacando los documentos, mientras Émile comprobaba el contenido de la cartera de mano.

—Confío en que lo encuentre a su gusto —dijo Valfierno.

—Sí —replicó Hart, un poco receloso—. Casi parecen los originales...

—Y creo que esto también es suyo —dijo Valfierno, entregándole a *mistress* Hart el maletín que contenía la pintura.

—Por favor, señor —lo llamó un oficial de uniforme—, debe embarcar inmediatamente.

Con una mirada dirigida a Valfierno, Hart se dejó guiar por el oficial hasta la pasarela. *Mistress* Hart lo siguió inmediatamente con su madre. Nada más empezar a subir por la pasarela, Valfierno se acercó.

—*Mistress* Hart —dijo él—, me parece que se le ha caído esto.

En su mano, Valfierno sostenía el guante blanco que había recogido en el café. Ella se detuvo, mirándolo a él y apenas el guante.

—Creo que está en un error, señor[1] —dijo con suavidad—. El guante no es mío.

Ellen sonrió cortésmente, sosteniéndole la mirada durante otro momento. Después, centró la atención en su madre y continuó subiendo a cubierta, dejando a Valfierno con el guante en la mano.

Quince minutos más tarde, la sirena del *Victorian* lanzó una atronadora despedida a Buenos Aires mientras los remolcadores despegaban su enorme casco del muelle. Ellen Hart permanecía con su madre apoyada en la barandilla. A su lado, Joshua Hart se congratulaba con otro hombre bien vestido por la buena fortuna que compartían de dejar por fin aquel lugar dejado de la mano de Dios.

En tierra, Valfierno y Julia observaban desde el extremo del muelle el barco que comenzaba su travesía del estuario del Río de la Plata hacia el vasto Atlántico Sur. Émile permanecía unos pasos detrás de ellos. Julia sacó un reloj de bolsillo con un airoso movimiento y miró la hora.

---

[1] En español en el original. *(N. del T.)*.

—En punto —dijo ella, sosteniendo el reloj para que lo viera Émile.

Inmediatamente, él buscó su reloj, pero, para alivio y bochorno suyos, comprobó que estaba exactamente donde tenía que estar.

En la cubierta del barco, todavía en conversación con el otro caballero, Joshua Hart puso maquinalmente la mano sobre el bolsillo de su reloj. Se detuvo a media frase, metió la mano y rebuscó frenéticamente con los dedos como si de alguna manera fuese a encontrar el reloj oculto allí.

A su lado, Ellen Hart miraba en la distancia a Valfierno, de pie en el muelle que se alejaba poco a poco. Resistió el impulso de agitar la mano en señal de adiós. Se quedó mirando al hombre del traje blanco hasta que se confundió con la muchedumbre, preguntándose si él también se habría quedado mirándola.

En el viaje de vuelta desde el puerto, Valfierno anunció al grupo que celebrarían la satisfactoria conclusión del negocio con una cena, aquella misma noche, en la Cabaña Las Lilas. En aquellas fechas, Yves raramente salía, pero Valfierno haría todo lo posible para persuadirlo.

—Julia —dijo Valfierno cuando se acercaban a la casa—, tus habilidades encierran un incalculable valor para nosotros. Sospecho que, sin ellas, nuestro pez podría habérselas arreglado para deshacerse del anzuelo.

—La fuerza de la costumbre —dijo ella, encogiéndose de hombros—. Puede incluso que me haya ganado todo un diamante tallado —añadió, mirando directamente la cartera que llevaba Émile en la mano más próxima a ella. Después levantó la vista, mirándolo a él, y sonrió recatadamente, haciendo que frunciera el ceño y se cambiara la cartera a la otra mano.

—No te preocupes —le aseguró Valfierno—. Yo siempre recompenso a quienes tienen talentos útiles.

—¿Tengo que mencionar —empezó a decir Émile, en voz un poco alta— lo cerca que estuve de que me atraparan la otra noche, cuando recuperé la copia del museo? Unos segundos más y me hubiesen cogido.

—Tienes que ser muy valiente —dijo Julia, en el papel de la ardiente admiradora incondicional.

—Sin tu inventiva, yo estaría fuera de juego, Émile —dijo Valfierno con sincero aprecio—. Vamos —añadió cuando llegaron a la verja que estaba frente a la casa—. Anunciemos las buenas nuevas al maestro pintor.

Ya en el interior, Valfierno atravesó directamente el patio. Émile comenzó a seguirlo, pero Julia le puso una mano en el brazo, deteniéndolo con suavidad.

—¿Te gustaría esto? —le preguntó, mostrando el reloj de bolsillo de Hart.

Émile lo miró.

—No, gracias —dijo con firmeza—. Tengo el mío.

—¿Estás seguro?

Sonrojándose, Émile se obligó a resistir la tentación de mirar en su bolsillo. Iba a decir algo, pero lo pensó mejor y se marchó.

—Pero este es de oro macizo —alcanzó a decirle ella en broma.

Mientras cruzaba el patio, Valfierno pensaba en el tipo de pintura que le encargaría a Yves. Un retrato era la elección más obvia, por supuesto, pero quizá fuera mejor dejar que el tema lo eligiera el artista. Sí, le daría libertad para que pintara lo que quisiera.

Valfierno entró en la cochera-estudio y vio a Yves sentado, dándole la espalda, contemplando la nueva copia, casi terminada, de *La ninfa sorprendida.*

—Los frutos de nuestros trabajos, amigo mío —dijo Valfierno, poniendo la cartera de mano sobre la mesa—. No más trabajo por hoy. La celebración empieza de inmediato.

El anciano no respondió. A menudo se quedaba dormido ante su caballete. Valfierno se adelantó y puso la mano sobre el hombro de Yves.

—Creo que querrás despertarte para esto...

Yves cayó hacia delante. Antes de que Valfierno pudiera impedirlo, el anciano rodó desde la silla al suelo, de espaldas.

Valfierno se puso de rodillas. El rostro de Yves estaba lívido. Con los ojos abiertos y las pupilas dilatadas, su mirada vacía se dirigía al techo.

Valfierno puso la mano en la mejilla de Yves. Su piel estaba fría. Estaba muerto.

CAPÍTULO 8

LOS RECARGADOS MAUSOLEOS Y CRIPTAS DE MÁRMOL del Cementerio de la Recoleta empequeñecían la sencilla lápida de piedra que señalaba el lugar del descanso final de Yves Chaudron.

Valfierno estaba solo al lado de la tumba, mirando la sencilla inscripción: «Yves Chaudron. 14 de junio de 1834–25 de abril de 1910. Descanse en paz».

Valfierno acaba de dar sepultura a la principal razón por la que abandonara París casi diez años antes.

Yves Chaudron había cometido un estúpido error. En París, trató de hacer pasar por el original una copia de un Greco a un hombre de negocios inglés. Yves era un excelente falsificador, pero un timador fatal. El inglés sospechó e informó a la policía.

Yves acudió a Valfierno, para quien había hecho algún trabajo ocasional, y le pidió ayuda. Y acudió precisamente en el momento adecuado. Valfierno había ido desilusionándose paulatinamente con el escenario de París; el mercado de obras de arte obtenidas de forma creativa se había enfriado y llevaba algún tiempo pensando en hacer algún cambio. Inmediatamente, llegó a un acuerdo con Yves: dejarían Francia juntos, dirigiéndose al territorio virgen de Buenos Aires, en la patria de Valfierno: Argentina. Allí estarían menos sometidos al escrutinio de las autoridades y él podría aprovecharse del conjunto de los nuevos millonarios estadounidenses que trataban de establecer su influencia en los mercados sudamericanos en expansión. Prometía ser un cambio de escenario fascinante, además de lucrativo. A cambio de la ayuda de Valfierno, Yves Chaudron aceptó prestarle sus servicios en exclusiva.

En comparación con París, Buenos Aires parecía una ciudad un tanto muerta, pero nunca lamentó su decisión. Valfierno hacía frecuentes viajes a los Estados Unidos para promover negocios con los nuevos ricos desde Boston a Filadelfia. Acabó reuniendo una impresionante clientela, pero, desde la crisis de Wall Street de 1907, los clientes eran más difíciles de convencer. Joshua Hart había capeado el temporal mejor que la mayoría, pero incluso él había requerido meses de persuasión antes de aceptar viajar a Buenos Aires.

Ahora había cambiado todo.

—Adiós, viejo amigo —dijo Valfierno con la vista puesta en la tumba—. Si hay un Dios, puedes hacerle su retrato y, si hay un cielo, tendrás innumerables vistas para tus pinturas y pinceles.

Émile y Julia permanecían a cierta distancia, observando a Valfierno.

—¿El anciano tenía alguna familia?

—A nadie —respondió Émile sin mirarla.

—¿Amigos?

—El marqués era su único amigo.

—Es triste morir solo —dijo ella. Pasado un momento, añadió—: Me pregunto quién se acercará a mi tumba cuando yo muera.

Émile la ignoró.

—Quizá tú —añadió con una sonrisa coqueta.

—¡Oh, sí! Iré, claro —dijo él, apartándose—. Incluso bailaré un poco.

—¡Maravilloso! —dijo ella—. En tal caso, ¡dejaré instrucciones escritas para que me entierren en el mar!

Aquella noche, Valfierno se sentó en la cochera-estudio, con una copa de malbec en la mano y una botella casi vacía en el suelo, a su lado. Dos velas dibujaban círculos de luz en la oscuridad, iluminando la caótica galería de lienzos, la obra de la vida de Yves. Valfierno había colocado uno de sus lienzos originales —una escena de la terraza de un café, frenética de vida— en el caballete. La copia de *La ninfa sorprendida* yacía boca arriba en el suelo. Parecía terminada, pero Valfierno sabía que probablemente no lo estuviese. Eso no importaba ahora.

A pesar del revoltijo de cosas, había un palpable vacío en el espacio. El magnífico arte todavía estaba allí, pero el artista había desaparecido; el corazón de la estancia había ido quedando cada vez más silencioso.

—Pensé que lo encontraría aquí —dijo Émile desde la puerta. Valfierno no dijo nada—. ¿Va a quedarse aquí toda la noche?

Valfierno tenía fija la mirada en la tela.

—¿Qué dejarás atrás, Émile? —preguntó en voz baja.

—Yo no voy a ninguna parte —replicó el joven.

—Al final de tu vida —aclaró Valfierno—, ¿qué dejarás atrás?

Hasta que Émile habló, el silencio se mascaba en el aire.

—¿Importa eso?

—No lo sé —musitó Valfierno—. Para el que deja este mundo, quizá nada, pero para los que se quedan atrás... —dijo Valfierno, encogiéndose de hombros.

—El truco, entonces —empezó a decir Émile, hablando casi para sí mismo—, es no dejar atrás a nadie.

—Joven amigo —dijo Valfierno con un suspiro—, de todas las cosas que puedes aprender de mí, esa no debería ser una de ellas.

—Debe irse a la cama —instó Émile—. El sol saldrá pronto.

Y con eso, Émile salió de la estancia y subió, haciendo crujir la escalera, a su habitación, encima de la cochera.

Valfierno se llevó la copa a los labios y la vació. Pensó llenarla de nuevo, pero cambió de idea. Metió la mano en el bolsillo y sacó el guante blanco de *mistress* Hart. Sintió su textura sedosa entre los dedos antes de llevárselo a la nariz. El leve resto de fragancia evocó el susurro de un recuerdo que quedaba tentadoramente fuera de su alcance, o quizá fuera solo el aroma de los lapachos en flor que ascendía en el aire caliente de la noche.

Bajó la mano y abarcó con la mirada la estancia vacía.

—Tenías razón, viejo amigo —dijo a la oscuridad—. Sin el corazón, solo quedan pintura y telas.

Para cuando las velas se derritieron hasta convertirse en pétalos de cera que goteaban sobre la mesa y la promesa del alba teñía la estancia de una pálida luz grisácea, Valfierno había tomado una decisión.

Capítulo 9

Émile estaba de pie en el muelle, lejos del borde, arrastrando, nervioso, los pies.

—Tranquilo —dijo Valfierno—. Este no será tu primer viaje por mar. Míralo como una gran aventura.

—Estoy bien —insitió Émile, en tono demasiado fuerte—. Es únicamente que no sé por qué tenemos que marcharnos tan deprisa; eso es todo.

—Cuando se toma una decisión —dijo Valfierno—, no hay razón para retrasarla. Necesitamos un nuevo colaborador; así de sencillo. Y en París lo encontraremos.

Émile miró aprensivamente la muchedumbre.

—¿Qué buscas con la mirada? —preguntó Valfierno.

—Nada —replicó Émile—. Sería mejor que me acercara y viera qué hacen esos mozos con nuestro equipaje.

El joven dirigió sus pasos hacia la muchedumbre. Sí, pensó Valfierno, su maestro falsificador había muerto. Ahora tenían que regresar a París para buscar a otro. Esa era, desde luego, una razón suficiente, pero había otra también. La semilla de un plan había empezado a tomar forma en su mente, un plan que, si tenía éxito, podría cambiarlo todo.

—Ella está aquí —dijo Émile, saliendo de entre el gentío y señalando hacia el muelle. Sus palabras cayeron como un aviso nefasto—. Le dije que nos seguiría.

Interrumpidos sus pensamientos, Valfierno se volvió y vio a Julia, que se abría paso entre la gente detrás de Émile. No le sorprendió en absoluto.

Cuando anunció por primera vez su plan de trasladar de nuevo el centro de operaciones a París, a ella le encantó. Sin embargo, él le había indicado que posiblemente no pudiese ir con ellos. Ella había rogado, primero a Valfierno, después a Émile, que la incluyeran en sus planes. Valfierno escuchó sus razonamientos, pero se mantuvo firme, recordándole que tenía suficiente dinero para hacer lo que quisiera, aun para regresar a los Estados Unidos. Él se las había arreglado para conseguirle un nuevo pasaporte, aunque no lo tendría hasta un mes después. La casa la dejaría a la familia de un hombre de negocios del lugar, pero Julia podría vivir en ella hasta que se marchara. El ama de llaves, María, se quedaba y podría atenderla.

Finalmente, Julia se dio por vencida y se retiró a su habitación. Ni siquiera salió cuando Valfierno y Émile se marcharon esa mañana. A Valfierno le sorprendió que capitulara con tanta facilidad. Evidentemente, no lo había hecho.

—Voy con ustedes —anunció cuando se detuvo delante de ellos—. Usted no puede decirme nada que me detenga.

Valfierno creyó haber detectado auténtico miedo en sus ojos, a pesar de su exhibición de bravuconería.

—No tengo nada que decir ni hacer para detenerte —dijo él—. Por una parte, no tienes pasaje y el barco está completamente lleno. Por otra, no tienes pasaporte y, para cuando acabes consiguiendo uno, comprenderás la sensatez de todo esto.

En realidad, durante algún tiempo no hubo camarotes disponibles en el vapor, pero Valfierno había sido tan decidido a la hora de poner inmediatamente en práctica su plan que había utilizado su considerable influencia y pagado una enorme cantidad de dinero para conseguir los pasajes para Émile y para él.

—Pero, ¿por qué no quiere que vaya con usted? —preguntó ella, incapaz de mantener la petulancia en su voz.

—Querida, sencillamente no es posible. Émile y yo volvemos a Francia. Es su patria y la nación escogida por mí. No vamos a regresar.

—Pero usted me dijo que le era muy útil.

—Sí, y te he pagado muy bien por tus habilidades.

—Émile —dijo ella, dirigiéndose al joven—, ¿no quieres que vaya con vosotros?

Aunque trataba de no mirarla, sus ojos se encontraron brevemente con los de ella antes de volverlos rápidamente a Valfierno.

—Tenemos que embarcar —dijo, dirigiéndose a la pasarela.

—No te preocupes, *querida mía*[1] —dijo Valfierno, inclinándose hacia delante y besando cariñosamente la frente

---

[1] En español en el original. *(N. del T.)*.

de Julia—. Si hay alguien que pueda cuidarse de sí misma, eres tú. *Buena suerte*[2].

Julia se quedó mirando a los dos hombres mientras subían por la pasarela. Quiso llamarlos, pero sabía que no había nada más que pudiera decir. Miró frenéticamente a su alrededor, en el atestado muelle, como si allí se encerrara de alguna manera la respuesta a su problema. Volvió la vista hacia el barco y se dio cuenta de que Émile la estaba mirando desde la barandilla antes de apartar la vista y alejarse de la borda, desapareciendo en cubierta.

Una repentina conmoción atrajo su atención. Una joven bien vestida corría por el muelle moviendo frenéticamente las manos y gritando:

—¡Esperen! ¡Esperen!

Dos hombres cubiertos de sudor la flanqueaban, cargados ambos de maletas y sombrereras. Era evidente que esta mujer había apurado mucho el momento de su partida y casi pierde el barco.

Julia no lo dudó. Cuando la mujer, histérica, pasó a su lado a toda velocidad, ella se interpuso, cortándole el paso.

---

[2] En español en el original. *(N. del T.)*.

CAPÍTULO 10

EL VAPOR SE DESLIZABA SUAVEMENTE POR LA SUPERFI-
cie especular del océano, con el sol resplandeciente
como un rayo ante él. Émile había pasado la mayor
parte del viaje en su camarote, pero, por la mañana del
último día, solo unas horas antes de atracar en El Havre,
Valfierno lo convenció de que subiera a cubierta para disfrutar del inmejorable tiempo.

—Supongo que no te acordarás mucho de París
—dijo Valfierno—. Cuando nos marchamos, no eras más
que un niño.

—Recuerdo sobre todo el olor —dijo Émile, con una
mueca al pensarlo—. Y las calles. Y el frío que hacía por
la noche. Y el hambre que tenía siempre.

Valfierno miró a Émile apartándose de la barandilla,
asombrado de lo mucho que había cambiado. Ahora era
alto, aunque todavía un poco desgarbado por la torpeza
de la juventud. Sus rasgos faciales, contemplados por sepa-
rado, no eran nada del otro mundo: sus cejas, demasiado
espesas; sus ojos, demasiado hundidos; su nariz y sus ore-

jas, excesivamente prominentes; su boca, demasiado ancha para acomodarse bien entre sus mejillas, acabando todo en una barbilla alargada que le hacía la cara demasiado larga. Pero había algo en la combinación de estos elementos que configuraba un rostro atractivo, bello incluso. Pensaba Valfierno que solo con que sonriera de vez en cuando ganaría mucho. Y, por supuesto, iba limpio y bien arreglado, a diferencia del golfillo de la calle que había sido, tan negro de polvo como un deshollinador.

Como las de Buenos Aires, las calles de París estaban lamentablemente llenas de niños que pedían, robaban, merodeaban en grupos, eternamente acosadores y, a su vez, acosados por las autoridades locales. Uno hacía todo lo posible para evitarlos, para ignorarlos siempre que se pudiera, pero seguían siendo una característica omnipresente de la ciudad. Lo peor que podía ocurrirle a uno era mirarlos a los ojos, especialmente si uno sentía cierta simpatía por aquellas criaturas. Si conseguían despertar un poco de lástima, te rodeaban como un enjambre, como una bandada de gaviotas hambrientas, elevando sus manitas pidiendo unas monedas o, peor, hurgándote en los bolsillos para agarrar todo lo que pudiesen afanar. Pero Émile había sido diferente. Émile le había salvado la vida.

Todo empezó, como ocurre a menudo, con una mujer. Se llamaba Chloé y era la esposa de Jean Laroche, un marchante de arte de la *rue* Saint-Honoré. Aparentemente, Laroche era un honrado marchante de bellas artes, pero su auténtico capital procedía de la venta de falsas obras maestras y, en esa faceta de su negocio, trabajaba en estrecha relación con Valfierno. Chloé era de esa clase de mujeres cuya sola presencia recordaba constantemente a los hombre su sexualidad y, para empeorar las cosas, era extremadamente coqueta. Valfierno se divertía con sus insinuaciones traviesas, pero nunca las tomaba en serio. Después de todo, ella flirteaba con todo el mundo. Con todo el mundo, excepto con su esposo. Y su esposo era un hombre celoso.

Al principio, cuando los cuatro jóvenes rufianes lo acorralaron en el callejón que salía de la *rue* Saint-Martin, creyó que era un simple robo. A menudo, los matones —a quienes los periódicos llamaban *apaches* por su despiadado estilo de violencia descontrolada— recorrían las calles por la noche. Valfierno no se preocupó al principio. Tenía suficientes francos en el bolsillo —o eso creía— para apaciguarlos. Pero, cuando el mayor de los jóvenes, aparentemente el jefe de la banda, le informó de que tenía un mensaje de *monsieur* Laroche para él, se dio cuenta de que tenía un problema. Mientras se dedicaban a darle una paliza en el suelo, se permitió aún un pensamiento irónico: «Si estos rufianes me van a matar, es una lástima que no sea culpable del crimen por el que me están castigando».

Y sabía que lo hubiesen matado de no haber sido por Émile.

Valfierno estaba tendido sobre los duros adoquines tratando de protegerse de las botas y garrotes que le caían encima y había abandonado toda esperanza de sobrevivir cuando, de repente, se detuvo la paliza. Oyó que los *apaches* murmuraban entre ellos y se arriesgó a abrir los ojos.

Su atención quedó clavada en la delgada figura de un chico que estaba de pie, al otro lado de la postrada figura de Valfierno.

—¿Qué haces? —preguntó el jefe de la banda, evaluando al chico—. *Allez, gamin!* ¡Largo antes de que te lleves una patada en el culo!

Pero el chico no se movió. Se quedó allí observando la escena con una expresión de curiosidad casi inocente. Uno de los jóvenes *apaches* se apartó de Valfierno y levantó su garrote como para pegar al chico. Este se estremeció instintivamente, pero no se movió.

El *apache* del garrote se volvió hacia el jefe y se encogió de hombros.

—Vamos —dijo el jefe—. Dadle una paliza al hijo de puta si no quiere marcharse.

El *apache* se volvió hacia el chico, blandiendo su garrote una vez más. El chico se limitó a mirarlo.

—¡Ah, al demonio con él! —dijo el *apache* bajando el garrote y volviendo al grupo—. Esto no es divertido. Es demasiado fácil. Dale tú la paliza si quieres.

—*Merde* —dijo el jefe—. De todos modos, ya hemos hecho bastante por esta noche. Le hemos dado a este guaperas una lección que no olvidará pronto.

Los demás estuvieron de acuerdo y, con unas patadas de despedida como buena medida, los *apaches* se desvanecieron en las sombras.

Valfierno levantó la vista hacia el chico, mirándolo a través de sus párpados hinchados.

—¿Cómo te llamas? —preguntó.

El chico vaciló un momento.

—Émile.

—Bien. Muchas gracias, Émile. Estaba empezando a tener la clara impresión de que yo no les gustaba mucho. ¿Tienes hambre, Émile?

Unas semanas más tarde, después de que hubiesen lavado al chico y este se hubiese trasladado al dormitorio del ático de la casa que Valfierno tenía alquilada en la *rue* Édouard VII, Valfierno le preguntó de pasada por qué no había huido aquella noche.

Émile le dirigió a Valfierno una mirada desconcertada. ¿No había sido evidente?

—Estabas tirado en mi sitio.

Valfierno se volvió a mirar al mar.

—Sí, París es una ciudad dura para muchos, pero también una ciudad llena de oportunidades para quienes tienen los talentos adecuados.

Émile no respondió; simplemente asintió con la cabeza sin mayor entusiasmo. En realidad, había dicho muy poco desde que dejaron Buenos Aires. Valfierno conocía demasiado bien la aversión que Émile sentía hacia el agua, pero también imaginaba su aprensión con respecto a la vuelta a casa. Había procurado tirarle de la lengua en varias ocasiones, pero nunca lo había conseguido. Había otra cosa que preocupaba al joven.

—Demos una vuelta —sugirió Valfierno.

Cuando empezaban a dar una vuelta por la cubierta de paseo, Valfierno pensó probar con otra cosa.

—Siento no haber podido incluir a Julia en nuestros planes —dijo como de pasada.

—¿Por qué lo siente? —dijo Émile—. Era más un problema que otra cosa.

—Ella tiene sus talentos. Sin ella, me temo que habríamos perdido a *mister* Joshua Hart y todo nuestro trabajo se habría quedado en nada.

—Ya habríamos pensado algo. Nos las arreglamos sin ella durante años y volveremos a hacerlo.

—Supongo que tienes razón —dijo Valfierno sin mucha convicción.

—A su alrededor, nada estaba seguro —continuó Émile, interesado—. Era poco más que una ladrona corriente y moliente.

—¿Y qué somos nosotros, Émile? —preguntó Valfierno—. ¿Ladrones poco corrientes?

—Es completamente diferente. Por una parte, ella nunca podía apartar las manos de ningún reloj, especialmente del mío.

—Sin embargo, todavía lo tienes —apuntó Valfierno.

—No por ella —dijo Émile, dando la vuelta a una esquina bajo el puente de mando—. Si no vuelvo a verla, nunca habrá pasado demasiado tiempo.

Émile lanzó una mirada a Valfierno mientras decía esto y no vio a la mujer que venía en dirección opuesta con tiempo para evitar una desagradable colisión.

—Perdone, *madame*...

—*Monsieur,* quizá deba prestar más atención al lugar al que se dirige —dijo Julia Conway.

—¿Cómo...?. ¿Tú...? —farfulló Émile, conmocionado—. ¿Qué haces aquí?

—Evidentemente, lo mismo que tú: ir a Francia —respondió ella, devolviéndole, como quien no quiere la cosa, su reloj de bolsillo—. Toma. Te lo he cogido para no perder la práctica.

Completamente aturullado, Émile lo recogió.

Valfierno la valoró.

—Así que —dijo sin alterar la voz— de carterista a polizón.

—¿A quién le llama polizón? Robé mi pasaje honrada y abiertamente.

—De nada te servirá cuando desembarquemos —dijo Émile—. Nunca te dejarán entrar en Francia sin pasaporte.

—¿Por qué no dejas que me ocupe yo de eso? —dijo Julia mientras se alejaba de ellos paseando tranquilamente por cubierta—. Puedo cuidar de mí misma, ¿recuerdan?

Émile se quedó mirando su figura mientras se alejaba. Valfierno puso una mano sobre el hombro del joven.

—Ya me figuraba que no abandonaría con tanta facilidad —dijo Valfierno con admiración antes de seguir adelante.

Émile se quedó donde estaba un momento más antes de dar media vuelta y seguirlo.

Valfierno y Émile pasaron la aduana de El Havre sin dificultad. Valfierno había contemplado siempre la posibilidad de tener que salir rápidamente de Buenos Aires, por lo que se aseguró de que Émile tuviera siempre un pasaporte francés en regla. Tras recoger su documento convenientemente sellado por uno de los agentes de la aduana, Valfierno tiró de Émile, poniéndolo a su lado. Julia estaba en la fila un poco más atrás y quería ver exactamente cómo había planeado pasar la inspección.

Cuando le tocó el turno a Julia, un agente de la aduana de mediana edad abrió su pasaporte y lo examinó detenidamente.

SEGUNDA PARTE

Para conseguir lo que queremos,
no decimos lo que pensamos.

SHAKESPEARE, *Medida por medida.*

CAPÍTULO 11

PARÍS

L A LOCOMOTORA ATRONABA EL ESPACIO MIENTRAS atravesaba la verde campiña francesa, manchando con su nube de humo y vapor un cielo por lo demás impoluto. En el interior de un departamento privado estaba sentado Valfierno con el rostro sepultado en un ejemplar del día anterior de *Le Matin*. No había pronunciado una palabra desde que el tren saliera de la estación de El Havre.

Émile iba sentado junto a él, en la ventanilla, frente a Julia, con la mirada fija en el paisaje que iba quedando atrás, menos por auténtico interés que por evitar el contacto visual con ella. No podía dejar de pensar en la facilidad con que Julia se había insinuado en su pequeña fiesta. Y no parecía darse cuenta del hecho de que era una intrusa. En realidad, parecía tan entusiasmada como una escolar en una excursión dominical.

—Es fascinante, ¿no? —dijo Julia, atrayendo la mirada de Émile.

—¿El qué? —contestó Émile, apartando la vista de la ventanilla y tratando de parecer desinteresado.

—Todo. El viaje en barco, el tren, París.

Émile emitió una especie de gruñido evasivo.

—Aún no estamos allí.

—Me refiero a la expectativa. Es fascinante.

—¿Qué sabes de París? —le preguntó en tono desafiante.

—Solo lo que he leído en libros. Sé que es la Ciudad Luz, la Ciudad del Amor, o eso dicen.

Émile levantó los ojos al cielo.

—Entonces, me imagino los tipos de libros que habrás estado leyendo.

—¿Sí? —preguntó ella, también con un ligero tono de desafío en su voz—. Había un libro que era muy bueno. ¿Cuál era? Creo que el autor era Hugo algo u otra cosa. No. Algo Hugo. Víctor Hugo. Eso es. Era un libro muy grande. Tenía amor, guerra, prisioneros escapados, huérfanos, sacrificio. Era realmente muy bueno. ¿Cómo se llamaba? Un nombre gracioso. Algo sobre que todo el mundo era miserable todo el tiempo. ¿Lo has leído?

Émile se volvió hacia ella.

—*Les Misérables* —dijo de un modo que daba a entender que solo los idiotas no conocerían el título—. Y tú no lo has leído.

—Yo sí lo he leído. Solo que no podía recordar el título. Hazme alguna pregunta sobre él. Vamos, Pregunta.

—Olvídalo.

Émile volvió de nuevo la cabeza hacia la ventanilla.

—Tú no lo has leído, ¿verdad? —dijo ella alegremente en un tono triunfal—. No tienes ni idea de lo que estoy hablando.

Enardecida por la victoria, miró a Valfierno, captando una breve y divertida mirada suya mientras echaba una ojeada por encima del periódico. Miró hacia la ventanilla y se dejó hipnotizar por las filas de árboles que retrocedían hacia las colinas, moviéndose a diferentes velocidades según su distancia al tren. Mientras dejaba que el suave balanceo del coche la sumiera en un ligero duermevela, recordó con cariño la época en la que el tío Nathan le había contado toda la historia de *Les Misérables*. Quizá algún día la leyera realmente.

Valfierno, Émile y Julia descendieron a un abarrotado andén iluminado por los rayos del sol que se filtraban a través de las grandes claraboyas abovedadas del artesonado de la estación de Orsay. Julia se quedó paralizada, mirando a un lado y a otro el tiovivo de color y ruido que la rodeaba. Émile, por su parte, se esforzaba por parecer displicente cuando encontró a un mozo que llevó su equipaje en una carretilla.

—Vamos —dijo Valfierno a Julia—. Pero compórtate. Estamos aquí para un juego mucho más serio que los pañuelos de seda y los relojes de bolsillo.

Valfierno dejó que subieran la escalera hacia el nivel principal en el que, tras atravesar la muchedumbre de viajeros, pasaron bajo el enorme reloj dorado de la entrada principal. Salieron a una gran explanada embaldosada, bañada en la fuerte luz solar. Julia se detuvo un momento, mirando a su alrededor. A su izquierda, los edificios barrocos coronados por mansardas que tapizaban la estrecha *rue* de Lille ofrecían una tentadora visión previa de la

ciudad que se escondía tras ella; a su derecha, el puente
Solférino saltaba por encima del río sobre sus arcos de
fundición. Una suave brisa procedente del agua atempera-
ba la fragancia acre, pero vibrante, de la ciudad en expansión.

Valfierno no perdió tiempo para solicitar los servicios de un taxista motorizado. Estaban a menos de quince
minutos de su destino, pero optó por una ruta mucho más
larga para dar una vuelta por el centro de la ciudad.

Siguiendo las instrucciones de Valfierno, el taxista
los llevó siguiendo el río hasta el *pont au* Double, donde
cruzaron a la *Île de la Cité* y continuaron dejando atrás la
gran catedral.

—Notre-Dame —dijo Julia, entusiasmada al verla
por la ventanilla—. Tengo razón, ¿no?

—El centro espiritual de Francia —dijo Valfierno.

—Parece también el centro de la mendicidad —dijo
ella, al ver la fila de pedigüeños andrajosos, cojos, ciegos,
contrahechos y jorobados, que esperaban a los turistas
que salían de la catedral.

—¿Dónde están las gárgolas? —preguntó ella, mirando hacia arriba y sacando la cabeza por la ventanilla
abierta del taxi.

—En el tejado, por supuesto —dijo Émile—. ¿Dónde van a estar?

Continuaron atravesando el puente d'Arcole a la
margen derecha, donde giraron al oeste, dejando atrás el
Louvre y el parque de las Tullerías. Cuando entraron en la
plaza de la Concordia, giraron en torno al obelisco de Lu-
xor que se eleva en el centro de la gran plaza pública.

—Parece una copia del monumento a Washington —comentó Julia.

—Si acaso, querida —dijo Valfierno con suavidad—, sería al revés.

—De todos modos —dijo ella, encogiéndose de hombros— el nuestro es mucho más grande.

Pasando entre los Caballos de Marly, giraron para entrar en los Campos Elíseos, que los conducían directamente al Arco del Triunfo.

—Es anchísima —dijo Julia, admirando las filas de olmos intercalados con kioscos y columnas con páginas de periódicos y anuncios pegados.

—Napoleón quería que sus calles fuesen suficientemente anchas para que sus ejércitos pudiesen desfilar por ellas y demasiado anchas para que la gente pudiera levantar barricadas atravesadas —explicó Valfierno.

—Podía hacer lo que quisiera —añadió Émile—. Después de todo, ya había conquistado la mayor parte de Europa.

—Me refiero, por supuesto, a Napoleón III —le corrigió Valfierno con la mayor delicadeza posible—, el sobrino de Napoleón Bonaparte.

Julia le dirigió a Émile una sonrisa burlona.

—Supongo que es fácil confundirse con tantos —dijo ella.

Émile se quedó callado mientras el taxi se unía al círculo de automóviles y carruajes de caballos que rodeaban el Arco del Triunfo. Tras dar dos vueltas, Valfierno indicó al taxista que girara hacia el sur, al puente de Iena.

Pasando el palacio del Trocadero, con sus torres a modo de arquitectónicas orejas de burro, entraron en el puente. Ante ellos, la gran estructura de hierro que lleva el nombre de su arquitecto y constructor, Gustave Eiffel, surgía imponente, haciendo pequeños todos los demás edificios hasta donde alcanzaba la vista.

—Nunca había visto algo tan alto —dijo Julia, mirando detalladamente la intrincada estructura de hierro—. Ni tan hermoso.

—Dicen —comenzó a decir Valfierno— que el escritor Guy de Maupassant la detestaba tanto que solía comer todos los días en su restaurante para no tener que verla.

—Émile —dijo Julia en un tono burlón—, quizá deberías llevarme a comer allí en alguna ocasión.

Émile no respondió.

—En realidad —añadió Valfierno—, hay muchos que todavía consideran que no es más que un engendro, un montón de chatarra.

Émile trataba de actuar como si hubiese visto todo antes, pero no pudo evitar estirar el cuello para observar mejor el intrincado encaje que se elevaba como sarmientos de hierro hacia el cielo.

—El lugar de eterno reposo de Napoleón —dijo Valfierno, señalándolo con la mano mientras pasaban frente a la cúpula dorada de los Inválidos.

—¿El sobrino o el tío? —preguntó Julia con entusiasmo.

—El tío —dijo un divertido Valfierno.

Cuando su gira tocaba a su fin, Valfierno le indicó al taxista que entrara en el bulevar de Saint-Germain.

—*Voilà le Quartier Latin!* —anunció Valfierno con un amplio movimiento de la mano.

Inmediatamente, se vieron sumergidos en un bullicioso hervidero de actividad en el que aparecían expuestos todos los estratos posibles de la sociedad parisiense: señoras vestidas al *style moderne,* el último grito, cargadas de sombrereras; caballeros atrapados en uniformes trajes oscuros manifestando su individualidad con una infinita variedad de mostachos y barbas cuidadosamente esculpidas; mujeres jóvenes con *coiffes bretonnes*[1], con los brazos llenos de vestidos, cestas de comida o ramos de flores, yendo a toda prisa a entregar los encargos a sus amas de casa; ancianos sentados debajo de toldos sin adornos en los cafés, resolviendo los problemas del día en una nube de humo de pipa; ancianas con sosos y anchos vestidos grises, pelando patatas y vendiendo verduras a la sombra de anchas sombrillas.

—Casi hemos llegado —dijo Valfierno un momento antes de que el taxista tocara la bocina para protestar contra un autobús que se le coló delante en la congestionada calle.

Valfierno hizo una indicación y el taxista giró a la izquierda, a la *rue* de l'Éperon, continuando inmediatamente su giro a la *rue* du Jardinet. Al final de esta tranquila y estrecha calle, estacionaron en la *cour* de Rohan. Cuando el taxi se detuvo sobre los desiguales adoquines, Valfierno susurró algo al oído del taxista y el hombre dio un salto

---

[1] Cofia formada por un gorro de cierta profundidad, con una especie de barboquejo y unas como aletas que caen sobre la nuca. Típica de Bretaña. (*N. del T.*).

para retirar una maleta del techo del vehículo. Una mujer gruesa de mediana edad, con el pelo recogido en un moño, salió de un pequeño patio con cancela a saludarlos.

—¿Pero quién es esta? —preguntó Valfierno con aire teatral cuando bajó del taxi—. Esperaba que saliera a saludarnos *madame* Charneau, y no una bella joven doncella.

—Hará falta algo más que halagos para que le perdone por haber estado tanto tiempo fuera —dijo *madame* Charneau, sonriendo mientras recogía un manojo de pelo y lo sujetaba—. Pero después, no mucho más.

—¿Recuerda a Émile? —dijo Valfierno cuando el joven bajó del taxi.

Madame Charneau juntó las manos en una palmada como una madre orgullosa.

—El chico se ha hecho un hombre. Me alegro mucho de verte de nuevo, Émile.

Émile, un tanto avergonzado, aguantó en silencio su abrazo. Tras él, Julia bajó del taxi y echó un vistazo a las altas y estrechas casas que sobresalían del patio como paredes perfectamente esculpidas de un cañón.

—Y esta es *mademoiselle* Julia Conway.

—¿Y dónde encontró a esta mujer? —preguntó *madame* Charneau con evidente aprobación.

—Sería más exacto decir que nos encontró ella —comentó Valfierno.

—El marqués ha sido muy amable permitiendo que los acompañase —dijo Julia con una pícara mirada a Valfierno.

—*Bienvenue.* Sea bienvenida a mi humilde casa.

—*Madame* Charneau regenta la mejor casa de huéspedes de todo París —dijo Valfierno.

—La más limpia, en todo caso —lo corrigió *madame* Charneau.

—La mejor y la más limpia —continuó Valfierno—. Ella la cuidará muy bien.

—¿No se van a quedar ustedes aquí también? —preguntó Julia, con un punto de preocupación en su voz.

—Émile y yo compartiremos una modesta casa en la margen derecha —replicó Valfierno.

—Bueno, ¿y en qué margen estamos? —preguntó Julia.

Valfierno se encogió de hombros con su mejor estilo francés.

—Por eliminación, la izquierda.

—Como le mencioné en mi último cable —dijo *madame* Charneau, entregándole a Valfierno un sobre con la dirección del que sobresalía un manojo de llaves—, en cuanto recibí su primer telegrama, alquilé esta casa para usted. Creo que se adapta bien a lo que necesita. Está en la *rue* de Picardie, una calle muy tranquila. No está mal para tan poco tiempo y el alquiler es muy moderado. He dispuesto un coche, tal como me pidió. Le espera en un garaje en la *rue* de Bretagne, justo al final de su calle.

—Muchas gracias, *madame* —dijo Valfierno—. Sus servicios, como siempre, no tienen precio.

—No es más que mi manera de darle la bienvenida a su regreso a donde le corresponde.

—Pero, espere un minuto —le dijo Julia a Valfierno—. ¿Por qué no puedo ir con ustedes?

—Imposible —respondió Valfierno—. Nuestra casa será mucho más pequeña que la de Buenos Aires. *Madame* Charneau hará que te sientas extremadamente cómoda.

—Ven conmigo, muchacha —dijo *madame* Charneau, agarrando la maleta de Julia—. Debes de estar cansada del viaje.

Julia dio un paso hacia Émile y le puso las manos en el pecho en un gesto de súplica.

—Pero tú vendrás a por mí —dijo ella, más como pregunta que como afirmación.

Émile se apartó y subió al taxi, pero Valfierno se acercó a Julia y le puso una mano tranquilizadora en el hombro.

—Mañana —dijo, antes de darse la vuelta y sentarse junto a Émile en el asiento trasero—. Empezamos a trabajar mañana.

El taxi dio la vuelta en el pequeño patio y desapareció, dejando una negra nube de humo que se extendió sobre los adoquines. Julia se preguntó si intentaban abandonarla allí. Para tranquilizarse, abrió la mano y miró el reloj de bolsillo de Émile.

Sonrió. Ahora, tendrían que volver.

CAPÍTULO 12

MÁS DE CINCO HECTÁREAS DE JARDINES DE FLORES y de caro césped esmeradamente cuidados adornaban lo que otrora fuera un achaparrado promontorio de tierra que se adentraba suavemente en el Rhode Island Sound. El mantenimiento de los terrenos —salpicados de montones de estatuas que habían sido copiadas del palacio francés de Versalles— era un trabajo que consumía los servicios de cinco jardineros que trabajaban en exclusiva y de otros doce que lo hacían a tiempo parcial. *Windcrest,* la gran casona, con sus torres raquíticas, sus ventanas con parteluz, sus columnas y pilastras de mármol, era un impresionante aunque incómodo emparejamiento de los estilos renacentista francés e isabelino inglés. Para su funcionamiento, requería los servicios de no menos de quince personas que viviesen en la casa.

Joshua Hart no había reparado en gastos para crear el edificio más impresionante de todo Newport. Había encargado el diseño y la construcción de la mansión *Beaux Arts* al gran arquitecto de Boston, Robert Peabody, diez años antes, en 1900; le había costado dos millones de dólares, dos veces más que los demás «chalés» que adornaban la costa.

En el interior de la casa, Carter, el mayordomo de Hart, de mediana edad, y Tamo, un joven criado filipino, bajaban un marco envuelto por unos estrechos escalones que conducían a una amplia bodega. Hart había pagado una pequeña fortuna a un experto artesano para montar *La ninfa sorprendida* en un marco antiguo, apropiadamente tallado y dorado. La mayor parte de la cantidad abonada al hombre garantizaba su absoluta discreción al respecto.

—¡Cuidado ahí! —bramó Hart al pie de la escalera.

Ellen Hart estaba a su lado. Normalmente, no la invitaban a los dominios de su esposo, pero él insistía siempre en que lo ayudase cuando añadía una nueva pintura a su galería secreta. Esas eran las únicas ocasiones en las que se le permitía compartir los placeres de su colección.

Cuando los dos hombres llegaron a la bodega, Hart cogió el marco de las manos de Tamo.

—Eso es todo. Vete —dijo él, enviando al muchacho escaleras arriba. Carter era el único de los sirvientes al que se le permitía adentrarse más allá de este punto.

Ellen abría el paso a través del enorme sótano —saneado y protegido contra la humedad del suelo a un coste muy elevado— hasta una gran puerta que estaba inmediatamente después de la entrada a una bodega bien provista de vinos. De su bolsillo sacó la llave que él le había entregado unos minutos antes, la introdujo en la cerradura y la giró. Abrió la puerta y entró en el interior, buscando a tientas los interruptores eléctricos que había en la pared.

—Solo el interruptor de arriba —dijo Hart.

Ella accionó el interruptor superior y se encendió una bombilla que estaba nada más pasar la puerta, revelando una sala de techo elevado de unos ochenta y cuatro metros cuadrados. Varias filas de pinturas, escasamente visibles a la tenue luz, colgaban de las paredes como imágenes espectrales.

En quince minutos, trabajando en semioscuridad, Hart y Carter habían desembalado y montado *La ninfa sorprendida* de Manet. Una vez finalizado el trabajo, Carter se retiró sin decir palabra. Hart se enjugó la frente con un pañuelo y se percató de que su esposa todavía estaba al lado de la puerta.

—Gracias —dijo Hart en un tono que era tan displicente como cortés.

Ellen asintió y abandonó la estancia, cerrando la puerta tras ella.

En cuanto su esposa se hubo ido, Hart accionó los tres interruptores restantes en rápida sucesión. Una batería de reflectores estratégicamente colocados cobró vida, iluminando su galería subterránea. Se quedó allí de pie, como hacía siempre, en trémulo sobrecogimiento mientras sus ojos se embriagaban con su colección de obras maestras. En realidad, le habría costado nombrar cada una de las pinturas y sus autores, a excepción, quizá, de sus adquisiciones más recientes. Lo importante era poseer estas obras de arte. Eran suyas y solo suyas. Unos idiotas confiados miraban reproducciones, montadas a toda prisa para cubrir espacios vacíos en las paredes de incontables museos, pero solo una persona en el mundo podía mirar la auténtica obra maestra, y esa persona única era Joshua Hart.

Tras un momento, se apartó de las pinturas y se dirigió a la parte trasera de la galería, en cuya pared había una pequeña puerta. Del bolsillo interior de su chaqueta sacó una llave, la insertó en la cerradura, giró el picaporte y entró.

Ellen Hart ascendió lentamente por la escalera hasta el nivel principal de la casa. Allí, se detuvo un momento y dirigió la mirada hacia la oscura bodega. Su esposo se quedaría solo durante horas en su tenebrosa guarida, rodeado de las cosas que más amaba.

Ella no lo echaría de menos.

Capítulo 13

E N LA MAÑANA SIGUIENTE A SU LLEGADA A PARÍS, VAL-
fierno y Émile se dirigieron en un automóvil Pan-
hard Levassor descubierto a la *cour* de Rohan, donde los estaba esperando Julia a la puerta de la casa de
huéspedes de *madame* Charneau. Sin decir palabra, subió
al coche en el asiento trasero y le devolvió a Émile su reloj
de bolsillo. Él se lo cogió sin comentarios. Un divertido
Valfierno se dirigió conduciendo al bulevar Saint-Germain, torciendo a la derecha a la *rue* du Bac. Cuando cruzaba el Sena por el *pont* Royal, les hizo a Émile y Julia un
resumen esquemático de lo que quería que hiciesen. Se
detuvo junto a los arcos que conducían a la plaza del Carrusel, uno de los accesos al museo del Louvre, y Émile y
Julia se bajaron del coche.

—Recordad —les dijo Valfierno—: sois unos recién
casados. Deambulad por el interior. Haceos una idea del
lugar.

Ellos trataron de conseguir que les diese unas instrucciones más detalladas, pero él les dijo que solo quería que diesen una vuelta y observaran.

—Poned especial atención en el ala Denon —añadió Valfierno mientras metía la velocidad—, pero, sobre todo, divertíos. ¡Sois jóvenes! ¡Se supone que estáis enamorados! ¡Esto es París!

Émile miró el coche mientras se alejaba y deseó estar allí.

—Bueno —dijo Julia, tomando el brazo de Émile con evidente placer—, ¿vamos?

Bajo los altos y abovedados techos de la larga Grande Galerie, en el ala Denon, un par de trabajadores de mantenimiento, ataviados con guardapolvos blancos, trataban de montar sobre la pared una vitrina acristalada. Al lado, dos caballeros estaban de pie, en el centro de la sala, observando. Uno de ellos, un señor de aspecto distinguido, de pelo blanco, vestido con un traje italiano de perfecto corte, no era otro que el director del museo, *monsieur* Montand. A su lado, el inspector de policía Alphonse Carnot, de la Sûreté. De mediana edad y corpulento, llevaba un traje cuyo aspecto no había mejorado precisamente desde que lo adquiriera en un rastrillo, en la plaza de la Bastilla, muchos años antes.

—Le digo, *monsieur* Montand —decía el inspector Carnot con evidente orgullo—, que estas nuevas vitrinas son lo último en seguridad. Acabarán con estos anarquistas y sus destrozos.

El inspector Carnot estaba llegando a un momento de su carrera en el que, si quería conseguir nuevos ascensos, tenía que hacer méritos rápidamente. Siempre había sospechado que su estatura —más exactamente, su falta— frenaba sus aspiraciones. Su volumen y su bajo centro de gravedad le conferían el aspecto de un trompo infantil, aunque el inspector se tomaba a sí mismo muy en serio. Tras un incidente en el que uno de esos sedicentes nuevos anarquistas había escupido sobre un Rafael, lo habían llamado con el fin de que sugiriera mejoras para la seguridad del museo. Había persuadido al director para que colocara las pinturas más destacadas en vitrinas de madera, en cuyo interior estarían protegidas tras el cristal. Estaba convencido de que su intervención en relación con esta innovación supondría un paso importante para su muy anhelado ascenso.

—Los patronos ya se están quejando de que el vidrio produce demasiados reflejos —dijo Montand, mirando al inspector a través de sus gafas de montura fina—. Vienen a ver arte, no sus propias caras.

—Mejor será que refleje sus propias caras que las babas de un escupitajo anarquista, ¿no le parece, *monsieur le directeur?*

Mucho más alejados, dentro de la Grande Galerie, Julia y Émile caminaban del brazo en medio de la multitud de parejas burguesas de un típico día laborable. La mayoría de los caballeros parecían vagamente aburridos, mientras que las señoras parecían más interesadas por los vestidos y adornos de las demás que por las obras expuestas. Unos pocos copistas habían montado sus caballetes a lo largo de la galería y, de vez en cuando, se veía a algún oficial del ejército, con el pecho cubierto de me-

dallas, que compartía una carcajada con la última *demi
-mondaine*[1] conquistada del brazo.

—Este sitio es mucho mayor de lo que pensaba —comentó Julia.

—Es el mayor museo del mundo —dijo Émile—.
¿Qué esperabas?

—No lo sé —replicó ella encogiéndose de hombros—.
He estado en algunos museos de Nueva York, que también son muy grandes.

—No tiene comparación —dijo Émile—. Mira todas
estas obras maestras.

Julia se detuvo a contemplar una madona de Botice-
lli, que colgaba en la pared al lado de otra de Fra Diamante.

—La mitad de ellas parecen ser de lo mismo: una
madre y su bebé. ¿Dónde están las flores?

La respuesta de Émile a esta pregunta fue un intento
de soltarse, pero ella no le dejó hacerlo.

—Entonces —continuó ella—, ¿tienes familia en París?

—¡Oh, sí! —replicó Émile—. Tengo una familia
enorme: tíos, tías, abuelos, sobrinas, sobrinos. Demasiada
gente para contarla. Todos son asquerosamente ricos y si-

---

[1] En francés en el original. La palabra no tiene una traducción precisa al
castellano. Literalmente sería "semimundana", que puede interpretarse, en
la práctica, como una "querida". El término francés se deriva del título de
una obra de Alejandro Dumas, hijo: *Le Demi-monde,* publicada en 1885,
refiriéndose al «mundo de las mujeres venidas a menos [socialmente]», a
diferencia de las *cortesanas.* Sin embargo, el *Centre national de ressources
textuelles et lexicales* francés indica que en el uso de la palabra no se hace
nunca esa distinción. *(N. del T.).*

guen invitándome a vivir con ellos en sus palacetes en el campo.

—Huérfano, ¿eh? —dijo Julia, echando un vistazo a otra madona con el Niño—. Entonces, ¿cómo dio contigo el marqués?

—Mira —dijo Émile, deteniéndose y soltándose por fin del brazo de ella—, se supone que estamos observando, sacando ideas, no manteniendo una conversación inútil.

—Pero seguimos teniendo que parecer recién casados, ¿no? —dijo ella, volviendo a enlazar su brazo con el de él y descansando la cabeza en su hombro.

El penetrante estrépito de los cristales rotos hizo añicos la serenidad de la galería. La atención de todo el mundo se volvió hacia los dos empleados de mantenimiento a quienes se les acababa de caer la vitrina que había estado tratando de instalar.

Uno de los hombres, alto y delgado, de rostro duro, con aspecto de halcón, miraba fijamente al otro, un hombre con pinta de tonel y unos ojos demasiado pequeños para su ancha cara.

—*¡Idiota!* —gruñó en italiano el hombre alto antes de volver al francés—. ¡Mira lo que has hecho!

—No tengo yo la culpa de que me suden las manos —replicó el más grueso mostrando sus pequeñas y regordetas manos como prueba.

El director del museo y el inspector Carnot se acercaron a los trabajadores.

—¿A qué demonios están jugando? —preguntó Montand.

Los hombres se quitaron las gorras y el menor hundió sus hombros en un intento de parecer más bajo.

—Lo siento, *monsieur le directeur*. Ha sido un accidente.

—¡Ha sido incompetencia! —bramó Montand.

—Si mis agentes mostraran una incompetencia así —intervino Carnot— los despediría de inmediato.

—La vitrina es muy pesada, *monsieur* —dijo el hombre alto—. La próxima vez tendremos más cuidado.

—Demasiado pesada para ustedes, ¿no? —dijo Montand, dirigiendo una breve mirada al inspector para asegurarse de que estaba causando impresión—. Bien, no será lo único demasiado pesado, porque, de ahora en adelante, el tiempo les pesará mucho en sus manos. ¡Están despedidos!

El hombre corpulento parecía conmocionado. Su compañero más alto adoptó una expresión indignada.

—Pero ha sido un accidente —dijo.

—¿De dónde es usted? —le preguntó el inspector Carnot, moviendo nervioso la nariz como si estuviese olfateando al hombre—. ¿Ni siquiera es usted francés?

—No, *signore*. Soy italiano.

—Italiano —dijo Carnot con un gruñido despreciativo—. Eso explica todo.

El italiano se irguió hasta alcanzar su estatura real.

—Ustedes, los franceses, son todos iguales —comenzó a decir a propósito—. Roban las mayores obras de arte del mundo y después las exponen como si fueran suyas.

—¡Cuidado con lo que dice a un agente de la ley! —le advirtió Carnot, con la cara roja de furia.

—Ustedes dos tienen cinco minutos para salir de mi museo —declaró Montand—. Ya encontraré a alguien competente para arreglar este destrozo. Su última paga semanal compensará los daños.

Cuando el inspector Carnot y Montand se alejaban, el trabajador rechoncho arrugó la gorra en su mano y, en voz baja, dijo en dirección a los personajes que se retiraban:

—Pero yo soy francés...

Cerca, Émile apartó a Julia de la escena.

—Vamos —dijo—. Tenemos trabajo que hacer.

La fina punta del pincel aplicaba reflejos en el pecho de la mujer, que sonreía amable. Otro pincel daba textura a la superficie de un lago que estaba lejos, tras ella; otro más añadía unas líneas a una ventosa carretera que serpenteaba por detrás hacia un macizo de picos rocosos. Uno aplicaba un espeso remolino de pintura marrón grisácea a la corona de pelo rígidamente pegado sobre la parte superior de la cabeza de la mujer. Otro toque aclaraba suavemente dando una calidad traslúcida a la piel de sus manos cruzadas, una encima de la otra. Otro ensombrecía un lado de su fina y larga nariz, y otro más ponía una sombra en los labios, en un intento de plasmar la sonrisa correcta.

Un grupo de estudiantes de arte estaban sentados con sus pinceles, pinturas y caballetes en el salón Carré, frente a *La Joconde, El retrato de Mona Lisa,* de Leonardo de Vinci. La pintura estaba encerrada en una vitrina, cuyo cristal reflejaba las formas de los alumnos y de la multitud que pululaba detrás de ellos. Los lienzos de los estudiantes —en diversos estados de realización— eran de diferentes tamaños; ninguno de ellos tenía exactamente las mismas dimensiones de la modesta tabla de la pared. Con sus setenta y siete por cincuenta y tres centímetros, el original parecía muy pequeño, colocado, como estaba, entre *Matrimonio místico de santa Catalina,* de Correggio, y la *Alegoría de Alfonso de Ávalos,* de Tiziano. La vitrina en la que estaba instalada hacía que pareciese aún más pequeña.

Se permitía e incluso se fomentaba la copia, siempre que las dimensiones fueran diferentes de las de la obra maestra de Leonardo. El profesor de arte, con el rostro oscurecido casi por completo por una barba espesa, entrecana, manchada de tabaco, flotaba detrás de sus estudiantes dentro de su hinchado blusón, lanzando diversas miradas de aprobación o emitiendo gruñidos de disgusto.

Detrás de los aficionados estaba un concurrido grupo de patronos del museo atentamente centrados en la mujer de la pintura, mientras sus comentarios susurrados revelaban un sobrecogimiento casi religioso. Émile y Julia se deslizaron tras la multitud; ella alargaba el cuello sobre las cabezas de la gente para ver mejor.

—¿Qué están mirando? —preguntó Julia.

Algunos de los patronos volvieron la mirada hacia ella, con caras de desaprobación.

—*La Joconde,* naturalmente —replicó Émile—. ¿Qué otra cosa podía ser?

—¿Y cómo lo sabes? —le preguntó Julia.

—El marqués me traía aquí de niño —replicó él— y yo prestaba atención.

—¿Y qué tiene de especial? —preguntó ella.

Émile le dirigió una mirada a medio camino entre la lástima y el disgusto.

—Solo es una de las pinturas más grandiosas de la historia —dijo.

—¿Hay algo en este museo que no sea grande? —preguntó ella con sarcasmo.

Émile le chistó para que callase.

—Y, si es tan popular —continuó Julia, bajando la voz hasta quedarse en un susurro—, ¿por qué no la copia el marqués y se la vende a alguien?

Émile la agarró con fuerza por el brazo y la sacó de entre la multitud.

—¡Baja la voz! —dijo severamente.

—Bueno, ¿por qué no lo hace?

—¿Estás loca? *La Joconde* es la pintura más famosa del mundo. Nadie estaría tan loco como para comprarla.

Julia se encogió de hombros mientras Émile se alejaba. Ella se volvió a mirar la pintura.

—No entiendo por qué tanto escándalo —dijo ella sin dirigirse a nadie en particular—. Ni siquiera es bonita.

Un poco más tarde, Julia y Émile salieron del museo y caminaron a lo largo del muelle del Louvre.

—Hace un día precioso —dijo Julia, entusiasmada—. Bajemos la escalera y caminemos a la orilla del río.

Una escalera de piedra descendía al lado del puente de las Artes hacia un amplio embarcadero adoquinado casi al nivel del agua.

Émile vaciló.

—Deberíamos irnos —dijo—. No tenemos tiempo que perder.

—¿Quién está perdiendo el tiempo? Podríamos tener que bajar allí para escapar. Deberíamos reconocerlo.

—¿Para qué íbamos a bajar allí si podemos cruzar el puente?

—No lo sé —dijo ella, impaciente—. Vamos, el ejercicio nos vendrá bien. Además, ¿qué voy a hacer toda la tarde en casa de *madame* Charneau?

Émile no dijo nada, por lo que Julia lo cogió del brazo haciendo que bajara la escalera.

En una dirección, el embarcadero estaba casi bloqueado por un grupo de barberos que afeitaban a hombres sentados a la sombra del puente, por lo que se volvieron en dirección a Notre-Dame. Una brisa ligera, fresca, venía del río, rizando suavemente la superficie del agua.

—Un sitio divertido para una barbería —dijo Julia—, ¿no te parece?

Pero Émile no parecía oír una palabra de lo que decía ella. En cambio, se apartó de su brazo y se alejó de la orilla del agua, acercándose a las rocas del elevado muro de contención.

—¿Por qué te vas ahí? —preguntó Julia.

—Hace menos viento —replicó Émile, aparentemente más interesado por el muro que por el río.

—Haz lo que quieras —dijo ella, encogiéndose de hombros—. ¡Oh, mira!

Un largo barco fluvial, medio lleno de turistas que iban en los asientos de la cubierta al aire libre, se detuvo en un pequeño muelle, frente a ellos, en el embarcadero.

—¿Qué clase de barco es ese? —preguntó Julia, impaciente.

—Es un *bateau-mouche*[2] —dijo Émile, tras una breve mirada.

—Vamos a dar un paseo. Será divertido.

—Ni hablar.

—¡Oh, por favor! —rogó Julia, con un gemido exageradamente infantil.

—Vete tú si quieres —dijo él, irritado—. Yo ya he tenido bastante de eso.

Él se alejó rápidamente por el embarcadero antes de subir otro grupo de escalones hasta llegar al nivel de la calle.

—¿Te da miedo marearte? —gritó ella. Después abandonó la idea y lo siguió, musitando para sí—: ¡Aguafiestas!

---

[2] Barcos turísticos que recorren varios tramos del Sena dentro de París. *Bateaux Mouches* es la marca registrada de la *Compagnie des Bateaux-Mouches,* le empresa más conocida dedicada a estos viajes. Por extensión, la denominación se aplica a todos. *(N. del T.).*

Capítulo 14

VALFIERNO ESTABA SENTADO A UNA MESA DE LA TERRAza del Café de Cluny, en una esquina del cruce de los bulevares de Saint-Michel y Saint-Germain. Su silla miraba a la calle, como todas las demás de la pequeña terraza. Después de todo, uno no pasaba el tiempo en un café para escapar del mundo, sino para observarlo. Hacía diez minutos que había llegado y se había estado entreteniendo mirando el ir y venir del flujo colorista de personas que pasaban por el bulevar como si se tratara de un afluente humano del Sena. Un par de mujeres jóvenes, que se atrevían a ir descubiertas para mostrar sus melenas al aire, se pavoneaban cogidas del brazo por el estrecho pavimento que estaba frente a él. Al pasar, volvieron la cabeza para dirigirle una mirada evaluadora. Su saludo no suscitó las sonrisas de las mujeres, que rápidamente tornaron a sus risitas tontas mientras desaparecían a la vuelta de la esquina. De repente, se dio cuenta de lo mucho que había echado de menos París.

—¡Eduardo!

Valfierno se volvió en la dirección de la jovial voz. El hombre achaparrado que tenía ante sí tendía sus brazos en un gesto amplio que decía: «Bueno, aquí estoy. ¿No es maravilloso?».

—¡Guillaume! —exclamó Valfierno, poniéndose en pie y extendiendo la mano.

—Ni hablar —dijo el hombre, acercándose, cerrando los brazos en torno a Valfierno en un fuerte abrazo—. *Mon Dieu!* Veo que todavía utilizas la misma colonia. Nunca olvido una cara ni un olor.

Aparte de haber ganado unos cuantos kilos, Guillaume Apollinaire no había cambiado mucho desde que Valfierno lo viera por última vez. Aún abrazaba la vida con tal fervor que irradiaba energía y vigor. Valfierno siempre podría recargarse estando cerca del hombre; por otra parte, era mejor hacerlo en pequeñas dosis.

—Me alegro de verte —dijo Valfierno después de librarse del abrazo de oso y hacerle un gesto, ofreciéndole asiento.

Guillaume Apollinaire se quitó un sombrero de ala corta y enjugó unas pequeñas perlas de sudor de la frente.

—Nunca llegaste a despedirte... —dijo Apollinaire, moviendo el dedo con un gesto de amonestación.

—Acepta mis disculpas, por favor —dijo Valfierno con una ligera inclinación de cabeza un tanto hipócrita—. Todo ocurrió muy rápido entonces.

—Siempre sospeché que tenía algo que ver con la mujer de aquel marchante, Laroche. ¿Cómo se llamaba?

—Chloé.

—¡Ah, sí!, la bella Chloé, bella como una rosa con espinas que encajar.

—En realidad —explicó Valfierno—, no me marché de París hasta algo después de aquel incidente.

—Incidente, en efecto —dijo Apollinaire—. Aquellos despreciables *apaches* callejeros —añadió, inclinándose hacia delante y entornando los ojos—. ¿Sabes?, siempre sospeché que, cuando aquella pequeña descarada no consiguió llevarte a la cama, le diría a su marido que habías tratado de seducirla. Ella sabía cuál sería su reacción.

—Nunca pensé que fuese capaz de hacer tal cosa —dijo Valfierno.

—Nunca sabes de lo que es capaz una mujer hasta que la contrarías, ¡recuerda lo que te digo!

—¿Y tú? —comenzó Valfierno, tratando de cambiar de tema—. Entiendo que no has estado mano sobre mano, que habrás publicado algún libro.

—Un poema épico, nada menos —dijo Apollinaire, comunicativo—. *L'enchanteur pourrissant*[1], un discurso poético sobre los azares del amor —añadió, inclinándose hacia delante de un modo un tanto teatral—. Merlín el Encantador queda cautivado por no otra que Viviana, la mismísima Señora del Lago. Él le revela todos sus secretos lo que, naturalmente, lo lleva a la perdición. Incluso ha previsto todo eso, pero es inútil resistir a sus encantos. ¿Ves? A fin de cuentas, todos los hombres se encaminan de buen grado a su perdición simplemente por la vaga promesa del placer de una mujer.

---

[1] *El encantador en putrefacción. (N. del T.)*.

—Parece... fascinante —dijo Valfierno, distraído—, aunque, sin duda, no todos los hombres carecen hasta ese punto de fuerza de voluntad.

Apollinaire se encogió de hombros.

—Quizá no, pero la vida solo merece la pena vivirse cuando caes en la tentación, al menos de vez en cuando.

Un camarero que llevaba un largo delantal negro hizo su aparición.

—¡Ah! —dijo Apollinaire con entusiasmo—, ¡ahí está nuestro hombre!

Valfierno pidió otro *petit noir*[2]; Apollinaire, *brandy*. El hombre más corpulento dominaba la conversación, recordando a Valfierno todas las maravillas y placeres de París que había abandonado. Valfierno solo mencionó que le había ido muy bien con su negocio de importación y exportación en Buenos Aires, pero había decidido que ya era hora de regresar a París.

—Importación y exportación —comentó Apollinaire, sopesando las palabras—. No creo que incluyera ciertas obras de arte de dudosa procedencia.

—Digamos que los deseos del cliente deben satisfacerse siempre.

—Por cierto —dijo Apollinaire—, ¿cómo está mi antiguo amigo, *monsieur* Chaudron?

Valfierno suspiró.

—Siento decirte que ya no está con nosotros. Su salud nunca fue buena, aunque quiero pensar que el agradable clima de Sudamérica le alargó la vida.

---

[2] Taza de café fuerte: *petit café, express* o, más habitual, *petit noir. (N. del T.).*

—¡Qué lástima! Un hombre con unos talentos tan prodigiosos. Me temo que se malgastaron en aquellas pequeñas copias en las que ponía su corazón y su alma.

—Un hombre tiene que ganarse la vida —dijo Valfierno.

—En eso te equivocas —respondió Apollinaire, fulminando a Valfierno con la mirada—. Un hombre tiene que crear vida. Hay una gran diferencia.

Se produjo una larga pausa cuando el camarero llevó las bebidas frescas.

—Guillaume —comenzó a decir, por fin, Valfierno—, hay una razón por la que te pedí que te reunieras hoy conmigo.

—Naturalmente —dijo Apollinaire—. Por mi entretenida y estimulante compañía.

Valfierno sonrió.

—Desde luego, pero también por otra cosa. Es la razón primordial por la que he vuelto. Sé que siempre te preocupaste por los nuevos artistas que trataban de establecerse en París. Supongo que sigues haciéndolo.

—Pues claro. Es lo más fascinante de esta ciudad. No creerías lo que está ocurriendo. En cuanto se permitió que los impresionistas se equipararan con los clásicos, llegó el siguiente grupo de renegados. Ni siquiera tienen nombre aún, aunque he propuesto uno que espero que se acepte. Al principio, pensé en la posibilidad del nombre *anarquistas del arte,* pero lo descarté. Ahora estoy dándole vueltas a otro: *surrealistas.* ¿Qué te parece? ¿Demasiado oscuro?

—Pero, sin duda, esa es la cuestión, ¿no? —añadió Valfierno—. Y estos...

—Surrealistas.

—¿Ganan dinero?

—Claro que no. Eso echaría todo a perder.

—Entonces, me pregunto si conoces quizá a alguno que esté bien formado, bien versado en el estilo clásico de pintura, a quien pudiera interesarle ganar algún dinero y cuyos escrúpulos sean... digamos flexibles.

—Un falsificador, quieres decir —aclaró Apollinaire.

Valfierno lo admitió con un amplio movimiento de la mano.

—Pues —dijo Apollinaire— quizá tenga justo el hombre adecuado para ti. Ha tenido algunos éxitos en su círculo, pero poca cosa fuera de ellos. Está hartándose cada vez más del trabajo que ha venido haciendo y de la gente que conoce, e incluso hasta el punto de marcharse de Montmartre, si puedes creerlo. Buscando inspiración o algo así. Quiero decir que puedo entender la necesidad de ideas nuevas, pero largarse de Montmartre...

Dejó el pensamiento en suspenso, como si fuera la idea más absurda del mundo.

—¿Cómo se llama?

Apollinaire vaciló un momento antes de responder.

—Se llama... Diego. De hecho, tiene un pequeño estudio no muy lejos de aquí.

—¿Dónde exactamente?

—¡Oh!, a la vuelta de la esquina, en la *rue* Serpente, pero no lo encontrarás allí. Ha estado haciendo algunos pinitos en copias del museo de alta calidad para venderlas a los turistas. ¿Hasta qué punto es eso bueno para la inspiración? Resulta que lo he visto hace menos de una hora, en la otra orilla del río, en el muelle de la Mégisserie. Lo conocerás en cuanto lo veas. Tiene los precios más altos y la peor técnica de ventas.

—Gracias —dijo Valfierno, dejando unos francos sobre la mesa.

—Pero te lo advierto —dijo Apollinaire con una sonrisa maliciosa—, a veces, puede ser un poco difícil.

Eduardo de Valfierno paseaba tranquilamente por la fila de tenderetes de color verde oscuro que se extendía por los parapetos de los muros del río a lo largo del muelle de la Mégisserie. Disfrutando del sol de primera hora de la tarde, rechazaba educadamente las numerosas invitaciones a comprar colecciones de sellos supuestamente raros o a inspeccionar antigüedades garantizadas como auténticas. Dejó atrás puestos llenos de libros viejos y de postales a todo color con los andares tranquilos y confiados de un hombre sin preocupaciones. A veces, se detenía para coger un falso antiguo jarrón chino o para examinar la trama de una alfombra persa, pero siempre declinaba el ofrecimiento cuando le presentaban unos precios iniciales astronómicamente elevados antes de caer a una velocidad asombrosa.

Le interesaban de modo especial los tenderetes que exhibían copias de grandes obras maestras. Algunas no eran malas, aunque la mayoría eran desesperadamente chapuceras. Aun así, Valfierno no insultaba nunca a los artistas, limitándose a excusarse respetuosamente, comentando que no era eso lo que buscaba. Ninguno de aquellos artistas podía ser el hombre que había descrito Apollinaire.

Finalmente, se detuvo en un puesto que exhibía de forma destacada copias de diversos tamaños de *La Joconde,* pintadas sobre tablas de madera. Eran, con gran diferencia, las obras de mayor calidad que Valfierno había visto hasta entonces. El artista, un joven de complexión fuerte, con una mata de pelo negro que amenazaba constantemente con caer sobre los ojos, estaba sentado ante su caballete trabajando en otra copia. Sostenía en la boca una pipa de brezo apagada, sin prestar atención a su posible cliente. O eso parecía.

—No se cobra por mirar —murmuró el artista sin apartar la vista de su trabajo.

—Estos no son malos —dijo Valfierno—, de ninguna manera.

El artista bajó el pincel y volvió a encender la pipa.

—Quizá quiera comprar uno —dijo en un tono que sugería que ya estaba aburrido con su conversación.

Valfierno se preguntó por el acento del hombre. ¿Italiano? ¿Español, quizá? Y el artista aún no había establecido contacto visual alguno con él.

Valfierno miró una etiqueta de precio.

—Los precios parecen un poco excesivos.

El artista reanudó su pintura.

—Tiene que ver al toscano del puesto siguiente, bajando por ahí —dijo—. Los produce como salchichas en una hora.

—No —dijo Valfierno—. Me llevaré este.

El artista levantó la vista hacia Valfierno por primera vez, con una mirada evaluadora, casi como si sospechase de un cliente que estuviera dispuesto a pagar su precio. Después, volvió a su trabajo como si una venta careciese de importancia para él.

—¿Puede enviármelo?

El hombre se volvió hacia Valfierno.

—¿Le parezco un cartero? —respondió. Su tono era neutro, pero tenía un punto de desafío.

Valfierno sonrió mientras sacaba un fajo de francos del bolsillo. Este tenía que ser el artista de Apollinaire.

—Me pregunto, amigo mío —dijo, contando los billetes—, si le interesaría hacer un pequeño trabajo para mí.

—¿Y por qué iba a querer hacerlo? —preguntó el hombre, reanudando su pintura.

—¿Qué diría si le dijera que podría ganar mil veces más por una copia?

—Diría que usted está loco de atar... o que es un brillante juez del talento.

Valfierno le tendió el dinero.

—Me llamo Eduardo de Valfierno.

El vehemente joven consideró la oferta durante un momento antes de levantar la vista. Despacio y deliberadamente, dejó el pincel y se levantó. Era un poco más bajo que Valfierno, pero con su complexión fornida y su postura de piernas abiertas, daba la impresión de un toro implacable. Cogió el dinero y guardó el fajo en el bolsillo sin contarlo.

Valfierno tendió la mano como saludo. El artista lo consideró un momento.

—Soy José Diego Santiago de la Santísima —dijo, estrechando la mano con un apretón firme, casi agresivo.

—Un placer conocerlo, don...

—Diego.

—Don Diego.

Diego inclinó ligeramente la cabeza antes de sentarse de nuevo ante su caballete para coger el pincel y reanudar su trabajo.

—Veo —dijo Valfierno— que pinta con la mano izquierda. Leonardo era zurdo, ¿no?

—Es esencial para hacer una buena copia.

—Entonces, quizá sea esa la razón por la que es tan bueno.

Diego detuvo el pincel y miró a Valfierno. Por primera vez, sus labios insinuaban una sonrisa.

—No —dijo—. La razón de que yo sea tan bueno —añadió, pasando el pincel a la otra mano— es que soy diestro.

Capítulo 15

E L GRAN ACORAZADO BLANCO, ERIZADO DE CAÑONES, con gallardetes flameando al viento, navegaba hacia su presa, una elegante goleta de madera de tres palos. La afilada proa del buque de guerra cortaba el agua como una cuchilla. En un movimiento desesperado, la goleta metió toda la caña a estribor para evitar una colisión, pero era demasiado tarde. El espolón metálico que remataba por la proa la obra viva del buque embistió el casco del velero con una fuerza escalofriante. El velero se escoró y solo sus grandes velas evitaron que zozobrara.

Un niño vestido de marinero gritaba triunfalmente en la orilla del *petit bassin*[1] en el jardín de las Tullerías. Al otro lado del gran estanque circular, otro niño, que llevaba un sucio *tablier*[2] amarillo y zuecos, acudía gimiendo a su madre por la injusticia perpetrada por el buque de guerra de hojalata y de cuerda contra su indefenso velero. Ajenos

---

[1] En francés en el original. Pequeño estanque. *(N. del T.)*.
[2] En francés en el original. Significa "bata", "guardapolvos". *(N. del T.)*.

al drama, muchos hombres reclinados en sillas alquiladas alrededor de la periferia del círculo leían sus periódicos bajo los panamás puestos con desenvoltura sobre sus cabezas. En el centro del estanque, chispeante por los reflejos naranjas del carpín dorado, una fuente lanzaba agua al aire, formando un borroso penacho frente a la ligera brisa.

A la sombra de un castaño cercano, un grupo de hombres y mujeres estaban agachados en diversas posturas en torno a un mantel de cuadros extendido sobre la hierba. Las migas de pan cubrían el mantel; en su centro, un cesto de mimbre contenía los restos de varias cuñas de queso y rabillos de uvas. Unas botellas medio vacías de vino tinto montaban guardia sobre las sobras. *Madame* Charneau, con la espalda apoyada en el tronco del árbol, parecía decidida a acabar con la única barra de pan que quedaba. Émile y Julia estaban sentados frente a frente en el suelo; el desfile de las parejas de la sociedad parisiense cogidas del brazo por el paseo central, el *axe historique,* distraía constantemente la atención de Julia.

Diego estaba agachado, con las rodillas abiertas en pronunciado ángulo, sosteniendo una botella de vino mientras vaciaba su contenido en su copa. Valfierno, con el brazo posado en una rodilla levantada, contemplaba una uva negra que sostenía entre el pulgar y el índice. De fondo, las distintas alas del Louvre rodeaban el gran patio abierto que conducía a los jardines.

—Hay un problema —dijo Émile con aire de forzada autoridad.

—No hay problemas —lo corrigió Valfierno—, solo retos.

—Un reto, entonces —dijo Émile, un poco exasperado—. Con la instalación de estas nuevas vitrinas, será
imposible colocar una copia detrás de cualquiera de las
pinturas protegidas. Simplemente, no se puede hacer.

—Buena observación —dijo Valfierno—, pero, en
este caso, discutible.

—Después de todo —dijo Julia—, no todas las pinturas están dentro de vitrinas de esas.

—Pero la pintura que queremos formará parte, sin
duda, de ese exclusivo grupo —señaló Valfierno.

—¿Y qué pintura sería? —preguntó ella.

—Esa es una pregunta estúpida —dijo Émile—. No
sabremos de qué pintura se trata hasta que no encontre-
mos a nuestro cliente. Lo que importa es lo que él quiera.

—Émile tendría razón —empezó a decir Valfierno—
en circunstancias normales.

—¿Lo ves? —dijo Julia, saboreando un pequeño
triunfo—. Después de todo, no era tan estúpida.

—En esta ocasión —continuó Valfierno—, la pintura es lo primero. Concentraremos nuestros esfuerzos en
una pieza, algo que todo el mundo desee.

—¿Cómo qué? —preguntó Émile.

Valfierno se volvió hacia el nuevo miembro de su
grupo.

—Don Diego...

El artista estaba dedicado al proceso de tomarse su
copa de vino tinto. Bebió un último trago antes de dejarla
a su lado, en la hierba. Secándose la boca con el dorso de
la mano, se estiró hacia atrás para sacar una tabla cubierta
con un paño. Con un amplio movimiento de la mano, re-

tiró el paño como un matador echa atrás el capote, descubriendo una reproducción notablemente precisa de *La Joconde*.

Madame Charneau se tapó la boca, reprimiendo una brusca inspiración. El rostro de Julia se iluminó de entusiasmo.

—¡Eh, espera un minuto! —espetó Julia, volviéndose a Émile—. Ese es el que dijiste que nadie compraría.

—No se atreverían —insistió Émile—. Además, es una tabla de madera maciza, sin contar con que está dentro de una vitrina. ¿Cómo vamos a autentificar la copia si el potencial comprador no puede poner su marca en la parte de atrás?

—Tienes razón —dijo Valfierno—. No es fácil vender una copia no marcada cuando el original sigue colgado en la pared de la galería. Así que tendremos que asegurarnos de que el original no esté colgado en la pared de la galería.

—¿Y cómo espera que lo hagamos? —preguntó Émile.

—¡Robándolo, evidentemente! —exclamó Julia.

—¿Robar *La Joconde* del Louvre? —preguntó Émile, sin poder conservar la calma—. ¡Es imposible!

—Es difícil, sí —concedió Valfierno—, pero, ¿imposible? Bueno, no lo sabremos hasta que lo intentemos.

Madame Charneau habló por vez primera:

—Pero, marqués, aunque podamos robarlo, toda Francia se levantará en armas. Nunca dejarían que saliese de París.

—No tendremos que hacerlo. Se quedará aquí, en la ciudad.

—¡Sería como tratar de agarrar un carbón al rojo! —dijo ella—. ¡Ningún francés se atrevería a tocarlo!

—En realidad, estoy pensando más en la posibilidad de encontrar a un rico cliente norteamericano.

—Lo buscarán en cada maleta, cada bolsa, cada caja que deje el país —dijo Émile.

Una niña pequeña pasó gritando encantada mientras tiraba de la cometa en forma de caja que iba tras ella. Valfierno la observó un momento antes de responder.

—Por supuesto, revisarán todo —dijo—. Pero solo después del robo.

—¡Oh, claro! —comenzó Émile en plan burlón—. ¿Cómo no se me había ocurrido? ¡Embarcaremos *La Joconde* hacia América antes de robarla!

—Eso es exactamente lo que estoy sugiriendo.

Antes de que Émile pudiera decir otra palabra, un viento repentino subió desde el río, inflando el mantel y azotando sus rostros con la arena de los caminos.

—Propongo también que nos retiremos al estudio de don Diego, al otro lado del río.

Diego tenía alquilado un abarrotado estudio en un sótano del Barrio Latino, en la *rue* Serpente, una estrecha calle muy próxima al bulevar Saint-Michel. El lugar, aunque muy alejado del enclave artístico de Montmartre, se ajustaba a sus necesidades. Aunque solo estaba a unos pasos de un animado café-teatro, podía trabajar en relativa paz y soledad. Descubrió también que el hecho de ser un artista en una zona que no destacaba por la presencia de ellos no solo lo defendía de influencias no buscadas, sino que lo hacía más interesante para las chicas del café. Como ventaja añadida, la proximidad a los puestos de los vendedores de la orilla del río le daba, al menos, la posibilidad de ganar suficiente dinero para pagar un alquiler más alto.

Montones de libros, pilas de lienzos, gran cantidad de pinceles, pinturas y trapos cubrían el suelo. Una puerta abierta dejaba ver un gran armario también lleno de materiales. Un catre apilado con mantas arrugadas estaba atrapado en un rincón y una tina de zinc en otro. Al lado de la tina, una maceta de flores artificiales estaba sobre un taburete de madera.

Madame Charneau, Émile y Julia se sentaron en un par de bancos rústicos como alumnos en una clase. Valfierno se quedó de pie ante ellos, interpretando al maestro; Diego, fumando un Gauloise, se sentó en una banqueta, a un lado. Entre Valfierno y Diego había un caballete que sostenía una tabla de madera en blanco. La tabla tenía las dimensiones exactas de *La Joconde:* setenta y siete por cincuenta y tres centímetros.

—Don Diego creará una copia perfecta —comenzó Valfierno—. La copia será enviada por mar a Norteamérica antes de que se produzca el robo. Nadie reparará en ella. No será más que una de los cientos de copias que se exportan a diario. Después del robo, se entregará a su nuevo propietario.

—¿Qué pasará con la auténtica? —preguntó Julia.

—Transcurrido un tiempo apropiado, será devuelta al museo. Como ha señalado *madame* Charneau, las autoridades no dejarán de remover Roma con Santiago mientras no se encuentre.

—¿Y el americano? —preguntó *madame* Charneau.

—Le diremos que solo es cuestión de tiempo que el museo la reemplace por la copia que han tenido guardada para una eventualidad así, anunciando a un mundo ávido de noticias que la obra maestra ha sido recuperada milagrosamente. Además, si nuestro americano sospechara algo, ¿a quién se lo iba a revelar?, ¿a la policía?

—¿Estamos seguros —preguntó Émile— de que don Diego es capaz de hacer una copia que pase por la obra original?

Todos se volvieron hacia Diego, que miró fijamente a Émile mientras apartaba lentamente el Gauloise de sus labios y bufaba una corriente de humo azul por las ventanas de la nariz.

—Soy el único hombre que hay en Francia capaz de hacer ese trabajo —dijo en tono bajo y amenazante—. La cuestión verdaderamente importante es: ¿son ustedes capaces de robar el cuadro auténtico del museo?

—Soy el único hombre que hay en Francia capaz de hacer *ese* trabajo —replicó Émile.

Los dos hombres se miraron mutuamente como dos gatos que reclamaran como suyo el mismo callejón.

—Bien —dijo Valfierno en su tono más conciliador—, entonces tenemos la suerte de contar con dos individuos capaces de hacer tales trabajos: don Diego y Émile, que, por cierto, tendrá que hacer el trabajo sin ninguna ayuda mía.

—¿Dónde estará usted? —preguntó Julia.

—Por desgracia, mi nombre ocuparía uno de los primeros puestos en una lista de posibles sospechosos de un delito así. Es esencial que mi coartada sea incuestionable y estar a cinco mil kilómetros de distancia en el momento de los hechos será más que suficiente. Y recordad que el robo de *La Joconde* es solo la mitad del trabajo. Encontrar a un cliente que esté dispuesto a pagar un precio acorde al objeto en cuestión será igual de difícil.

—Yo haré mi parte —dijo Émile.

—Sé que lo harás —dijo Valfierno—, pero para algo así necesitarás ayuda.

—La tiene —dijo Julia—. Yo misma.

—¡Oh! Necesitaremos tu ayuda, claro —dijo Valfierno—, en el exterior. Trabajarás con *madame* Charneau. Para este trabajo, tendremos que encontrar a alguien de dentro, alguien con un conocimiento profundo del funcionamiento interno del museo.

—Mi hermano Jacques ha hecho algunos trabajos en el Louvre —dijo *madame* Charneau, ilusionada—. Ha trabajado en las calderas. Sería ideal.

—Sería ideal —asintió Valfierno— si no residiese en la actualidad en la cárcel.

—Es cierto —concedió *madame* Charneau. Para información de los demás, añadió—: amañó la caldera de un banco para que explotase y trató de escapar con la caja fuerte aprovechando la confusión. Por desgracia, era más pesada de lo que había imaginado y no consiguió llegar más que a la puerta principal antes de que se le cayese en el pie.

—Émile —dijo Valfierno—, emplea algún tiempo en los cafés de los obreros en el barrio de Saint-Martin. Mantén los oídos atentos y mira a ver de qué puedes enterarte.

—¿Sabes? —comenzó Julia, mirando fijamente la tabla del caballete—, es divertido.

—¿Sí? —inquirió Valfierno, volviéndose hacia ella.

—Bueno, bien pensado, si el original ha sido robado y solo estás vendiendo una copia, ¿por qué conformarse solo con una? ¿Por qué no vender una docena de copias mientras estás en ello?

Émile resopló con sorna.

Julia lo miró frunciendo el ceño.

—Interesante idea —dijo Valfierno, considerándola—, pero no muy práctica. Por una parte, crear tantas falsificaciones lleva demasiado tiempo. Por otra, encontrar tantos clientes sería completamente imposible; la logística necesaria sería demasiado compleja.

Émile le devolvió la mirada a Julia con una sonrisita satisfecha.

—Bien mirado —continuó Valfierno, midiendo cuidadosamente sus palabras—, *seis* copias no estarían mal.

Capítulo 16

LA *RUE* DEL FAUBOURG SAINT-MARTIN RESONABA CON los timbres de las bicicletas. Pocos obreros podían permitirse el lujo de uno de estos medios de transporte relativamente nuevos, pero eran cada vez más populares entre la burguesía que salía a la búsqueda del color local en los cafés llenos de humo de la zona. Las mesas de hombres toscos con gorras y boinas raídas llenaban las aceras. Las *filles de joie*[1], muy maquilladas y fumando cigarrillos, estaban sentadas, bebiendo, flirteando y acompañando a los hombres en sus lamentos. Hordas de gatos asilvestrados se restregaban con un bosque de piernas, pidiendo las migajas.

Émile hubiera deseado que Valfierno no insistiera en que lo acompañara Julia. Él conocía bien la zona. Como niño de la calle, había pasado mucho tiempo aquí, dependiendo de la benevolencia de hombres con poco dinero propio para gastar. En cierto sentido, pensaba, había po-

---

[1] Prostitutas. *(N. del T.)*.

cas diferencias entre él y las criaturas de cuatro patas que serpenteaban alrededor de sus piernas. Valfierno le había pedido que mantuviese bien abiertos sus ojos y oídos y eso era lo que estaba haciendo. Julia era una complicación. Encajaba bien, con su soltura y su sonrisa amable, pero él se estremecía cada vez que ella se tropezaba con alguien. Se imaginaba que estaba coleccionando recuerdos de estos hombres y temía su cólera si la cogían con las manos en la masa.

—¿Qué se supone que buscamos? —preguntó ella cuando entraban en un abarrotado café—. ¿Por qué has escogido este sitio?

—No hagas tantas preguntas —dijo él inmediatamente antes de que un hombre corpulento, borracho, chocara con ellos.

—¡Eh! Mira por dónde vas —protestó Julia, pero el hombre solo emitió un gruñido y tropezó.

—Cuidado con lo que dices —le advirtió Émile—. Lo último que queremos son problemas.

—¡Oye! —dijo Julia, sacando algunos billetes de francos de la cartera del hombre—, al menos pídeme una bebida.

Émile iba a reprenderla cuando los vio.

Los dos hombres se sentaron en la mesa de un rincón; ambos se desplomaron sobre sendos vasos de absenta, como si buscaran en el líquido verde esmeralda alguna parte de sus almas que hubiesen perdido irremediablemente.

—Déjame que hable yo —dijo Émile.

—¿Qué? ¿Quién es? —preguntó Julia; pero él ya estaba atravesando la multitud y la ignoró.

—*Bon soir, monsieurs* —dijo Émile cuando llegó a la mesa—. ¿Les importa que me siente aquí?

Julia reconoció a los hombres cuando levantaron la vista. Eran los dos trabajadores de mantenimiento del Louvre, los que habían despedido por habérseles caído la vitrina.

—En realidad —dijo el de la cara de halcón—, sí.

Su compañero perdió inmediatamente el interés y dedicó su atención a su vaso de absenta.

—Sé quiénes son ustedes —dijo Émile.

El hombre se echó hacia atrás y lo miró con suspicacia.

—¿Sí?

—Ustedes son los dos hombres a los que despidieron del museo el otro día. Lo vimos todo.

—¿Y qué pasa si somos nosotros?

—Bueno —dijo Julia—, la forma de tratarlos fue una vergüenza.

Viendo su oportunidad, se sentó en una silla, frente a los hombres. Émile le dirigió una dura mirada antes de que ella lo acercara a otra silla que estaba al lado de la suya.

—¿Y quiénes son ustedes? —preguntó el hombre, con tono suspicaz, pero ligeramente más suave.

Julia abrió la boca para hablar, pero Émile se adelantó:

—Mi nombre es Émile —dijo, y tendió la mano para saludar—. Estamos encantados de conocerlos.

El hombre no respondió. Émile retiró la mano.

—Y esta es... —añadió, vacilando y dejando en suspenso la frase.

—Soy su hermana.

Émile le dirigió una mueca de desconcierto antes de volverse hacia el hombre.

—Mi hermana —dijo, sin mucha convicción.

El otro hombre levantó la vista de su vaso. Tenía los ojos desenfocados y llorosos, y su cabeza se balanceó como una boya del puerto cuando trató de centrarse en Julia.

—¿Su hermana? —dijo—. No parece muy francesa.

Émile miró a Julia, exigiéndole con la mirada que se inventara algo.

—Porque —dijo Julia con una sonrisita petulante dirigida a Émile— después de que nuestros padres se divorciasen, nuestra madre me llevó a Estados Unidos a vivir con unos parientes. Fue muy triste. Yo solo era una niña en aquella época.

Esto pareció satisfacer al hombre y volvió a centrar su atención en la absenta.

—Yo me llamo Vincenzo —dijo por fin el hombre de la cara de halcón—. Vincenzo Peruggia. Pero llámenme Peruggia. Y este es Brique[2].

—Llámenme Brique —dijo el otro hombre, sin levantar la vista.

—¿Puedo pedirles unas bebidas para los dos? —preguntó Émile.

—¿Por qué no? —dijo Peruggia.

—Julia —dijo Émile, con la mano abierta hacia ella—, déjame ver ese dinero, sé buena.

Julia lo miró, pero hizo lo que le pedía.

Émile pidió una botella de vino tinto. Tras beber algunos vasos, aparentemente Brique se durmió, con la cara hundida en sus brazos doblados, pero a Peruggia se le sol-

---

[2] *Brique* significa "ladrillo" en francés. *(N. del T.)*.

tó la lengua. Les dijo que había venido a París en busca de empleo y había trabajado en una serie de cosas de poca importancia antes de que lo contrataran en el museo.

—Imagínese —continuó, tanto para él mismo como para Émile y Julia—, un auténtico patriota italiano en el corazón del país que engendró al mayor enemigo de mi patria.

—¿Y quién era? —preguntó Julia.

—Napoleón, naturalmente —replicó, volviéndose hacia ella con ojos centelleantes—. ¿Quién iba a ser si no?

—Claro —dijo y, tras mirar a Émile, añadió con toda inocencia—: ¿Cuál de ellos?

—¿Cuál de ellos? —repitió Peruggia, golpeando la mesa con el puño—. El mismo demonio, naturalmente: Bonaparte.

—¡Oh, claro! —dijo Julia, tratando de reponerse—. Bonaparte. Pensé que quizá se refiriera al otro.

—En realidad, no sabe de qué habla —dijo Émile mientras golpeaba la pierna de Julia debajo de la mesa.

—Entonces, la ilustraré —comenzó Peruggia—. Sus ejércitos arrasaron la tierra donde nací, expoliando y quemándolo todo a su paso, y él personalmente saqueó nuestros mayores tesoros para su propio enriquecimiento, los mismos tesoros que cuelgan en las paredes del museo en el que he trabajado para estos perros.

—Incluso *La Joconde* —añadió Émile, azuzándolo.

La observación pareció impactar de un modo especialmente fuerte en Peruggia. Levantó su vaso y lo vació de un solo trago. Brique empezó a roncar con fuerza.

—Sí, incluso *La Gioconda* —dijo Peruggia, remarcando el nombre italiano—, el mayor tesoro de todos, que exhiben ante el mundo como si lo hubiese pintado un francés.

—Es indignante —dijo Julia, mirando a Émile en busca de aprobación.

—Es criminal, no hay otra palabra —afirmó Émile mientras rellenaba el vaso de Peruggia.

Pero los vapores ya estaban aplacando la cólera de Peruggia.

—Sí —dijo, asintiendo lentamente con la cabeza—, criminal.

Elevó de nuevo el vaso y empezó a beber. Este era el momento.

—Hay algo que debe saber, amigo mío —comenzó Émile.

Peruggia bajó el vaso y fijó una intensa mirada en Émile.

—¿Y qué es?

Émile se inclinó hacia él y le habló en voz muy baja:

—Hay gente en este mundo, en esta ciudad, que no puede tolerar la injusticia más que usted.

Peruggia gruñó para demostrar que no lo creía.

—Hablo en serio —dijo Émile—. Hay personas que sienten esto con la misma fuerza que usted.

—Continúe —dijo Peruggia, cauteloso.

Émile miró furtivamente en torno a la abarrotada estancia, captando rápidamente la mirada de Julia para compartir un momento de triunfo.

—Aquí no —dijo—. Hay alguien a quien quiero que conozca primero.

Capítulo 17

Peruggia dijo:

—No se equivoque, *signore.* Yo no haría esto solo por dinero.

—Por supuesto que no, amigo mío —dijo Valfierno—. Comprendo perfectamente sus motivaciones. Ante todo y sobre todo, usted es un patriota. Eso es obvio.

Los dos hombres paseaban por el embarcadero que recorre la orilla del río gris verdoso bajo el muelle del Louvre. Cuando Émile los presentó, Valfierno se había mostrado algo desconfiado del obsesivo italiano. Por regla general, podía formarse una opinión de una persona de un vistazo, pero la intensidad de los ojos del italiano le dificultó leerlos en un primer momento. Peruggia andaba encorvado, como un hombre perseguido que tratara de pasar desapercibido, una víctima inocente de un país que había sido cruelmente subyugado por el monstruo, Napoleón. Cuando comprendió la naturaleza de la obsesión de Peruggia con los acontecimientos que ocurrieran un siglo

antes, su *idée fixe*[1], a Valfierno le resultó fácil centrar la ira
y la frustración del hombre en el objeto de su rabia: el
Louvre y sus antiguos jefes. A partir de ahí, tenía una vía
directa a la idea de que el único camino para restaurar la
justicia en el mundo, tal como lo veía Peruggia, era repa-
triar *La Gioconda* misma.

—Devolver el mayor tesoro de mi país a su lugar
—dijo Peruggia cuando paseaban bajo la celosía de hierro
del puente Solférino—, arrancarlo de las manos mancha-
das de sangre del tirano Napoleón, sería el mayor honor
que podría alcanzar nunca.

«El hombre daba la imagen de un perfecto revolucionario», pensó Valfierno. La decidida convicción de la
rectitud de su causa era un poderoso motivo. Y el marqués se dio cuenta rápidamente de la tendencia de Peruggia a obsesionarse con los detalles, en especial si creía que
el plan era enteramente de su cosecha.

—Repasemos de nuevo todo el asunto —dijo Valfierno, empujándolo—. Y no olvide el más mínimo detalle.

Animado, Peruggia describió una vez más su plan
mientras pasaban ante una flotilla de chalanas amarradas
a la orilla en pendiente. Unas atareadas lavanderas colgaban ropa en las barcazas-lavandería, manteniendo a sus
hijos atados con correas para evitar que se cayeran por la
borda. Una chalana grande ofrecía una piscina al aire libre
rodeada por largos cobertizos de madera en los que se podía alquilar una cabina privada y darse un baño por veinte
céntimos.

---

[1] Obsesión. *(N. del T.)*.

Valfierno escuchaba atentamente al italiano, interrumpiéndolo a veces con preguntas y comentarios, invitándolo amablemente a pasar por alto las partes del plan carentes de interés y encaminándolo hacia las que tenían más sentido práctico. De hecho, la primera vez que escuchó el plan, Valfierno pensó que era demasiado ingenuo para que funcionara, pero después empezó a descubrir que su fuerza radicaba en su simplicidad.

—Con un poco de suerte —dijo Peruggia cuando terminó—, ni siquiera echarán de menos el cuadro hasta el día siguiente.

—Necesitará otro cómplice, además de Émile —dijo Valfierno—. ¿Tu compañero, el amigo Brique, es de confianza?

—Sí, pero será mejor si no le decimos nada hasta que llegue ese día. Trabaja mejor cuando no tiene tiempo para pensar en lo que hace. Si le paga bien, hará lo que se le diga.

—Recibirá una buena paga —le aseguró Valfierno—. Los dos tendrán una buena paga. Arreglaré las cosas para que puedan alojarse los dos en la casa de *madame* Charneau. Facilitará la planificación.

El italiano se quedó mirando una barcaza que pasaba deslizándose bajo el puente corriente abajo.

—Respóndame a esto —empezó Peruggia sin mirar a Valfierno—. Émile y la joven...

—Julia.

—Me dijeron que eran hermanos, pero yo sé que no lo son. He visto su forma de actuar juntos. Como una vieja pareja casada. ¿Por qué me mintieron?

—*Signore* —dijo Valfierno—, tiene que comprender que solo estaban tratando de ser discretos. No tenían ni idea de si ustedes eran los hombres adecuados para el trabajo.

Peruggia lo pensó, asintiendo ligeramente con la cabeza.

—¿No habrá más mentiras?

—Tiene mi palabra de caballero —le aseguró Valfierno.

Peruggia se volvió lentamente hacia Valfierno, mirándolo atentamente a los ojos.

—Lo ayudaré, *signore,* por una y única razón: para restaurar el honor de mi país. Pero le advierto que, si pensara, aunque fuese por un momento, que está tratando de engañarme...

Las palabras quedaron en el aire como una espada pendiente de un hilo. Valfierno sintió un momentáneo escalofrío de miedo, pero miró al hombre directamente a los ojos.

—No se preocupe, amigo mío —dijo, y le tendió la mano—. Usted devolverá *La Gioconda* a su verdadero propietario, el pueblo de Italia. Lo recibirán como a un héroe.

Los ojos de Peruggia se entrecerraron con intensidad.

—*Per l 'Italia!* —entonó solemnemente mientras tomaba la mano de Valfierno.

—Así sea —dijo Valfierno, tratando de aguantar la fuerza del apretón del hombre—. *Per l 'Italia!*

La pálida manta de nubes de color blanco grisáceo que se cernía sobre París atenuaba la luz que se filtraba por las grandes claraboyas abovedadas de la estación de Orsay. Abajo, iban y venían centenares de viajeros: elegantes caballeros parisienses con sombreros de copa que caminaban rígidos con sus ajustados ternos negros; mujeres de andares pesados con sus vestidos acampanados, rematados con chaquetas entalladas, y sus sombreros redondos colocados sobre ramilletes de cabellos cardados; mozos que los seguían, luchando con maletas y enormes sombrereras. Hombres de clase trabajadora, con boinas, vestidos con chaquetas anchas y raídas de color azul, unos solos, otros conduciendo a sus esforzadas esposas y bandadas de niños, se debatían con sus maletas de cartón en busca del andén correcto.

Mientras Émile esperaba al final de la rampa de equipajes con motor eléctrico, supervisando el embarque de las maletas del marqués en el tren, Valfierno y Julia estaban sentados a una mesa de un pequeño café en la planta superior.

Valfierno tomó un sorbo de su *café noir*[2] y dijo:

—Probablemente, te gustaría ser tú quien regresara a Estados Unidos.

Julia tomó un bocado de su *brioche à tête*[3].

—Ya lo conozco —dijo, encogiéndose de hombros—. Además, me gusta esto. Me siento como en mi casa.

—Eso es lo que sienten la mayoría de las personas cuando llegan a París: como si llegaran a casa por primera vez.

Estuvieron un momento sentados en silencio: Valfierno bebiendo café y Julia tomando otro bocado.

—Parece que a Émile no le gusto mucho —dijo finalmente ella de pronto.

---

[2] Café solo. *(N. del T.).*
[3] Bollo ligero típico de París. *(N. del T.).*

—No hace amigos con facilidad —dijo Valfierno—. Y, para ser sincero, creo que te esfuerzas mucho para tratar de molestarlo.

—Pero yo solo me divierto un poco. ¿No tiene sentido del humor?

—Él siempre ha sido muy serio, lo ha sido desde pequeño.

—¿Cómo se encontró con él?

Valfierno la miró con suspicacia.

—Prometo no reírme a su costa —añadió.

Él sonrió y le contó la historia de su encuentro callejero con los *apaches* y cómo lo dejaron a las puertas de la muerte, así como el oportuno rescate de Émile, sin mencionar a *madame* Laroche ni a su celoso esposo.

—¡Dios! —dijo ella—. ¡Tuvo suerte! ¿Y nunca descubrió nada sobre su pasado?

—Yo no he dicho eso.

—Cuéntemelo, entonces.

Valfierno vaciló de nuevo.

—Dígame lo que me diga, no lo molestaré. Lo prometo.

—No hay nada que pueda molestarlo —dijo Valfierno.

—¿Y bien? —insistió Julia.

—Te contaré lo que sé —dijo él, inclinándose hacia ella—, pero solo con la esperanza de que quizá te haga comprender mejor al chico.

—Desde luego. Puedo ser muy comprensiva... —dijo ella y, ante la mirada escéptica de Valfierno, añadió—: cuando quiero.

Valfierno levantó la vista hacia el adornado reloj dorado de la pared de cristal traslúcido que cerraba la bóveda de la estación. Tras comprobar que había tiempo suficiente, se volvió de nuevo hacia Julia.

—Cuando lo encontré por primera vez, o quizá debería decir cuando él *me* encontró, era un niño muy callado. Casi no hablaba y, en realidad, parecía no recordar nada de su vida antes de empezar a vivir en la calle. Yo no lo presioné. Pero tenía muchas pesadillas. Me despertaba en medio de la noche gritando. A menudo decía un nombre: «¡Madeleine, Madeleine!». A la mañana siguiente, le pregunté por sus sueños, pero no me respondió. No estoy seguro de que los recordara.

»Le comenté a *madame* Charneau mis inquietudes y ella recordó un trágico accidente unos años atrás. Una familia de cuatro personas, madre, padre, niño de ocho o nueve años y su hermana de siete, estaban de merienda a la orilla del Sena, al norte de París. El río iba crecido a causa de las recientes lluvias, la estación ya estaba avanzada y no había otras personas. Parece que los padres fueron a dar un paseo y dejaron al pequeño al cuidado de su hermana. Aparentemente, los dos niños estaban trepando a un árbol grande, algunas de cuyas ramas quedaban sobre el agua, cuando la niña se cayó al río. El niño trató de alcanzarla, pero la fuerte corriente la arrastró rápidamente. Cuando los padres regresaron, encontraron a su hijo recorriendo arriba y abajo la orilla llamando a la hermana por su nombre, pero nadie volvió a verla. Su cuerpo no se encontró nunca, perdido para siempre en los serpenteantes canales del río corriente abajo.

—Es terrible —dijo Julia.

—La desconsolada madre se ahogó una semana más tarde en el mismo lugar, o quizá estuviese tratando de encontrar a su hija, ¿quién sabe? El padre desapareció poco después, aunque hubo un informe que decía que había sido visto viajando solo por Marsella un mes después. Nadie sabía qué había pasado con el niño. Simplemente desapareció.

Valfierno se detuvo. Levantó la vista de su café a Julia.

—El niño se llamaba Émile.

—Y el nombre de su hermana —dijo Julia lentamente— era Madeleine.

Valfierno tomó un sorbo de café.

Julia se recostó en su silla.

—Eso explicaría por qué no le gusta el agua, claro.

En ese momento, Émile apareció de entre la multitud y se acercó rápidamente a la mesa.

—Será mejor que bajemos —dijo—. El equipaje está cargado.

—Bien —dijo Valfierno, dejando unas monedas sobre la mesa y levantándose del asiento—, parece que ha llegado el momento.

Cuando llegaban a la escalerilla del coche, un penacho de humo salía de la locomotora del tren de coches de madera reluciente.

—El plan es sólido —dijo Valfierno—. Nuestro amigo italiano se imagina que forma parte de una cruzada. Esto acentúa su talento para centrarse en los detalles de la operación hasta el punto de la obsesión. Haced lo que diga, pero solo hasta que tengáis en vuestro poder y a buen recaudo la pintura.

—Sigo pensando que yo sería más útil en el interior —dijo Julia—, donde se desarrollará la acción.

—No levantes la voz —advirtió Émile, mirando alrededor en el andén.

Valfierno le tocó amablemente la mejilla.

—Mi querida Julia, ya hablamos de esto antes. Piensa que eres un engranaje de una máquina.

—Los engranajes no se divierten en absoluto —dijo con un mohín.

Valfierno se le acercó, bajando la voz.

—Tu parte quizá sea la más importante de todas. Es esencial que el objeto que quede en poder de nuestro amigo italiano sea una copia y, más importante aún, que crea con toda su alma que es la pintura auténtica.

—Esa parte será fácil —dijo Julia.

—Tu confianza es admirable —continuó Valfierno—, pero me temo que no sea tan previsible como parece a veces. No des nada por supuesto.

—¡Pasajeros al tren para El Havre! —gritó el jefe del convoy mientras unos chorros de vapor salían por la chimenea de la locomotora.

—Émile. —Valfierno miró directamente a los ojos del joven y le puso la mano en el hombro—. Cuento contigo. Y no me cabe la menor duda de que eres el mejor hombre para el trabajo.

—No se preocupe —dijo Émile, confiado—. Todo irá según el plan.

—Así lo espero —dijo Valfierno—, pero recuerda: un plan no es más que un mapa de carreteras. Lo importante es llegar al destino con independencia de los obstáculos.

Émile asintió, ahora un poco menos seguro de sí mismo.

Valfierno besó a Julia en una mejilla y, mientras se movía para besarla en la otra, le susurró en un oído:

—No lo pierdas de vista, en mi nombre. ¿Lo harás?

Julia le dirigió a Valfierno una sonrisa de complicidad mientras él se apartaba y subía por la escalerilla del coche.

El tren dio una sacudida hacia delante, cobrando vida.

—¡Deseadme suerte! —dijo Valfierno, elevando la voz sobre el creciente estrépito.

—*Bon voyage!* —gritó Julia mientras movía la mano frenéticamente.

—*Bonne chance!* —dijo Émile.

—Entonces —le dijo Julia a Émile mientras el tren desaparecía envuelto en su propia nube de humo—, ¿crees de verdad que todo irá bien?

—Por supuesto —dijo Émile—, siempre que hagas lo que se supone que tienes que hacer.

—¿No lo hago siempre? —dijo Julia con una sonrisa.

Y después, antes de que Émile pudiera hacer nada al respecto, ella se puso de puntillas y lo besó en la mejilla. Él retrocedió, asombrado, llevándose reflexivamente la mano a la cara.

—¿Por qué has hecho eso? —dijo él.

Julia se encogió de hombros, con una sonrisa juguetona en los labios.

—Simplemente, creo que deberíamos ser amigos —dijo ella como quien no quiere la cosa.

Julia dio media vuelta y avanzó pavoneándose hacia los escalones del andén, deteniéndose solo para lanzar una breve mirada hacia atrás.

Émile la observó un momento, con una expresión desconcertada en su rostro. Después se palpó el bolsillo. Al sentir el tranquilizador bulto de su reloj, se permitió una sonrisa aliviada antes de seguirla.

Valfierno se relajó en el lujoso asiento de su departamento privado. En poco más de una semana, comenzaría quizá la parte más difícil de toda la operación. Tendría que convencer no a uno, sino a seis capitanes de la industria norteamericana para que cada uno se gastara una pequeña fortuna en un tesoro que nunca podrían exhibir a nadie más en el mundo. Lo había hecho muchas veces antes, por supuesto, pero nunca a esta escala.

Repasó los nombres que tenía en mente. Había mucho donde escoger. Con todos ellos había hecho negocios antes y la mayoría lo recibirían con los brazos abiertos. Excepto, quizá, *mister* Joshua Hart, de Newport (Rhode Island). Allí podría encontrar cierta resistencia.

Repasó de nuevo la lista de los candidatos, pensando en la mejor manera de abordar a cada uno. Pero, mientras lo hacía, en sus pensamientos surgió algo más. Trató de centrarse, pero le resultaba difícil. Mientras el tren dejaba atrás los suburbios de París, metió la mano en el bolsillo y sacó un único guante blanco de seda. No estaba seguro de por qué se había molestado en traerlo. Ridículo, ciertamente.

Liberándose de su ensoñación, volvió a guardarlo y se arrellanó en el asiento para tratar de dormir.

CAPÍTULO 18

E N EL ESTRECHO SÓTANO DE SU ESTUDIO, DE LA *RUE*
Serpente, Diego aleccionaba a Émile, Julia y Peruggia:

—Una tabla de álamo, de setenta y siete por cincuenta
y tres centímetros, reforzada con tiras de madera al dorso.

Tenía el aire de un profesor impaciente no especialmente dispuesto a compartir su conocimiento superior con
sus alumnos. Estaba sentado en una banqueta, delante de
su caballete, en el que se apoyaba la copia de *La Joconde*
que les había mostrado primero en las Tullerías. Para mayor
ilustración, una serie de tablas en diversos grados de termi-
nación descansaba en la mesa que tenía junto a él.

—Así que no se puede enrollar —comentó Julia.

Émile le dirigió un gruñido de desaprobación, pero
Diego sonrió.

—No, *querida mía*[1], no puede enrollarse.

---

[1] En el original: *"mi querida"*, en español. Al resultar una expresión extraña, se ha modificado como aparece en el texto. *(N. del T.)*.

Julia se volvió hacia Émile.

—¿Qué pasa? —le dijo ella—. Solo estaba pensando en voz alta.

—¿Es así como lo llamas? —dijo Émile.

—Creí que íbamos a ser amigos —dijo Julia, un tanto sarcástica.

—Es bastante pequeña —dijo Peruggia—. La sacaremos de allí, no te preocupes.

—Si habéis acabado... —interrumpio Diego antes de darle la vuelta a la tabla—. Al dorso...

—¿Qué tamaño tiene esta? —dijo Émile, interrumpiéndolo.

Diego le dirigió una dura mirada.

—Tiene el tamaño correcto.

—*Creía* que las copias tenían que ser mayores o menores.

—Esas son las normas del museo, sí —dijo Diego, sacando un Gauloise de una cajetilla que estaba encima de la mesa y encendiéndolo—, siempre que hagas caso a las normas.

Émile se enfadó ante el desafío no expresado con palabras.

—¿Normas? —dijo, lanzando una rápida mirada a Julia—. No, yo nunca les hago ningún caso.

—Un auténtico *cimarrón*[2], ¿eh? —dijo Diego, mencionando el antiguo nombre español de un caballo mesteño.

—Si te parece —dijo Émile, como si conociese el significado de la palabra.

---

[2] *Cimarrone* en el original. *(N. del T.)*

Diego soltó una risita mientras volvía a centrar la atención en su tabla.

—Esta copia concreta es mi original, por así decir. Pasé mucho tiempo sentado frente al original... antes de que lo metieran en ese horrible cajón, por supuesto.

—¿Y nadie le llamó la atención por tener una tabla del mismo tamaño? —preguntó Peruggia.

—¡Oh, claro que me llamaron la atención! —dijo Diego con una sonrisa maliciosa—, pero lo único que tuve que hacer fue sacar esto. —Cogió de la mesa una cinta métrica de sastre—. Una joven señora a la que conozco tuvo la amabilidad de cortar un trozo de otra cinta métrica y coserlo al principio de esta. Yo la ponía simplemente sobre el borde de la tabla para demostrar que, en realidad, era más pequeña.

—Muy inteligente —dijo Julia.

Diego se encogió de hombros.

—¿Y todas las copias que has hecho hasta ahora —comenzó Émile— son de esta calidad?

—No seas ridículo —dijo Diego—. Son buenas, pero no tanto.

—Pero las nuevas serán perfectas, ¿no? —persistió Émile.

—¿Y qué crees tú? —le espetó Diego, aumentando su nivel de irritación con cada pregunta—. Ahora, si se me permite continuar, es vital recordar que el dorso de la tabla es tan importante como el frente.

Indicó una tira de madera de color claro, pegada verticalmente justo a la izquierda del centro, en el extremo superior de la tabla. Una pieza en forma de lazo había sido añadida transversalmente como refuerzo.

—Esta cola de milano se insertó en la madera para reparar una grieta causada por algún imbécil en el siglo pasado cuando quitó el marco original.

La reparación le recordó a Julia un pequeño crucifijo.

—¿Cómo te las has arreglado para ver la parte de atrás? —preguntó ella, claramente impresionada.

—No fue tan difícil —comenzó Diego aprovechando el interés de Julia, que lo miraba con unos ojos abiertos de par en par—. Tuve la oportunidad de visitar el estudio del fotógrafo en el que la estaban fotografiando. Uno de los ayudantes me debía algún dinero y me dejó examinarla brevemente. Pensé que le añadiría un toque interesante, aunque ni una entre mil personas lo supiese.

—Quizá este ayudante pudiera sernos de utilidad —sugirió Julia al grupo.

—No debemos cambiar el plan a estas alturas —dijo Peruggia.

A Émile también le molestó:

—Lo último que necesitamos es otro...

—Podría haber sido útil —interrumpió Diego—, pero el caso es que debía dinero a un montón de gente. Y no todo el mundo era tan tolerante como yo. Pescaron su cadáver en el río. Aparentemente, se olvidó de que no sabía nadar.

Diego sonrió sardónicamente a Émile, como si él apreciara esta muestra de humor negro. Julia sintió una punzada de empatía cuando Émile hizo una débil tentativa de sonrisa.

Diego dio la vuelta a la pintura y volvió a colocarla sobre el caballete; después cogió una tabla en blanco.

—La preparación lo es todo. Para conservar la tabla a salvo de la humedad, se cubren ambos lados con yeso mate. —Manteniendo en equilibrio la tabla sobre una rodilla, cogió un tarro de cristal pegajoso medio lleno del líquido oscuro—. Está hecho de piel animal. Sirve también de imprimación para la pintura al óleo.

—¿Cómo harás que parezca que tiene cientos de años? —preguntó Julia.

—Quinientos años, en realidad —replicó Diego—. Y no olvidéis que está cubierto con varias capas de barniz añadidas a lo largo de los siglos, tratando de conservarla. Pero, como en la mayoría de las cosas, hay un truco para eso. Yo uso dos capas de laca y hago que cada una seque a una temperatura diferente. Esto hace que la superficie se cuartee... craquelado le llaman. Solo comparando todas y cada una de las microfisuras con el original puede comprobarse que no coinciden exactamente.

—El marqués me dijo una vez que los falsificadores siempre dejan una marca diminuta en algún lugar de la pintura —dijo Julia—. ¿Dónde está la tuya?

—Yo no me permito esos juegos infantiles —dijo Diego, mientras en su cara aparecía una sonrisa de suficiencia—. Nadie que mire esta imagen encontrará la más ligera alteración.

—¿Pero cuánto tiempo llevará esto? —preguntó Peruggia bruscamente.

—Para captar el genio de una obra maestra no se puede correr. Aunque lo haga otro maestro.

Diego lanzó directamente este último comentario a Julia. El intento de ella de mantener su ecuanimidad se veía traicionado por un ligero rubor en su rostro.

Poco después, Peruggia fue impacientándose cada vez más y se marchó. Su partida puso punto final a la demostración formal y Émile se puso a examinar en plan informalmente los distintos lienzos esparcidos por la estancia. Solo Julia parecía aún interesada, presionando al pintor con sus preguntas. Diego le hizo una indicación para que se acercase más a la copia maestra.

—El fondo es importantísimo —dijo él, disfrutando con su atención—, un paisaje de otro mundo, ni real ni imaginado. Y la señora misma, posando serenamente sin prestar atención alguna al mundo. Está sentada con su cuerpo *contrapposto,* vuelto ligeramente al lado opuesto del espectador, pero gira su cabeza hacia nosotros, como si la hubiésemos sorprendido en medio de un pensamiento prohibido. —Cuando dijo esto, Diego se volvió hacia Julia para enfatizar lo que decía, satisfecho al ver que ella estaba pendiente de cada una de sus palabras—. Su boca —prosiguió—. ¿Esa sonrisa, la pintura del bienestar, o sus apretados labios fruncidos guardan algún secreto profundo que le ha transmitido un saber escandaloso, o incluso peligroso, que nadie más posee?

—Eso tiene que ser difícil de copiar —dijo ella.

—No basta con hacer una mera copia. Hay que comprender. Sentir. Introducirse en la mente del creador. Para recrear la obra de un genio, hay que ser un genio.

Desde un rincón de la estancia, Émile emitió un gruñido audible.

—Evidentemente —continuó Diego, dirigiendo una mirada despreciativa a Émile—, dicho y hecho todo esto, hay ciertas técnicas que es preciso dominar. Por ejemplo, está lo que los italianos llaman *sfumato,* la estratificación de capas de pintura, de oscura a clara, la mezcla de muchos colores para desdibujar las líneas muy marcadas. —Para demostrar la técnica, retiró la tabla del caballete y la reemplazó por un gran cuaderno de papel. Cogió un pincel y una paleta, dio rápidamente una serie de delicadas pinceladas en una hoja en blanco—. Si se hace correctamente, los trazos desaparecen. Es una forma de captar las profundidades ignotas de la sonrisa de una mujer, del corazón de una mujer. —De nuevo, le dirigió una penetrante mirada que parecía llegar a su interior de un modo que era a la vez placentero e incómodo.

—La mayoría de estas son copias —dijo Émile, señalando las distintas tablas esparcidas por la sala—. ¿No tienes ninguna obra original?

Diego se encogió de hombros y encendió otro Gauloise.

—Por supuesto, pero no aquí. Las guardo en otro lugar, de manera que no me recuerden dónde he estado. Aquí busco algo nuevo, algo revolucionario. Pruebo mi mano en muchas cosas. Retratos, por ejemplo. De hecho —se volvió hacia Julia—, quizá a la joven dama no le importe posar para mí en algún momento.

—¿Y por qué demonios ibas a querer pintarme a mí? —preguntó Julia, simulando no sentirse halagada.

—No hay mayor inspiración que una mujer hermosa.

—¡Oh! Estoy seguro de que sería una obra maestra —dijo Émile sin dirigirse a nadie en particular—. Vamos

—añadió, volviéndose a Julia—, ya es hora de marcharnos. Dejemos trabajar al maestro.

—Yo me quedo —dijo Julia, con obstinación.

—Haz lo que te dé la gana. —Émile se puso el abrigo y desapareció escaleras arriba.

Diego se puso el Gauloise entre los labios y miró a Julia con los ojos entornados a través de las volutas de humo. Ella se permitió disfrutar de su pequeño triunfo durante unos segundos, pero rápidamente empezó a desvanecerse bajo su mirada.

—Es un crío —dijo Julia, desviando su mirada de Diego y dirigiéndola a la pintura.

—Te resulta molesto, ¿verdad?

—A veces.

—¿Y qué te parezco yo? ¿Cómo te resulto?

Julia sintió una oleada de calor que le subía por el rostro. Esperaba que Diego no se diese cuenta.

—¡Oh!, no sé qué decir —replicó, tratando de parecer despreocupada—. Ni siquiera se me ha pasado por la cabeza.

Diego se echó a reír.

—Ya, supongo que no se te ha pasado por la cabeza —dijo son suavidad—. Pero quizá deberías pensarlo.

—Creo que quizá deba irme. —Recogió sus cosas—. A *madame* Charneau no le gusta que llegue tarde a cenar.

—Desde luego, nosotros no querríamos que llegaras tarde a cenar —dijo Diego mientras hacía unas florituras abstractas sobre el papel.

—Buenas noches, entonces —respondió ella mientras subía rápidamente la escalera hasta la calle.

—Si no tienes más remedio —dijo Diego sin levantar la vista de su improvisada pintura—. *Bon soir, mademoiselle.*

Levantó la mano que sostenía el pincel para añadir algo al cuaderno, pero lo pensó mejor y, en cambio, tiró el pincel, disgustado. Arrancó la hoja del cuaderno, la arrugó y la lanzó al otro extremo del estudio.

—*Bon soir.*

CAPÍTULO 19

NEWPORT

AUNQUE VALFIERNO HABÍA VISITADO LAS CASAS DE algunos de los hombres más ricos de los Estados Unidos, nunca había dejado de sobrecogerlo *Windcrest,* el reino personal de Joshua Hart. Mirando por la ventanilla del taxi que lo había traído desde la estación de ferrocarril, podía imaginarse con facilidad que estaba entrando en el dominio privado de la testa coronada de algún oscuro príncipe europeo.

Valfierno había desembarcado del RMS *Mauretania* dos semanas antes y se hospedaba en el hotel Plaza, frente a Central Park. Aunque no se quedaría mucho tiempo aquí, cuando venía a Nueva York, siempre tomaba como base en la ciudad ese edificio de estilo castillo del Renacimiento francés.

A la mañana siguiente a su llegada, tomó el tren en la Grand Central Station para viajar hacia el norte, siguiendo el río Hudson, camino de su primer destino. Desde la *Van Cortland Manor,* en Croton, a *Lyndhurst,* en Tarrytown, el Hudson estaba salpicado de mansiones y palacios de los capitanes de la industria de Estados Unidos. La opulencia de estas estructuras hacía fácil olvidar que habían sido construidas sobre las espaldas de miles de hombres, mujeres y niños que habían trabajado en condiciones muy difíciles durante muchas horas por una remuneración mísera.

En unos cuantos días de viajes, había visitado a muchos de sus clientes más valiosos para tentarlos con su apetecible oferta. En la mayoría de los casos, sus anfitriones lo habían recibido con impaciente ilusión. Mientras hacía su ruta hacia el norte, la recepción que le brindaban en cada parada se había convertido en una rutina casi previsible. Primero estaban el obligado *brandy* y los exquisitos cigarros servidos en imponentes bibliotecas o en vastas verandas sobre el caudaloso río, con su majestuoso telón de fondo de las montañas Catskill que se elevaban sobre la neblina distante. Después lo llevaban a la galería secreta. Esta estancia, vedada a todos salvo a una selecta minoría, exhibía las obras de arte que el dueño de la casa había obtenido por medios nada honestos. Valfierno siempre escogía una o dos obras sobre las que hacer algún comentario más concreto, piezas que a menudo él mismo había facilitado. Y, por último, iba al grano cuando su anfitrión se interesaba por la razón de su visita. Cuando Valfierno revelaba el título de la pintura en cuestión, siempre se encontraba primero con la incredulidad, hasta que la codicia y la avaricia acababan elevando sus feas cabezas en señal de triunfo.

Solo en unos días siguiendo el curso del río Hudson, había conseguido cerrar satisfactorios acuerdos para tres de las seis copias planeadas. El precio que pedía variaba según el tamaño de los grupos de empresas de su anfitrión, pero siempre era desmesurado y nunca menor de trescientos cincuenta mil dólares. Sí, el precio era ridículamente elevado, pero, ¿cuándo se presentaría otra oportunidad de adquirir para la propia colección la manifestación suprema de la creatividad humana? Le había llevado muchos años cultivar la confianza de estos hombres y había llegado el momento de extraer todo el valor de esa confianza.

En las semanas siguientes a su periplo por el río Hudson, siguió viajando constantemente; encontró a un cliente en la North Shore de Long Island —la legendaria Gold Coast— y a otro en Chicago. Probablemente podría haber encontrado al menos dos en la gran ciudad a la orilla del lago, pero, en cambio, para su último cliente, había hecho un viaje especial, siguiendo en tren la costa de Connecticut hasta las fabulosas y opulentas mansiones de Newport. En el taxi que lo llevaba desde la estación, Valfierno fue tomando nota de la gran cantidad de los llamados chalés que tapizaban la costa, cada uno más ostentoso que el anterior. «Si estos son chalés», pensaba, «la Mona Lisa es una ilustración del *Saturday Evening Post*».

Entregó al taxista un billete de diez dólares y le dijo que esperase. Una fresca brisa marina animaba las grandes franjas de flores y juncos de los jardines delanteros. Unos anchos escalones de mármol conducían a un pórtico abovedado. Antes de que hubiera alcanzado las enormes puertas frontales de roble, se abrieron como por arte de magia.

Carter, el mayordomo de Hart, saludó a Valfierno con practicada deferencia.

—Marqués —entonó—, bienvenido a *Windcrest. Mister* Hart lo espera.

Carter condujo a Valfierno a un enorme vestíbulo de mármol adornado con pinturas y esculturas. Reconoció un Klimt auténtico, aunque menor, pero, en su mayor parte, las obras no eran especialmente destacadas. Carter pasó ante la amplia escalinata central hasta una pequeña puerta desde la que hizo un gesto al marqués para que entrara.

Valfierno se adentró en una gran biblioteca e inmediatamente se detuvo. *Mistress* Hart estaba en el centro de la sala; llevaba un vestido ligero de verano, con las manos cruzadas ante ella. Era la primera vez que la veía con el pelo suelto y, aunque, desde luego, no la había olvidado, a veces le había resultado difícil recordar la fisonomía de su rostro. Verla de nuevo tan de repente era, al mismo tiempo, una placentera sorpresa y un susto desconcertante.

—Marqués —dijo ella, acercándose a él—, es un placer verlo de nuevo.

—Le aseguro, *madame* —comenzó, vacilando ligeramente con una inesperada falta de aliento—, que el placer es mío.

Valfierno detectó un ligero rubor cuando ella inclinó la cabeza en señal de reconocimiento.

—Y sería aún mayor —continuó él— si me llamara Edward.

Su única respuesta a esto fue una ligera pero auténtica sonrisa.

—Por favor —dijo ella—, mi esposo lo está esperando.

Mientras lo conducía a través de la biblioteca, Valfierno sintió un ligero movimiento por el rabillo del ojo. Se volvió hacia las ventanas y vio a la madre de ella sentada en una silla acolchada, concentrada intensamente en sus manos mientras tricotaba algo a partir de una bola de hilo verde.

—*Madame* —dijo Valfierno a modo de saludo, pero ella siguió tricotando sin reconocerlo.

—Está en su estudio —dijo *mistress* Hart con una amable sonrisa.

Entró en un estrecho pasillo al fondo de la estancia. Valfierno la siguió, cautivado por su forma de andar. Sus pies pisaban con suavidad, uno casi directamente frente al otro, mientras sus caderas oscilaban fluida y graciosamente a cada paso. No había un solo movimiento en balde y él se imaginaba que probablemente ella no tuviese ni idea de lo placentero que para él era observarla

Ella lo condujo a un estudio de techo bajo y panelado en roble, con los postigos entornados para evitar el sol de la tarde. Los finos fragmentos de penetrante luz solo servían para acentuar la penumbra. Joshua Hart estaba sentado a una enorme mesa de despacho de roble. De pie, al lado de Hart, estaba un hombre alto y fornido de unos cuarenta años. Tenía la cabeza afeitada y llevaba un traje oscuro muy caro perfectamente ajustado a su envergadura muscular.

—Bueno, el marqués de Valfierno —dijo Hart dramáticamente mientras dejaba una pluma y hacía girar su asiento—. ¿Y cómo está el alcalde de Buenos Aires?

Divertido con su pequeño chiste, levantó la mirada hacia el otro hombre para ver su reacción. El hombre saludó con una mínima sonrisa forzada.

—Yo estoy bien, gracias —replicó Valfierno, inclinando levemente la cabeza—, pero en la actualidad resido en París.

—Me imagino que allí no será mucho más que concejal, ¿eh? —dijo Hart bromeando.

—No más que un turista atento, en realidad —dijo Valfierno con una mirada de reojo a *mistress* Hart en un intento de incluirla en la conversación.

—Estoy olvidando mis modales —dijo Hart, levantándose de su asiento—. Este es mi nuevo socio, *mister* Taggart. *Mister* Taggart se ha retirado recientemente de la Pinkerton Detective Agency. Ahora trabaja exclusivamente para mí. Últimamente, han surgido conflictos laborales y he tenido la sensación de que necesito cierta protección.

—*Mister* Taggart —dijo Valfierno, saludando al hombre con un ligero movimiento de cabeza.

Taggart dirigió a Valfierno una helada mirada evaluadora antes de asentir lentamente como respuesta. Valfierno pensó que los ojos gris acero del hombre y su cabeza afeitada le daban el aspecto de un gladiador, transportado de un tiempo y un lugar distantes, y un poco anacrónico respecto a su ropa moderna.

—Y dígame, por favor, ¿dónde está su encantadora sobrina? —preguntó Hart, arrellanándose.

—Le habría gustado mucho acompañarme, pero está asistiendo a clase en París, estudiando arte.

—¡Lástima! —Hart seleccionó un cigarro de una caja de plata—. Ha de decirle que, si viene a los Estados Unidos, tiene que dejarse caer por aquí para saludarla. —Hart miró a su esposa por primera vez desde que había entrado en la estancia antes de añadir—: Para estudiar mi colección, por supuesto.

—Bueno —dijo *mistress* Hart—, si me excusan, caballeros...

Valfierno se volvió y se inclinó ligeramente mientras abandonaba el estudio.

—Tome asiento —dijo Hart, indicando una lujosa silla de cuero—. Ha hecho un largo viaje. Quizá un *brandy* le venga bien.

Valfierno se sentó mientras Taggart se acercaba a una mesa lateral y servía *brandy* de un decantador en dos copas de cristal.

—¿Sabe? —continuó Hart—, el pasaporte falsificado que me dio es verdaderamente interesante. En cuanto regresé a Estados Unidos, obtuve uno nuevo, naturalmente, pero, a pesar de intentarlo, no pude encontrar diferencias entre los dos. El que usted me facilitó tenía incluso el sello de entrada correcto, con fecha y todo.

Taggart entregó una copa a cada uno.

—Yo solo trabajo con los mejores —dijo Valfierno, cogiendo la bebida—. El trabajo que hacen es de la máxima calidad.

Hart hizo un sonido gutural de reconocimiento antes de levantar su copa y consumir el líquido rojo oscuro de un trago.

Cuando Valfierno tomó un trago de su copa, cruzó la mirada con la de Taggart. El hombre estaba mirándolo.

—Entonces, *mister* Hart —dijo Valfierno, con ganas de cambiar de tema—, ¿qué tal con su reciente adquisición?

—¿Por qué no viene a verla con sus propios ojos?

Cuando Hart accionó el interruptor de la luz de su galería subterránea, los ojos de Valfierno se vieron inmediatamente atraídos por la pieza central de la colección: *La ninfa sorprendida,* de Manet.

—¡Magnífico! —dijo Valfierno, extendiendo las manos para reforzar su exclamación—. Siempre ha sido mi Manet favorito. Esa profundidad, esa emoción. Una verdadera obra maestra.

—Debe serlo por el precio que pagué —dijo Hart.

Valfierno se volvió y vio a Taggart de pie, en la puerta. El hombrón lo miraba fijamente; su cara era una máscara inexpresiva.

—¿Qué pasa con la copia —continuó Hart—, la que ocupa su lugar en el museo?

—Allí está, cumpliendo con su cometido —replicó Valfierno—. Creo que tuvieron que atenuar algo las luces para completar el efecto.

—¿Es cierto? —dijo Hart, volviendo sus ojos a la pintura—. Aquí no es preciso hacer eso, evidentemente.

Estudió la pintura un momento antes de volverse a Valfierno, repentinamente entregado a los asuntos de negocios.

—Bien, permítame ir al grano, marqués. He aceptado verlo por cortesía y, tengo que admitirlo, con la esperanza de ver de nuevo a su encantadora sobrina, pero me temo que usted ha venido hasta aquí para nada. Tengo todo lo que he deseado aquí, en estas paredes. Un hombre tiene que saber cuándo es suficiente lo que tiene, ¿no le parece?

Valfierno empezó a caminar lentamente por la sala.

—Tiene usted una colección considerable, se lo aseguro. Los españoles, los británicos, los neerlandeses están bien representados. Ahora tiene su obra maestra francesa, por supuesto, pero... —vaciló como si estuviese configurando lentamente sus pensamientos— los italianos no tienen una representación suficiente, ¿no le parece?

—No se moleste en intentarlo —le advirtió Hart afablemente—. Sea lo que sea lo que esté vendiendo, no lo compro.

—Había previsto que me dijera eso —dijo Valfierno, dando muestras de alivio—. Tengo que visitar a otro cliente y, en realidad, le había prometido la primera opción de compra del objeto en cuestión. Solo he venido aquí por cortesía. De hecho, hará muy feliz a la persona a la que me refiero. —Como si hubiese aclarado todo, Valfierno sacó su reloj de bolsillo para ver la hora—. ¡Ah, mi tren! Tengo un taxi esperándome fuera. Si salgo ahora, llegaré a tiempo.

—No es que me importe —dijo Hart, tratando de parecer desinteresado—, pero, ¿a quién va a ver, exactamente?

—¡Oh, nunca hablo de un cliente con otro!

—Vamos, vamos —dijo Hart—, sin duda me lo debe.

Valfierno vaciló, como si lo estuviese considerando. Después, tras mirar de reojo a Taggart, se acercó a Hart, se inclinó hacia delante y le susurró el nombre al oído.

Los ojos de Hart se abrieron de par en par.

—¡Ese viejo pirata! ¡Podría comprar la mitad de las pinturas del British Museum y su colección aún no le llegaría al tobillo a la mía!

—Cierto —concedió Valfierno—, y así seguirá siendo. Hasta que tenga en sus manos el objeto en cuestión, evidentemente.

Agitado, Hart recorrió nervioso la estancia, con un amplio movimiento del brazo.

—¡No tiene sentido! Él no podría igualar mi colección en un millón de años. Mire, mire: ¡Manet, Constable, Murillo, un Rembrandt, incluso! ¿Qué cree que va a comprar, la *Mona Lisa?*

La mirada de Valfierno, unida a una ligera inclinación de su cabeza, no podía ser más reveladora.

La expresión petulante de Hart se disolvió instantáneamente.

—¡Madre de Dios!

De vuelta a su estudio, Joshua Hart deambuló por la estancia, chupando frenéticamente un cigarro.

—Y esta vez —dijo, con la excitación elevando el tono de la voz— nada de esta mierda de la copia en el museo. Quiero ver todos los condenados periódicos del mundo salpicados con noticias del robo. ¿Nos entendemos?

Valfierno se sentó en la lujosa silla ocultando con éxito su propia excitación. Contempló un cigarro no encendido que Hart le había obligado a coger.

—Nos entendemos perfectamente, señor[1] Hart.

—¿Cuánto tiempo tardará?

—No se puede correr, por supuesto. Implica una considerable planificación. Pongamos, ¿seis meses?

---

[1] En español en el original. *(N. del T.)*.

—¿Y está usted seguro de que puede conseguirlo?

—Me juego la vida en ello. Fracasar en este trabajo sería fatal. Lo menos que podría esperar es pasar el resto de mi vida pudriéndome en la isla del Diablo.

—El fracaso es una cosa —dijo Hart—. Puedo aceptarlo. Después de todo, no me cuesta nada: solo pago a la entrega. Pero si sospecho que, de alguna manera, trata de jugármela... —Se detuvo para causar efecto.

Valfierno sonrió despreocupado.

—Puedo asegurarle, señor...

—*Mister* Taggart —dijo Hart, cortándolo y haciendo una pausa mientras paseaba por detrás de la silla en la que estaba sentado Valfierno—, díganos, por favor, en el curso de su trabajo, ¿a cuántos hombres ha matado?

Taggart estaba sentado en una silla de madera en un oscuro rincón del estudio. Al principio no respondió, pero después se inclinó hacia delante, dejando que lo iluminase un rayo de luz solar.

—Dependiendo de cómo los cuente —dijo, pensando—, a once o doce.

Hart sacudió la ceniza de su cigarro en un cenicero de plata incrustado en una mesita de madera.

—¿Estoy siendo demasiado sutil para usted, marqués?

—¿Demasiado sutil? —dijo Valfierno, deslizando su cigarro en el bolsillo interior de su chaqueta y levantándose—. En absoluto.

—Excelente —dijo Hart—. Entonces, ¡trato hecho! Y, con suerte, todavía llegará a tiempo de tomar su tren.

El evidente entusiasmo de Hart con respecto al trato que acababa de negociar despertaba su locuacidad. Al conducir a Valfierno a través de la biblioteca hasta el vestíbulo principal, fue hablando de la obsesión de sus empleados por cosas tan insignificantes como las condiciones de falta de seguridad en el trabajo y la vivienda insuficiente. Sus constantes protestas lo habían forzado a contratar a un hombre como Taggart en primer lugar. En su opinión, la chusma debería estar contenta por tener trabajo. Valfierno asentía una y otra vez para dar la impresión de que prestaba atención, pero sus pensamientos estaban en otra parte. Cuando llegaron a la entrada, Hart tendió su mano y Valfierno la estrechó.

—En seis meses, pues —dijo Hart.

Valfierno se volvió y vio a *mistress* Hart de pie, en medio de la escalinata principal. El cruce de sus miradas fue breve, pero había algo en su expresión que indicaba que estaba tratando de decirle algo, algo que no podía expresarse hablando. O quizá él lo estuviese imaginando. En cualquier caso, fue una imagen que recordaría muchas veces en los meses posteriores.

Capítulo 20

JULIA ESTABA EN EL CENTRO DE LA GRANDE GALERIE del Louvre. Con voz alta y petulante dijo:

—¡Pero dijiste que te casarías conmigo! ¡Prometiste que harías de mí una mujer honesta!

—Dije un montón de cosas. ¿Por qué montas esta escena?

La mirada de Émile revoloteó por la galería; era plenamente consciente de que estaban llamando la atención de todo el mundo.

—¡Todos los hombres sois iguales!

Los visitantes del museo los miraban de reojo y murmuraban entre ellos dando muestras de desaprobación. Por encima de los hombros de Émile, Julia se dio cuenta de que un vigilante, un hombre voluminoso de unos cincuenta y tantos años con un gran mostacho sin recortar, se les acercaba lo más rápido que podía.

—Lo único que os interesa es robar la virtud de una chica —añadió Julia para enfatizar lo que había dicho cuando el vigilante puso la mano sobre el hombro de Émile y le hizo volverse.

—¡Por favor! —dijo el hombre, medio airado y medio rogando—, deben bajar la voz. Están causando un alboroto.

—*Monsieur* —le suplicó Julia, suavizando la voz—, usted es un hombre de mundo. ¿Engañaría usted a una joven inocente con promesas vacías y luego la abandonaría como un periódico viejo?

La reacción aturullada del vigilante era justo la que esperaba Julia.

—*Mademoiselle* —dijo él, mirando a su alrededor a los visitantes que lo observaban—, este no es lugar para una conversación así.

Julia lanzó una mirada a Émile. Ahora le tocaba a él.

—¿Acaso no puede un hombre divertirse un poco sin tener que prometerle las estrellas a una chica? —dijo tratando de ganarse su simpatía.

—¡Oh, tú me prometiste las estrellas —dijo Julia—, pero lo único que has hecho es arrastrar mi reputación por el barro!

—Se lo ruego, *mademoiselle* —dijo el vigilante—, por favor, mantenga la voz... —Pero antes de que pudiera acabar, Julia se volvió hacia él con mayor fervor aún.

—¡Dígaselo! —le pidió al vigilante—. ¡Dígale que no puede tratar a una joven como si fuese poco más que una mujer de la calle!

—Por favor —le imploró el vigilante—, tiene que ser razonable. Tiene que bajar la voz.

—¿Es que no hay un solo hombre en toda Francia que me defienda?

A regañadientes, el vigilante se irguió y levantó la vista hacia Émile.

—*Monsieur* —comenzó en tono solemne—, no debe tratar a esta pobre joven con tan poco respeto.

Julia dirigió la vista al pequeño anillo de latón enganchado en el cinturón del vigilante. De él pendía una sola llave.

—¡Ahora todo el mundo está de su parte! —exclamó Émile—. ¡Si supieran qué difícil puede ser! ¡Si supieran todo lo que me hace pasar! —Para causar mayor efecto, levantó dramáticamente los brazos y se alejó.

—Muchas gracias, *monsieur* —dijo Julia, tocando el brazo del vigilante—. Es usted un caballero y eso es raro en estos días.

Con su sonrisa más dulce, Julia rodeó con sus brazos al hombre y le dio un fuerte abrazo.

—*Mademoiselle* —le suplicó el hombre.

En un rápido movimiento, Julia desenganchó al anillo con la llave y lo escondió en la palma de la mano. Soltó al hombre y retrocedió, brindándole una última sonrisa antes de alejarse. El vigilante, con el rostro de color carmesí, se quitó el quepis y se enjugó la frente.

Un momento después, Julia se reunía con Émile en un pequeño lavadero al final de la adyacente Sala de los Estados. Tras asegurarse de que nadie los observaba, ella le entregó el anillo de latón con la única llave que colgaba de él.

—¿Estás segura de que no se ha dado cuenta? —preguntó Émile.

—Estoy segura, pero se percatará pronto si no te das prisa.

Émile sacó una pequeña lata del bolsillo y abrió la tapa, mostrando una capa sobreelevada de cera. Se llevó la llave a la boca y calentó las muescas con su aliento antes de hacer cuidadosamente un molde de ambos lados en la cera.

—No tenemos todo el día —dijo Julia, vigilante.

—Hay que hacerlo bien —dijo él, despacio y deliberadamente.

—Vamos —susurró ella cuando él cerró por fin la tapa y le devolvió el anillo con la llave.

Ella limpió el residuo de cera con un pañuelo, la deslizó en el bolsillo de su abrigo y se dirigió rápidamente a la Grande Galerie.

—*Monsieur, monsieur!* —gritó mientras se deslizaba sobre el suelo hacia el vigilante que, instintivamente, se volvió—. ¡Maravillosas noticias! No sé cómo agradecérselo. —Se plantó frente a él, sin aliento, juntando las manos bajo la barbilla—. Su severa reprimenda ha hecho el milagro. Ha aceptado casarse conmigo. Y todo gracias a usted. ¡Es usted mi héroe!

Mientras decía esto último, sus manos se abrieron para abrazarlo, arrancándole el quepis en el intento.

—¡Oh, soy una patosa! Permítame que lo coja.

—No, por favor, *mademoiselle* —balbuceó—, no debe armar un escándalo.

Mientras él se inclinaba para recoger su gorra, ella volvió a engancharle el anillo de la llave en su cinturón.

Nervioso, se irguió y volvió a ponerse el quepis en la cabeza, ajustándoselo para asegurarse de que quedase bien puesto.

—Bueno —comenzó ella—, ahora debo irme. ¡Tengo que contarle a *maman* las buenas noticias! —Y con eso desapareció, dejando al hombre con unos ojos como platos, ligeramente aturdido y con la cara roja como un tomate.

Émile esperaba al lado de la escalinata que descendía hasta el vestíbulo. Julia subió corriendo y lo rodeó con sus brazos.

—¡Lo hemos hecho! —dijo ella.

—Sí, lo hemos hecho —asintió, dándole una palmadita, más bien recatada, en la espalda—. Pero no exageremos.

Se separaron y ella se estiró el abrigo.

—Bueno —dijo ella—, creo que hacemos una pareja excelente.

Ella lo cogió del brazo y comenzaron a bajar la escalera.

Capítulo 21

EL EMPLEADO DE LA HUDSON RIVER IMPORT AND Export Company de la orilla oeste de Manhattan tenía toda la razón para estar encantado con la llegada de Valfierno. El bien vestido caballero aparecía cada mes más o menos como un reloj. Volvería dos o tres días consecutivos hasta que hubiese llegado el paquete que esperaba. Y, ciertamente, daba propinas muy generosas.

—¡Ah, hoy está de suerte, señor! —dijo el empleado, con su acento irlandés de West Cork solo ligeramente suavizado por los años que llevaba viviendo en Nueva York—. Creo que tengo lo que viene a buscar.

Ignorando a otros clientes, el hombre recuperó un cajón rectangular de un metro por setenta y seis centímetros y trece centímetros de grosor. Lo puso sobre el mostrador.

—Hace el número seis, si no me falla la memoria —dijo el empleado alegremente.

—Sí, y me parece que es el último.

—Necesitará ayuda ahí fuera —sugirió el empleado, ilusionado.

—Muchas gracias, puedo arreglarme.

Valfierno sacó del bolsillo un billete nuevecito de veinte dólares, cuatro veces su propina habitual.

—Muchas gracias, señor —dijo el empleado, radiante—. Muchísimas gracias, señor.

Valfierno se limitó a asentir con la cabeza y, con una ligera inclinación de cabeza a los ignorados clientes del empleado, agarró el cajón y salió.

Como conocido importador de copias de obras de arte, no era nada raro que Valfierno regresara al hotel con sus nuevas remesas. Quizá resultara algo extraño que prefiriera subir personalmente los cajones a su habitación sin ayuda, pero sus excentricidades eran igualmente conocidas para el personal del hotel. Y, después de todo, era francés, italiano o de algún país por el estilo. En todo caso, no era estadounidense, desde luego, y era previsible un comportamiento poco convencional y había que tolerarlo.

De vuelta a sus habitaciones, Valfierno abrió el cajón con todo cuidado. Retiró una tabla envuelta en tela y apartó a un lado el cajón de madera. Después de desenvolver la tabla, no tuvo más que echar un breve vistazo al trabajo terminado para quedar satisfecho. Desde la primera copia, a Valfierno le había impresionado la obra de Diego. Este era tan preciso que le hubiese gustado compararla con el original colgado en el Louvre. Sabía que resistiría el escrutinio de cualquiera, salvo del experto en arte más perspicaz.

Diego había protestado al principio diciendo que sería imposible crear siete copias, incluyendo la que acabaría en las manos de Peruggia, en el tiempo que le permitían. En consecuencia, se había llegado a un compromiso. Las copias serían de diversa calidad y llegarían desde París en ese orden, empezando por la de menor. Valfierno sabía quiénes eran sus clientes y sería bastante fácil hacer concordar la calidad de la copia con la perspicacia de su comprador. De hecho, la primera copia que había recibido, aunque era una excelente reproducción, iba destinada a un determinado capitán de la industria que estaba más o menos ciego.

La copia que tenía en sus manos era, en realidad, la penúltima versión; la final iba a quedarse en París y tenía que ser de suficiente calidad para engañar a Peruggia, que, con un poco de suerte, pronto iba a tener un contacto muy próximo, aunque breve, con el original.

Valfierno volvió a envolver cuidadosamente la tabla en el paño y la llevó a un gran armario fuera de la sala de estar. La puso con las otras cinco, cubiertas del mismo modo, apoyada en la pared del fondo. Tocó cada una de ellas por turno, empezando por la más próxima a la pared, la primera copia que había recibido. Una, dos, tres, cuatro, cinco, seis. El juego estaba completo.

Al volver a la habitación, cogió su ejemplar del libro que había escrito Apollinaire: *L'enchanteur pourrissant* —«El encantador en putrefacción»—. Era una extraña alquimia de relato moderno y verso clásico que narra la obsesión de Merlín con la Dama del Lago. Este enamoramiento acaba en su entierro en una cueva, una suerte en la que, extrañamente, no parece haber pensado en absoluto. Un poco esotérico para el gusto de Valfierno.

Valfierno dejó el libro y se acercó a la ventana. Ante él se extendía el horizonte de Manhattan, mientras el sol poniente se reflejaba en las ventanas del empaquetado bosque de edificios. Una imagen de Ellen Hart se formó en su mente, pero se obligó a abandonarla dirigiendo sus pensamientos a sus cohortes de París.

—*Bonne chance, mes amis* —dijo en voz alta—. *Bonne chance.*

Ahora, solo podía esperar.

TERCERA PARTE

No somos ladrones,
sino hombres acuciados por la necesidad.

SHAKESPEARE, *Timón de Atenas.*

CAPÍTULO 22

PARÍS

VINCENZO PERUGGIA ESTABA SENTADO, COMPLETA-mente vestido, en la estrecha cama de su habitación del primer piso de la casa de huéspedes de *madame* Charneau. Se había levantado y vestido algún tiempo después de medianoche; su inquieta mente y la noche inusualmente cálida le habían impedido pegar ojo. Cuando las primeras luces del alba pintaron la habitación en tonos sepias, pensó en todo lo que tenía que hacer en el curso de los días siguientes. Si las cosas iban según el plan, mañana por la noche tendría en su poder una de las pinturas más veneradas del mundo. Habría dado el primer paso para realizar su sueño de restaurar la dignidad de su país de origen.

Llevaba viviendo en la casa de huéspedes casi seis meses, como su compañero, Brique, que estaba alojado en una habitación al otro lado del vestíbulo. Se había decidido desde el principio que no sería prudente decirle nada al torpe francés, aparte del día y la hora en que sería necesario que ayudase en una tarea que le haría ganar dinero suficiente para vivir cómodamente durante muchos años.

Con la excepción de Brique, todos conocían el papel de cada uno de los otros en el plan, pero había una parte vital que solo conocía Peruggia que, para él, era la más importante de todas. Comprendía que, a veces, la gente lo tomara por loco. Valfierno le había asegurado que, al final, la pintura sería suya para devolverla a su lugar propio. Pero Peruggia sabía que solo a él le tocaba garantizar que eso ocurriese.

No había ninguna urgencia especial aquella mañana. No tenía que llegar al museo hasta la tarde, alrededor de una hora antes de la de cierre. Pero Peruggia estaba cada vez más impaciente sentado en la cama, con la mente acelerada, y no podía esperar más. Miró su reloj: las siete y cuarenta y cinco. Decidió que ya era hora de despertar a su compañero y ponerlo al día del plan para las dos jornadas siguientes.

Peruggia llamó a la puerta de Brique. No hubo respuesta. En sí, esto no era raro. A menudo, Brique regresaba tarde por la noche, casi demasiado bebido para tenerse en pie. Se pasaba gran parte del día siguiente durmiendo la mona, roncando con suficiente fuerza para poner de los nervios al resto de los ocupantes de la casa. Pero, en esta ocasión, la estancia estaba en silencio. Peruggia llamó de nuevo, más fuerte. Tampoco hubo respuesta. Empujó la puerta y la abrió. La habitación estaba vacía. La cama estaba hecha.

Peruggia despertó a Julia y a *madame* Charneau, que se apresuró a acercarse a la cercana *boulangerie*[1] para comprar pan recién hecho, deteniéndose en el hotel de Fleurie

---

[1] Panadería. (*N. del T.*).

para llamar por teléfono a Émile desde el vestíbulo del mismo.

En media hora, estaban todos reunidos en la cocina. *Madame* Charneau estaba de pie, haciendo café en una cafetera de émbolo. Émile estaba sentado a una larga mesa de madera frente a Julia. Peruggia paseaba nervioso por la estancia.

—Debe de haber sido él a quien oí la noche pasada —dijo *madame* Charneau mientras cortaba en rebanadas una *baguette* en una tabla de madera—. Era casi medianoche cuando salió, pero no lo oí regresar.

Peruggia pensó en el ruido que lo despertó en medio de la noche. No le hizo caso porque le pareció el sonido de Brique al volver y cerrar su puerta de un portazo. Pero debía de estar saliendo.

—Se suponía que nadie tenía que salir anoche —le dijo Émile a Peruggia—. Y se suponía que te encargarías de vigilarlo.

—A veces, un hombre se siente solo —dijo Peruggia.

—Parece que tu amigo se sentía muy solo —añadió Julia, sin darle mayor importancia.

—¿Dónde puede estar? —preguntó Émile, cuya agitación le daba a su voz un tono cortante.

—Probablemente esté inconsciente en algún callejón, firmemente agarrado a una botella vacía de absenta —dijo *madame* Charneau—, o tumbado en estado de sopor en alguna casa de putas. Es bueno que no sepa nada de los detalles del plan.

—Excepto que tenía que ser hoy —añadió Julia, mordaz.

—Esto puede dar al traste con todo —dijo Émile.

Peruggia se detuvo y se volvió hacia Émile.

—Todavía tiene tiempo.

—¿Pero en qué estado? —preguntó Émile—. Tendremos que dejarlo fuera.

—No podemos hacer eso —dijo Julia.

—Ella tiene razón —coincidió Peruggia—. Ha llegado el momento.

—Pero no podemos hacerlo sin tres personas en el interior —insistió Émile.

—Tenemos a tres personas —dijo Julia.

—No, si Brique no vuelve a tiempo —dijo Émile, cada vez más exasperado— o si no está en condiciones de...

—No importa —insistió Julia—. Está usted, *signore* Peruggia —continuó e hizo una pausa antes de añadir—: y estoy yo.

El puño de Émile se estrelló sobre la mesa.

—¡No seas ridícula!

Julia levantó las palmas de las manos para recalcar su razonamiento.

—¿Qué diferencia hay? Tres son tres.

—¡Tres hombres! —dijo Émile, exasperado—. ¡Tres hombres capaces!

—¡Oh!, tu tercer hombre era realmente capaz, naturalmente. —Julia levantó los ojos al cielo.

—Os lo aseguro —dijo Émile, dirigiéndose a los demás—, el plan tiene un grave problema si Brique no aparece.

Peruggia había estado observando la conversación con sombría concentración.

—Ella tiene razón —dijo con voz tranquila y regular—. Si no regresa en una hora, ella tendrá que ocupar su lugar.

—¿Estás loco? —estalló Émile—. Se supone que somos personal de mantenimiento, ¡todos *hombres!*

—Ella podría ir como una mujer de la limpieza —sugirió *madame* Charneau.

—Eso no serviría —dijo Peruggia, pensativo—. Las mujeres de la limpieza nunca trabajan con los hombres. Y no se les permite que manipulen las pinturas.

—Ya lo veis —dijo Émile.

—Esto es una pérdida de tiempo colosal —dijo Julia, levantándose del asiento—. Dame una de esas gorras.

Émile dejó escapar un irritado gruñido mientras Peruggia agarraba una de las tres gorras de trabajador que estaban encima de la mesa. Julia cogió la gorra, se dio la vuelta y se la puso en la cabeza, recogiéndose el pelo dentro de la gorra. Se paró y se volvió hacia los otros.

—¡Venga, holgazanes hijos de puta, ya es hora de que levantéis vuestros culos gordos! —bramó, con voz ronca y profunda—. ¡Tenemos un trabajo que hacer!

Émile se puso en pie de un salto y dejó caer las manos, consternado.

—Esto es absurdo —les dijo a los demás.

Pero *madame* Charneau asintió con la cabeza, en señal de aprobación, y Peruggia, dirigiendo una fría mirada evaluadora a Julia, anunció finalmente:

—Ella lo hará.

Capítulo 23

T RAS CAMINAR AL NORTE, HACIA EL RÍO, Y ATRAVESAR el puente de las Artes, pagaron sus entradas en la *cour carrée* y entraron en el Louvre. Habían esperado a Brique hasta media tarde, pero no había ni rastro de él. Sin otra opción, Émile aceptó a regañadientes que Julia los acompañase al interior.

Su atuendo era respetablemente burgués y se mezclaron con facilidad con la multitud de turistas de visita el domingo por la tarde. Julia llevaba un vestido largo y una blusa blanca e iba tocada con un sombrero modesto pero elegante. Peruggia llevaba un maletín que, examinado con cierto detenimiento, parecería inusualmente grande para un visitante típico de un museo.

Cuando Peruggia no podía oírla, Julia le susurró al oído a Émile una pregunta:

—Tuviste ocasión de probar la llave, ¿no?

—Ni siquiera se supone que estés aquí —replicó él, despreciativo—. No te importa.

—Pero estoy aquí —le espetó ella— y, si esa llave no funciona, ninguno de nosotros podrá salir.

—Limítate a hacer tu trabajo y todo irá bien —dijo Émile antes de apartarse de ella y acercarse a Peruggia.

En ese momento, Peruggia vio al director del museo, *monsieur* Montand, acompañando con deferencia a una anciana pareja de aire arrogante al pie de la escalinata principal del ala Denon. Todos habían contado desde el principio con la posibilidad de encontrarse con Montand, pero habían decidido —habida cuenta de la enorme magnitud del Louvre— que era un riesgo que podían asumir.

Por desgracia, era imposible que supiesen que, los domingos, el director procuraba alternar con las personas de la alta sociedad que solían visitar el museo después de ir a misa por la mañana.

Peruggia bajó la visera de la gorra y condujo a Émile y a Julia hasta más allá de donde estaba el director y subieron juntos la amplia escalinata que llevaba hacia la decapitada *Victoria alada de Samotracia*. Al llegar hasta la imponente estatua, giraron a la derecha para entrar en una estrecha galería iluminada por ventanas abiertas sobre la Cour du Sphinx, un gran patio interior. Al pasar por una exposición de fotografías egipcias en la pequeña sala Duchâtel, Peruggia movió la cabeza para dirigir brevemente su atención a un par de grandes puertas de almacén situadas en la pared.

Llegaron al salón Carré, muy bien iluminado por las claraboyas del abovedado techo rococó. La multitud de personas que trataban de acceder a una buena posición frente a *La Joconde* —segura en su vitrina— era grande incluso para un domingo. Los hombres se tiraban de los cuellos de sus camisas en la caldeada estancia mientras que las mujeres se refrescaban con abanicos de encaje. Repetida en gran número de idiomas, se oía alguna variante de la misma expresión:

—No me imaginaba que fuese tan pequeña.

Los tres se situaron detrás de la muchedumbre.

—En esta multitud podría hacerme con una fortuna —le susurró Julia a Émile.

Él le dirigió una mirada amenazadora.

—Por esto, precisamente, no permiten que se pinten copias los domingos —dijo Peruggia, mirando por encima de los hombros de la multitud—. No hay sitio para que se siente ningún artista.

—Al menos, es fácil mezclarse —comentó Julia.

El italiano miró su reloj.

—Es casi la hora de cerrar —dijo, e hizo una seña a los otros para que lo siguiesen.

Peruggia los condujo por donde habían venido, pero, en vez de girar hacia la sala Duchâtel, continuaron hasta la enorme Galería de Apolo. Aquí, bajo el recargado techo abovedado adornado con una serie de tablas que homenajeaban a Luis XIV, el Rey Sol, esperaron a que hubiese salido el último visitante. Cuando dejaron de oírse los sonidos de las pisadas, Peruggia hizo una seña con la cabeza a los otros y volvieron sobre sus pasos a la sala Duchâtel.

—Aquí es. —Peruggia señaló la doble puerta de almacén que les habían indicado antes. En la planta baja, los timbres anunciaban la hora de cierre.

Peruggia tiró de una de las puertas del almacén para abrirla. La mantuvo abierta y echó un vistazo a la galería mientras Émile y Julia se deslizaban al interior. Tras asegurarse de que nadie los hubiese visto, Peruggia los siguió, cerrando la puerta tras él.

El interior del almacén estaba negro como boca del lobo.

—Esperemos que ese cacharro tuyo funcione —dijo Julia a media voz.

—Funcionará —dijo Émile, sacando de su bolsillo un cilindro de metal—. Al menos, espero que lo haga.

Émile deslizó hacia delante una corredera que estaba sobre el cilindro. Instantáneamente, un rayo de luz se desprendió de su linterna eléctrica de mano.

—¿Lo ves? Funciona.

—¿Pero seguirá funcionando? —preguntó Julia.

—Claro que sí —replicó Émile, algo irritado—, es norteamericana. En esta clase de cosas son muy buenos.

—Yo he traído velas, por si acaso —añadió Peruggia.

El museo permitía a los estudiantes y copistas que guardasen sus trebejos en el almacén, que era del tamaño de un pequeño dormitorio. Cajas, caballetes, pinturas y lienzos ocupaban la mayor parte del espacio.

—¿Dónde vamos a dormir? —preguntó Julia mientras Peruggia y Émile se tiraban al suelo.

—Donde puedas —respondió Peruggia.

—Tú eres la que quería venir —le recordó Émile.

—Vale, mueve los pies; estás ocupando la mitad del almacén —protestó Julia, tratando de tumbarse en una postura cómoda—. Todavía no entiendo por qué no podemos esperar unas horas y coger la pintura por la noche.

—Los suelos crujen —dijo Peruggia—. Los vigilantes que hacen la ronda de noche nos oirían.

Julia le dio una patada a Émile en el pie.

—¡Mueve las piernas!

—¡Cállate! —dijo bruscamente Peruggia—. Escuchad.

Todos contuvieron la respiración. Desde el vestíbulo
llegaba el sonido de unos pasos que se acercaban.

—¡La luz! —susurró Peruggia.

Émile buscó a tientas un momento antes de encontrar el interruptor de corredera y deslizarlo hacia atrás,
sumiéndolos de nuevo en lo que debería haber sido una
oscuridad completa. Sin embargo, un estrecho rayo de luz
penetraba en la estancia. Una de las puertas del almacén
había quedado ligeramente abierta.

Las pisadas se detuvieron y la puerta crujió al abrirse
lentamente. Contra la tenue luz del corredor se proyectaba la forma de un hombre que llevaba un quepis de vigilante. Permaneció inmóvil, mirando en la penumbra.

En ese momento, los pies de Julia, que ella había recogido hacia el cuerpo, se deslizaron de repente hacia delante,
haciendo un chirrido. El vigilante retrocedió alarmado. Un
instante después, un animalito salió disparado por la puerta, pasando sobre los pies del vigilante. Las pisadas retrocedieron rápidamente por el vestíbulo hasta que el único sonido que se oía en la estancia era el de su respiración.

—¿Qué ha sido eso? —dijo Julia en un tenso susurro.

—Una rata —dijo Peruggia.

—No te darán miedo las ratas, ¿no? —preguntó
Émile.

—No si estás tú para protegerme.

—Ella estaba más asustada que nosotros —dijo Peruggia.

—Ahí hay otra —dijo Julia de repente.

Émile dio un salto cuando sintió la cosa que correteaba por su brazo. Con un grito ahogado, buscó a tientas el interruptor de su linterna eléctrica. Deslizó la corredera y vio cómo los dedos de Julia se deslizaban hacia su hombro.

—¡Deja de hacer idioteces! —gruñó Émile—. Nos vas a delatar.

—Lo siento, no pude resistirme.

—Si habéis terminado de jugar —dijo Peruggia—, tenemos que dormir algo. Mañana tenemos mucho que hacer.

Trataron de adoptar unas posturas más cómodas, pero era imposible. Julia se quedó en una postura apretada, casi fetal, haciendo muecas al inhalar el aire húmedo, rancio. Aquella iba a ser una larga noche.

CAPÍTULO 24

LA CERILLA BRILLÓ EN LA OSCURIDAD, DEJANDO UNA nubecilla de humos sulfurosos. Peruggia la levantó y el débil halo de luz reveló a Émile doblado, profundamente dormido, con la cabeza en el regazo de Julia. Julia gimió ligeramente y cambió de postura, pero se resistía a despertar. Peruggia encendió una vela con la cerilla y sacó el reloj. Después de mirar la hora, le dio un golpecito a Émile en el pie.

—Despierta.

Émile no se despertó, pero los ojos de Julia se abrieron, primero uno y después el otro, mientras se adaptaba a la luz de la vela y se reorientaba. Bajó la vista y vio la cabeza de Émile en su regazo. Sonriendo, empezó a acariciarle suavemente el pelo.

—Despierta, dormilón —susurró con exagerada familiaridad.

Émile se movió en busca de una postura más cómoda. Sus ojos parpadearon, miraron los pliegues del vestido de Julia y se cerraron de nuevo.

—¿Cómodo? —preguntó ella.

Émile lanzó un gruñido. Después, sus ojos se abrieron de par en par. De repente, muy despierto, dio un salto, quedándose sentado.

—¿Qué...? —tartamudeó—. ¿Qué estaba...? No me di cuenta...

—Está bien —dijo Julia con una sonrisa de oreja a oreja—. Al menos, no eres una rata.

—Tenías que haberme apartado.

—Pero parecías tan tranquilo —dijo ella con un tono socarrón en su voz—, como un bebé.

—Tenemos que ponernos en marcha —dijo Peruggia.

Peruggia sacó media *baguette* y un botellín de vino de su maletín, que compartieron rápidamente. Después, empezaron a quitarse sus chaquetas mientras Peruggia sacaba tres hatos. Julia comenzó inmediatamente a desabrocharse su camisa. Un poco aturdido todavía, Émile se dio cuenta de que estaba mirándola.

—Quizá deberías encender tu linterna —dijo ella con sorna—. Tendrías una vista mejor.

Aun a la tenue luz, ella pudo ver la mirada mortificada en el rostro de Émile cuando él se dio rápidamente la vuelta.

—Como si me interesara siquiera.

—No te preocupes —dijo Peruggia—, estos blusones lo tapan todo.

—Está muy bien —dijo Julia, haciéndole una mueca a Émile mientras se abrochaba de nuevo la camisa.

Los dos hombres se pusieron unos pantalones bastos sobre los suyos antes de colocarse los largos blusones blancos y las gorras de trabajadores que constituían el uniforme de los empleados de mantenimiento del museo. Julia tuvo que subirse la falda, arrugándola, cuando se puso su pantalón. Por fortuna, el bulto alrededor de la cintura quedaba cubierto por el blusón, que le llegaba casi a las rodillas.

—¿Qué tal estoy? —preguntó, recogiéndose el pelo bajo su gorra.

—Perfectamente —respondió Peruggia.

—Trata de mantener la boca cerrada —añadió Émile adrede—. Aunque ya sé lo difícil que te resulta.

—Alguien se ha levantado con el pie izquierdo —comentó Julia.

Peruggia metió sus chaquetas junto con el sombrero que había llevado Julia en su maletín.

—Estamos preparados. Aseguraos de que no os dejáis nada.

Satisfecho, Peruggia se puso de rodillas al lado de la puerta y escuchó. Hizo una seña a los otros con la cabeza y sopló la vela.

Peruggia abrió la puerta lentamente. El almacén se llenó de la pálida luz de la primera hora de la mañana que entraba por las ventanas que daban a la Cour du Sphinx.

—Tenemos cinco minutos antes de que se abran las puertas del museo —dijo en voz baja.

Émile y Julia se levantaron y siguieron a Peruggia a la sala Duchâtel. Mientras sus ojos se adaptaban a la luz diurna, estiraron con cuidado las extremidades, tratando de desentumecer los músculos después de la larga e incómoda noche. Peruggia comprobó el equipo de

Émile y después el de Julia. Su blusón era grande y su gorra, demasiado grande para su cabeza, pero asintió satisfecho.

—Émile está bien —dijo Peruggia—. Es mejor que nos dejes hablar a nosotros. ¿Estáis preparados?

Julia y Émile se miraron mutuamente y después asintieron con la cabeza.

—Muy bien —dijo Peruggia—. No tardaremos mucho.

Detrás de una de las entradas abovedadas más pequeñas del museo, en el muelle del Louvre, François Picquet miró su reloj de bolsillo. Era casi la hora. Se estiró el traje recién planchado. Como supervisor jefe de mantenimiento, ya no tenía que llevar un blusón blanco y suspiraba por el día en que pudiera permitirse adquirir un traje nuevo. El que llevaba ahora no era exactamente viejo, pero estaba peligrosamente cerca de serlo.

A las siete en punto de la mañana, abrió las puertas de la verja. Inmediatamente, un pequeño ejército de trabajadores vestidos con blusones blancos y mujeres de la limpieza uniformemente vestidas se pusieron en una fila irregular. Los hombres iban primero, tocando cada uno su gorra o boina cuando se comprobaba su nombre en la lista que Picquet tenía en sus manos. A continuación iban las mujeres, elevando sus largas faldas al caminar arrastrando los pies. Hoy era un grupo especialmente grande, como siempre los primeros lunes de mes.

Fuera, un vigilante hablaba con dos turistas muy decepcionados.

—Lo siento —decía, aplicando rígidamente las normas—, pero el museo cierra siempre los lunes.

Escaleras arriba, en el primer piso, Peruggia había ubicado a Émile y a Julia y se había colocado él mismo en distintos sitios en torno al gran rellano presidido por la *Victoria alada de Samotracia*. Esperó hasta que un grupo de trabajadores de mantenimiento subió por la ancha escalinata antes de hacer una seña a los otros. Cuando los trabajadores llegaron al rellano principal y empezaron a ir a derecha e izquierda, Peruggia y Émile salieron y se mezclaron con ellos. Sin embargo, cuando Julia salió de donde se encontraba, detrás de una estatua, se dio de bruces con un hombrón que llevaba un tubo largo al hombro. El hombre soltó un taco sofocado mientras ella retrocedía.

Julia recuperó el equilibrio y se obligó a mantener la cara vuelta hacia el lado opuesto a él.

—¡Mira por donde vas, mastuerzo! —dijo ella, con una voz lo más ronca y baja que pudo.

El hombre soltó otro taco y siguió su camino. Émile miró hacia atrás y, con un seco movimiento de cabeza, le indicó que se pegara a ellos. Los tres atravesaron la sala Duchâtel, giraron hacia el salón Carré y se dirigieron a *La Joconde* mientras los trabajadores de mantenimiento seguían pasando tras ellos. Durante un momento, permanecieron en silencio ante la pintura, con la mirada fija en los ojos penetrantes aunque evasivos de la dama.

—¿Y ahora, qué? —murmuró Julia.

—Ahora —dijo Peruggia lenta y deliberadamente, sin quitar los ojos de la pintura— la descolgamos de la pared.

Julia se volvió hacia él.

—¿Eso es todo? —dijo ella—. ¿Ese es tu plan? ¿Descolgarla de la pared?

Peruggia volvió lentamente la cabeza hacia ella y le dirigió una dura mirada. Después observó a Émile y habló en un tono bajo, de advertencia:

—Y procura que no se te caiga.

Julia miró con aprensión alrededor mientras Peruggia ponía su maletín en el suelo y él y Émile tomaban posiciones a ambos lados de la vitrina. Sosteniendo el marco, los dos hombres empezaron a levantarla de la pared.

Émile hizo una mueca.

—No sabía que fuese tan pesada.

—Te lo dije —dijo Peruggia—. Solo la vitrina pesa casi cuarenta kilos.

Émile sacudió la cabeza.

—No sale.

—Tenemos que levantarla juntos.

—Tened cuidado —añadió Julia.

Émile la miró.

—Gracias por el consejo.

—¿Estás preparado? —preguntó Peruggia—. Contaré hasta tres.

—Quieres decir uno, dos, tres y después arriba o uno...

Pero Peruggia ya había comenzado su cuenta.

—¡Uno, dos, tres!

Juntos levantaron la vitrina de sus escarpias. Émile, sin embargo, no se había preparado adecuadamente para el peso, tropezó y se tambaleó, tratando desesperadamente de mantenerla agarrada. Julia avanzó rápidamente y consiguió aguantar la vitrina, evitando que se le escapara de las manos.

—Ponedla en el suelo —dijo Peruggia, y los tres la bajaron suavemente hasta el suelo. Julia observó a Émile, pero sus miradas solo se cruzaron un instante.

—¡Bienvenida! —dijo ella.

Peruggia miró alrededor. Había otras cuatro personas en la sala, todas mujeres de la limpieza: dos barriendo el suelo y dos limpiando los cristales de otras vitrinas. Ninguna de ellas parecía especialmente interesada por el hecho de que tres tipos de mantenimiento acabaran de retirar de la pared la pintura más famosa del Louvre.

—¿Preparado? —preguntó Peruggia.

Émile asintió con la cabeza y los dos hombres se arrodillaron, volvieron a agarrar la vitrina por cada extremo y la levantaron del suelo. Ajustaron su forma de agarrarla para equilibrar el peso entre ellos y la levantaron del suelo y empezaron a recorrer la galería arrastrando los pies como un par de cargadores de muebles, yendo Peruggia hacia atrás. Julia recogió el maletín del italiano y los siguió. Solo tuvieron que dar unos pasos hasta llegar al final del salón Carré y a la entrada de la Grande Galerie. Sin embargo, antes de que pudieran atravesarla, Picquet, el supervisor de mantenimiento, se detuvo de repente en la esquina cortándoles el paso.

—¿Qué es esto? —preguntó Picquet—. ¿Adónde vais?

Sabiendo que lo reconocería, Peruggia solo pudo bajar la cabeza y mirar al suelo. Émile abrió la boca para hablar, pero no le salió ni palabra.

—¿Y bien?

Julia dio un paso adelante.

—Estamos llevándolo al estudio de los fotógrafos —dijo con voz áspera.

La pausa que siguió pareció extenderse al infinito.

Finalmente, Picquet habló:

—¿Otra vez? ¿No le han hecho ya bastantes fotografías?

Julia se encogió de hombros.

—Yo hago lo que me han dicho.

—En todo caso, ¿quién eres? —preguntó Picquet—, ¿uno de los chicos nuevos?

—Acabo de empezar hoy —respondió Julia.

Picquet la miró de arriba abajo y después se volvió a los otros.

—Muy bien. —Se hizo a un lado—. ¡Adelante! —Mientras lo dejaban atrás arrastrando los pies, Picquet añadió—: Pero decidles que la próxima vez me lo hagan saber de antemano.

Una vez dentro de la Grande Galerie, el trío giró de inmediato a su derecha, entrando en una galería larga y estrecha conocida como la sala des Sept-Mètres. Inmediatamente a su derecha había una puerta doble con las palabras «ACCÈS INTERDIT»[1] grabado en ellas. Julia tiró de una de las puertas, abriéndola, y los dos hombres llevaron la vitrina a un pequeño rellano, delante de una escalera que llevaba a la planta inferior. Con una rápida mirada alrededor para asegurarse de que nadie los estaba mirando, Julia los siguió, cerrando la puerta tras ella.

—Por los pelos —dijo Émile mientras Peruggia y él bajaban al suelo la vitrina.

---

[1] Prohibido el paso. *(N. del T.)*

—Yo no podía hablar —dijo Peruggia—. Habría reconocido mi voz.

—¿Y cuál era tu excusa? —preguntó Julia, incisiva—. ¿Te comió la lengua el gato?

—Tenemos trabajo que hacer —dijo Peruggia antes de que Émile pudiera responder.

Peruggia se puso de rodillas y sacó algunas herramientas de su maletín.

—¿Cuánto tiempo tenemos? —preguntó Julia.

—Con suerte, toda la mañana —replicó Peruggia mientras metía una palanca en una junta de la vitrina.

—¿Y qué hacemos si a alguien se le ocurre hacer una visita al estudio de los fotógrafos? —preguntó Émile con una mirada a Julia.

—Eso —comenzó Peruggia, tratando de sacar la cubierta trasera de la vitrina— iría más bien por el lado de la mala suerte.

—Es lo único que se me ocurrió —dijo Julia—. Recordé lo que contó Diego de su amigo.

—Hiciste bien —dijo Peruggia cuando saltaba un clavo de la cubierta trasera y tintineaba en el suelo—. Pon la mano ahí y tira —le dijo a Émile.

Émile metió los dedos en la ranura que se ensanchaba entre la cubierta trasera y el marco de la vitrina y tiró. Con un crujido, la cubierta se aflojó, revelando la parte trasera de la tabla. Julia se fijó en la reparación en forma de crucifijo mientras Peruggia la retiraba de la vitrina. Sacó un pequeño destornillador y quitó cuatro tornillos pequeños que unían unos tirantes metálicos con los tirantes cortos de madera pegados al dorso de la tabla, sacándola del marco. Le dio la vuelta a la tabla y se quedó mirándola un momento. Después, levantó la vista hacia Émile y Julia con una expresión de tranquila satisfacción.

—Ahora parece aún más pequeña —observó Julia.

—Y eso es bueno para nosotros —dijo Peruggia.

Émile arrimó a la pared el marco y los restos de la vitrina, dejándolos en un rincón oscuro del rellano. Peruggia se levantó y deslizó la tabla bajo su largo blusón blanco. Una atenta observación permitiría distinguir una forma rectangular, pero la pintura quedaría bien oculta a los ojos de un observador casual.

Peruggia hizo una seña con la cabeza a los otros y los condujo escaleras abajo. Tras una serie de vueltas y revueltas, llegaron a otra puerta.

—Esta es la que da al patio —dijo Peruggia.

Agarró el picaporte y trató de girarlo. Como preveía, estaba cerrada con llave.

Peruggia se volvió hacia Émile.

—La llave.

Émile sacó del bolsillo una brillante llave nueva de latón y la metió en la cerradura. Durante un momento le costó introducirla.

—¡Date prisa! —dijo Julia.

Probó de nuevo y esta vez entró del todo. La giró. Se movió solo una fracción antes de quedarse como bloqueada. Émile hizo más fuerza, pero, a pesar de sus intentos, la llave no giraba en la cerradura.

Peruggia y Julia estaban paralizados, mirándolo.

—Está un poco dura —dijo Émile, tratando de girarla con todas sus fuerzas. Seguía sin moverse.

—Creí que habías dicho que la probarías antes —dijo Julia.

—No dije nunca que la hubiese probado. —Émile movió la llave frenéticamente—. Quise hacerlo, pero siempre había demasiada gente alrededor.

—No me lo creo —rezongó Julia.

—Es una copia exacta. —Émile empleó toda su fuerza esta vez—. Tiene que funcionar.

Nada.

—Quizá cogieras otra llave —le dijo Émile a Julia.

—No —dijo Peruggia—, las llaves grandes que llevan los vigilantes sirven para todas las puertas exteriores.

El pánico asomó en la voz de Émile.

—Entonces, quizá hayan cambiado la cerradura.

—Tenemos que conseguir que la puerta se abra ahora mismo —dijo Julia.

Peruggia señaló el maletín que llevaba Julia.

—Pásame eso.

Abrió el maletín y sacó un gran destornillador. Empujó a Émile a un lado, se puso de rodillas y empezó a desatornillar la placa del picaporte.

—Os lo aseguro —dijo Émile—, tiene que pasarle algo a la cerradura. La llave tenía que haber funcionado.

—Escuchad —murmuró Julia, poniendo una mano en el hombro de Peruggia—. ¿Oís eso?

Se quedaron paralizados. La mirada de Julia se dirigió de Émile a Peruggia mientras el miedo se apoderaba de su corazón.

Un repiqueteo de pisadas llegaba desde la escalera. Alguien se acercaba.

CAPÍTULO 25

ÉMILE MURMURÓ, FRENÉTICO:

—¡Rápido!

Peruggia continuó trabajando con el destornillador.

—Casi lo tengo —dijo.

Las pisadas se oían cada vez más fuertes.

—¿Qué hacemos ahora? —preguntó Julia, con la voz entrecortada por la desesperación.

—*Santa Maria!* —exclamó Peruggia mientras el picaporte quedaba suelto y caía al suelo en un repiqueteo. En ese mismo momento, un hombre daba la vuelta a la esquina, llegaba al rellano y se paraba en seco.

Tendría sesenta y tantos años, el pelo ralo de color gris y un gran mostacho blanco en forma de U. Asimilando la escena a través de unos ojos legañosos y saltones, parecía un retrato de Rembrandt que hubiera cobrado vida. Su blusón manchado y la gran llave inglesa de fontanero que llevaba en una mano revelaban su profesión.

Nadie se movió ni habló. El fontanero bajó la vista hacia el mecanismo de la cerradura allí tirado y suspiró.

—Creíais que ya habrían arreglado esta puerta —dijo con resignado cansancio—. ¿Tenéis unos alicates?

Intercambiando miradas con los otros, Peruggia sacó unos alicates de su maletín y se los ofreció. El fontanero dejó en el suelo su llave inglesa, cogió los alicates y los cerró sobre el mecanismo. Con la otra mano, sacó una llave de un bolsillo de su blusón y la introdujo en la cerradura. Movió los alicates y la llave hasta que oyó un claro y satisfactorio clic. Después empujó la puerta entreabierta, dejando que entrara un rayo de luz exterior.

—Mejor dejarla abierta —dijo el viejo fontanero mientras le devolvía los alicates a Peruggia— por si acaso alguien más tiene que pasar por aquí.

Y con un cansado movimiento de cabeza, se guardó la llave en el bolsillo, recogió su llave inglesa y continuó escaleras arriba.

Los tres miraron cómo desaparecía a la vuelta de la esquina antes de mirarse unos a otros.

—Bueno —dijo Julia, saliendo por la puerta por delante de los dos hombres—, seguidme.

—Eso ha sido un golpe de suerte —dijo Émile siguiéndola.

Peruggia se limitó a gruñir en señal de acuerdo mientras seguía a Émile a un pequeño patio abierto, rodeado por unos arbustos espesos y grandes. Al fondo del patio, un largo corredor abovedado llevaba a la calle. A través de esta pequeña arquería, podían ver el muelle del Louvre y el puente del Carrusel cruzando el Sena.

—Este patio no tiene acceso a las zonas principales del museo, por lo que no está vigilado —dijo Peruggia.

—¿Sí? —dijo Julia—. Entonces, ¿quién es aquel?

Julia señaló con la cabeza en dirección al corredor. Peruggia y Émile se volvieron a tiempo de ver a un vigilante uniformado que salía de una pequeña garita acristalada colocada en el muro, hacia la mitad de la arquería. Ellos retrocedieron hasta quedar detrás de los arbustos mientras el vigilante estiraba los brazos y los hombros antes de desaparecer en el interior.

—Nunca podremos pasar —dijo Émile.

—Esto es nuevo —añadió Peruggia— y es una mala suerte para nosotros.

—Entonces, es el momento de empezar a crear nuestra propia suerte —dijo Julia.

Se quitó la gorra, se subió el blusón de trabajador, sacándoselo por la cabeza, y dejó el pantalón basto. Le entregó la ropa a Émile, se estiró la falda y se soltó el pelo.

—Dame mi chaqueta y mi sombrero.

Peruggia extrajo los artículos del maletín y ella se los puso, ajustándoselos lo mejor que pudo.

—Dadme cinco minutos —dijo ella.

—¿Qué vas a hacer? —preguntó Émile.

—No me quites los ojos de encima y lo descubrirás al mismo tiempo que lo hago.

Julia fue bordeando la pared hasta el corredor abovedado y lentamente fue asomando la cabeza por la esquina para ver la garita del vigilante y la calle tras ella. Él estaba dentro, apoyado en un escritorio elevado, dándole la espalda a ella. Volviéndose brevemente para mirar a Peruggia y a Émile, inspiró profundamente. Después, con mucho cuidado, salió de su escondite de cara al patio y de espaldas al corredor y la calle. Mirando por encima del hombro, con los ojos fijos en la garita, empezó a caminar lentamente de puntillas hacia atrás.

Émile y Peruggia intercambiaron unas miradas desconcertadas.

—¿Qué está haciendo? —murmuró Émile.

Peruggia se encogió de hombros y sacudió la cabeza.

Con unos pasos medidos, Julia fue dándose la vuelta, forzando el cuello para tener siempre a la vista el cogote del vigilante. Bastaría con que permaneciera así un poco más. Solo unos pasos más para salir.

El hombre cambió de postura. Julia se detuvo, conteniendo la respiración, pero no se volvió. Esperó unos segundos antes de continuar andando hacia atrás. Tras dar unos cinco o seis pasos más, estaba casi al nivel de la garita cuando pisó un canto rodado más bien grande, provocando un ruido sobre los adoquines que tenía bajo los pies. Una fracción de segundo antes de que el vigilante se volviera, ella giró la cabeza para mirar hacia delante y en dirección inversa, de manera que ahora caminaba normalmente desde la calle hacia el patio.

—*Mademoiselle* —dijo el vigilante, sorprendido—, no la he visto llegar. No puede entrar por aquí.

—¡Oh! —dijo Julia, con unos ojos abiertos de par en par que destilaban inocencia—. ¿No es esta la entrada al museo?

—No, desde luego que no —replicó el vigilante, saliendo de su garita—, y, además, hoy el museo está cerrado.

El vigilante tendría unos cuarenta años y lucía un recortado bigote del ancho de un lápiz. Su ajustado uniforme, brillante por el uso, probablemente le hubiese quedado perfectamente diez años antes.

—¡Oh, tenía tantas esperanzas de ver todos esos hermosos cuadros...! —susurró ella.

—Lo siento, *mademoiselle* —dijo el vigilante—, pero tiene que volver mañana y utilizar una de las entradas principales.

—¡Oh!, pero estoy aquí ahora —dijo ella, haciendo un mohín—. ¿No podría saltarse un poquito las normas... solo por mí?

—Es... no es posible —dijo el hombre, descomponiendo un poco su fachada oficial—. El museo está cerrado.

—¡Qué lástima! —dijo ella, con un aire de resignación—. Y, encima, creo que me he perdido.

—Está usted en el museo del Louvre, *mademoiselle,* como debe de saber.

El hombre se estiró la guerrera, en un vano intento de presentar un aspecto de mayor autoridad.

—Claro. Pero después del museo, tenía que visitar a una amiga en la *rue* de Chartres y no tengo ni idea de dónde está.

De repente, el rostro del vigilante se iluminó.

—¡Ah!, en eso sí puedo ayudarla. Tengo un plano.

—¡Un plano! —repitió Julia, como una niña entusiasmada—. ¡Qué suerte que estuviera usted aquí! ¡Y con un plano, nada menos!

—Por supuesto —dijo él, radiante—. Aquí está; yo le indicaré.

La garita era pequeña; difícilmente cabían en ella dos personas. El vigilante entró primero. Mientras Julia daba unos pasos tras él, miró hacia el patio. Peruggia la estaba observando, con la cabeza ligeramente asomada tras un arbusto. Con un pequeño gesto con la mano, ella le hizo una seña.

—Veamos, la *rue* de Chartres —dijo el vigilante, desplegando un plano en la estrecha balda que le servía de escritorio—. Tengo que admitir que no estoy muy familiarizado con él.

—¡Oh, es muy pequeña! —dijo Julia—. Quizá ni siquiera figure en su plano.

—No —dijo él con gran confianza—, si está en París, estará en el mapa.

Mientras el vigilante miraba el plano desplegado entornando los ojos, Julia echó una mirada furtiva tras ella. Peruggia y Émile pasaban lenta y silenciosamente de puntillas bajo la arquería hacia la calle. Con cuidado, ella cambió ligeramente de postura para evitar que el vigilante pudiera verlos mientras pasaban frente a la garita.

—Es usted muy amable, *monsieur* —dijo Julia con una voz cantarina.

—*De rien, mademoiselle.* A ver si puedo encontrar su calle...

Julia volvió a mirar hacia atrás. Peruggia y Émile estaban casi al nivel de la puerta de la garita, pero en cuestión de segundos estarían en una posición en la que sería casi imposible que el vigilante no los viera.

Julia echó un vistazo alrededor del diminuto reducto. Lanzó el brazo frente a la cara girada del vigilante y señaló la pared trasera.

—¿Qué es eso?

—¿Eh? —dijo el vigilante, quedando bloqueada su visión del corredor por el brazo estirado de Julia.

—Eso. En la pared.

El vigilante se volvió para mirar. El dedo de Julia señalaba una hoja de papel pegada con una chincheta en un soporte vertical de madera. Garrapateada en ella había una lista de nombres y horas.

—¿Qué? ¡Ah!, es nuestro cuadrante, *mademoiselle,* con los nombres de todos los vigilantes y sus horas de servicio.

—¿Dónde está usted? —preguntó Julia, como si fuese lo más fascinante del mundo.

—Ese soy yo —dijo el vigilante, señalándolo, orgulloso—. Alfred Bellew. Desde las siete de la mañana hasta las doce.

—¡Qué emocionante! —exclamó Julia, echando un vistazo hacia atrás a tiempo de ver que Émile y Peruggia salían a la calle.

—Sí —dijo el vigilante, un poco inseguro acerca de cómo reaccionar—. Pero el plano... todavía tenemos que encontrar su calle.

Julia miró de reojo el mapa y escogió al azar el nombre de una calle cercana al museo.

—¡Oh, qué tonta soy! —dijo—. Es la *rue* Bonaparte, no la *rue* de Chartres.

—Pero eso está aquí al lado. —El vigilante indicó un punto en el plano—. Cruce el puente del Carrusel y gire a la izquierda. La calle es la segunda a su derecha. No tiene pérdida.

—No sé cómo agradecérselo, *monsieur* —ronroneó Julia mientras salía de la garita y se encaminaba hacia la calle—. Ha sido usted muy, muy amable y, permítame decírselo, es usted muy guapo también.

Esto produjo el efecto deseado de ruborizar aún más al hombre.

—Bueno, puede decirlo, por supuesto, pero la amable es usted y verdaderamente encantadora, si me permite el atrevimiento.

—Me parece que está tratando de cautivarme, *monsieur* —dijo Julia con una sonrisa coqueta y un gesto de desaprobación con el dedo—. Y, si es así, lo está consiguiendo.

Ya entonces había llegado hasta la calle con el vigilante siguiéndola como un perrito faldero.

—Quizá, cuando vuelva mañana para ver los cuadros —añadió ella—, pueda acercarme y hacerle una visita.

—Estaría encantado, *mademoiselle* —dijo él—. Es más, venga por esta puerta y la dejaré pasar al museo sin que tenga que pagar.

Ella comenzó a andar por la calle y se volvió para mirarlo.

—No querría causarle ningún problema.

—La esperaré —respondió él.

Con un movimiento final de la mano, ella le mandó un beso. El hombre se quedó mirándola un momento mientras ella cruzaba la calle hacia el puente del Carrusel. Después, dejó escapar un profundo suspiro antes de volver a regañadientes a su puesto.

Caminando con brío por el puente, Julia examinó la multitud que paseaba por el muelle Voltaire, pero no había rastro de Émile y Peruggia. Sin duda, Peruggia se había apresurado a seguir adelante para encontrarse con *madame* Charneau, que los estaba esperando en el automóvil de Valfierno en la *rue* de los Saints-Pères. Émile iría con él, a sabiendas de que era imprescindible no perderlo de vista ahora que tenía la pintura.

Al llegar a la margen izquierda, pasó por delante de un artista callejero que voceaba una serie de copias de pinturas de factura un tanto grosera.

—¡Oferta especial! —decía el hombre, sosteniendo una patética copia de *La Joconde*—. ¡Quince francos solamente para la dama!

—No, gracias, *monsieur* —dijo Julia, apretando el paso—. Ya tengo una.

Capítulo 26

ADAME CHARNEAU CASI NO HABÍA TENIDO TIEM-
po de abrir la puerta de su casa, en la *cour* de
Rohan, cuando Peruggia la empujó, entrando en
el vestíbulo. Sacó la tabla de debajo del blusón y subió la
escalera a toda velocidad, apretándola fuertemente contra
su pecho. Los demás entraron en la casa a tiempo de oír la
puerta de su habitación cerrándose tras él.

—¿Qué le ha entrado? —dijo Émile en voz baja—.
No ha dicho una sola palabra desde que salimos del museo.

—Creí que tendríamos más tiempo para hacer el
cambio —dijo *madame* Charneau.

—¿Dónde pusiste la copia? —preguntó Émile a Julia.

—En el ático —respondió ella—. Vamos a tener que
trabajar rápido.

Julia condujo a Émile escaleras arriba. En el primer piso, se detuvieron ante la habitación de Peruggia.
Émile hizo una seña con la cabeza a Julia, que llamó a la

puerta. Pasado un momento, la puerta se abrió unos centímetros y Peruggia miró.

—¿Sí? ¿Qué queréis?

Julia creyó detectar un elemento de suspicacia en su tono.

—Entrar —dijo Émile lo más alegremente que pudo.

—¿Por qué?

—Para celebrarlo, claro —intervino Julia.

Peruggia dudó un momento antes de abrirles la puerta. Inmediatamente retrocedió hasta una maleta abierta que había sacado de debajo de su cama. La pintura estaba sobre el colchón boca arriba. Peruggia se arrodilló, levantó la tabla y la colocó en la maleta.

—Deberíamos pensar en un lugar seguro para esconderla —sugirió Julia.

—Quizá deberíamos guardarla en el ático —dijo Émile, como si se le acabara de ocurrir la idea.

Peruggia no dijo nada. Cubrió la tabla con unas camisas dobladas, bajó el cierre y cerró la maleta con llave.

—Aquí estará segura —dijo él, deslizando la maleta bajo la cama. Se levantó y guardó la llave en el bolsillo de su chaqueta—. No voy a salir de la habitación. Comeré aquí.

—No es necesario —dijo Émile—. Realmente, creo que en el ático...

Pero Peruggia lo detuvo con una mirada glacial.

—Le dije al marqués que esperaría y esperé. Pero no para siempre. La próxima vez que salga de esta habitación será para devolver *La Gioconda* a su hogar, adonde debe estar.

—Por supuesto, pero... —empezó a decir Émile, pero Julia le cortó.

—Estoy segura de que, si el *signore* Peruggia la vigila, estará perfectamente segura —dijo ella con una sutil mirada a Émile—. Después de todo, sin él, todavía estaría colgada en el museo. De hecho, todos le estamos muy agradecidos. —Y después, sin previa advertencia, se volvió y echó los brazos rodeando a Peruggia, cogiéndolo por sorpresa en un fuerte abrazo.

—Bueno, me parece que todos tenemos que estar cansados —dijo ella, retirándose, cogiendo a Émile y retrocediendo hasta la puerta—. Quizá debamos posponer nuestra celebración para otro momento. Gracias por todo lo que ha hecho, *signore.*

En cuanto la puerta se cerró tras ellos, Peruggia se sentó en la cama. Todavía con los zapatos puestos, levantó las piernas y se tumbó de espaldas, mirando al techo.

Émile apartó a Julia de la puerta y le susurró frenéticamente:

—¿Y ahora, qué?

Julia abrió la palma de la mano, dejando ver la llave de la maleta de Peruggia. Émile sonrió.

—Tendré que devolvérsela cuando le suba la comida —dijo ella—, así que sé rápido. Y asegúrate de hacerlo bien esta vez.

—No te preocupes —dijo Émile, confiado—. Esta será mi obra maestra.

CUARTA PARTE

¡Mal haya cuando los ladrones
no pueden fiarse el uno del otro!

SHAKESPEARE, *Enrique IV, I parte.*

CAPÍTULO 27

PARA LOUIS BÉROUD, LOS MARTES NUNCA VARIABAN. Se enorgullecía de ser el primero de la fila cuando el Louvre abría sus puertas y siempre pasaba el día sentado frente a esta o aquella obra maestra, tratando de emular las pinceladas del artista. Esta mañana, sin embargo, le retrasó un problema con su patrona. Iba a aumentarle la renta el primero del mes siguiente. Era este un anuncio con consecuencias potencialmente catastróficas.

Monsieur Béroud había planificado su vida para que fuese tan previsible como una ecuación matemática. Diez años atrás, un tío lejano había fallecido y le había legado una modesta herencia. Era suficiente para liberarlo de las limitaciones normales de un empleo fijo y permitirle el capricho de dedicarse a su pasatiempo favorito: pintar. Sin embargo, esto no ocurría sin sacrificio por su parte. Su herencia solo duraría si él vivía en las condiciones más espartanas. Tenía alquilado un ático de una sola habitación en el barrio de Montparnasse; su guardarropa constaba únicamente de seis artículos, y su comida era a base de sopa, pan, queso y el más barato de los vinos tintos baratos. Estas economías le compraban el tiempo necesario para pasar sus días deambulando por París, pintando lo que le apeteciera. Los martes los pasaba siempre en el Louvre. Aunque su talento era mínimo, su aprecio por los cuadros era prodigioso, y esto era suficiente para *monsieur* Béroud.

Se tomó el tiempo necesario para recordar a su patrona que había sido un inquilino leal durante ocho años y no tenía intención de pagar más de lo que ya le había causado llegar al museo diez minutos después de que abrieran las puertas. Cuando llegó al almacén de la sala Duchâtel, ya había formada una cola y se vio obligado a esperar a que los artistas que habían llegado antes recogieran sus instrumentos antes de poder recoger él los suyos. Bajo la mirada atenta de un vigilante del museo, el grupo de ocho o nueve hombres recogió sus caballetes, sus pinturas y sus pinceles del almacén. Cuando, por fin, le tocó el turno a Béroud, vio a un hombre cuyo nombre había olvidado que todavía estaba rebuscando entre los materiales.

—Béroud —dijo el hombre—, mis pinceles no están donde los dejé. ¿Te falta alguno de los tuyos?

—No, aquí están todos —dijo Béroud cuando reunió rápidamente sus trebejos y dejó al hombre que rezongaba para sí en el almacén.

Tratando de recuperar el tiempo perdido, Béroud entró a paso rápido en el salón Carré y le agradó notar que nadie más había optado por ponerse allí esa mañana. Se detuvo en su punto favorito, dejó sus cosas en el suelo y abrió una pequeña banqueta de lona. Desplegó su caballete, colocó en él una pequeña tabla de madera y preparó su paleta, sus pinturas y sus pinceles. Satisfecho, se sentó e hizo los ajustes finales. Solo entonces levantó la vista a la pared.

Su rostro se descompuso por la decepción. Entre el Correggio de la izquierda y el Tiziano de la derecha no había nada sino cuatro escarpias de hierro y una forma rectangular fantasmagórica en la que la pared estaba ligeramente más oscura. *La Joconde* no estaba.

Béroud buscó inmediatamente a un vigilante para quejarse. El vigilante informó a *monsieur* Montand. El director del museo lo comprobó por sí mismo, pero solo se irritó levemente al ver el espacio vacío en la pared. Mandó llamar a *monsieur* Picquet, el jefe de mantenimiento, y le pidió una explicación.

—No hay de qué preocuparse, *monsieur* —le dijo Picquet al director con aire confiado—. Ayer, los fotógrafos bajaron *La Joconde* a su estudio.

Al director, que, en general, no aprobaba la moderna ciencia de la fotografía, no le gustó oír esto.

—No hacía dos meses que lo habían bajado. ¿Cuántas más fotografías infernales necesita?

La pregunta no requería respuesta alguna, pero Picquet no estaba muy al tanto de las cuestiones más finas de la retórica.

—No lo sé, *monsieur le directeur.*

Aumentando por minutos su irritación, pasando por el entresuelo y la planta baja, Montand bajó al laberinto de catacumbas en el nivel más bajo del museo, lo que quedaba de la fortaleza medieval sobre la que el rey Felipe II había construido su palacio original. Al llegar al final de un pasillo de arenisca escasamente iluminado, irrumpió en el estudio de los fotógrafos e inmediatamente le impactó el fuerte olor de los productos químicos utilizados para revelar las placas de cristal. *Monsieur* Duval, el fotógrafo oficial del museo, estaba colocando una de las nuevas placas Autochrome, desarrolladas por los hermanos Lumière, en una gran cámara de fuelle. Un Rubens descansaba en un caballete situado frente a él. Un joven aprendiz estaba de pie, a un lado, preparado para hacer los ajustes precisos.

—Ya le había advertido previamente —empezó Montand con su voz más oficial— de que tenía que informarme al menos un día antes de retirar alguna de las obras principales.

Duval le dirigió a Montand una mirada desdeñosa antes de volver a su trabajo.

—Le hablé de esta la semana pasada —dijo, con una voz que sugería que no le gustaban las interrupciones sin motivo.

—No me refiero a esta —dijo Montand, cuya impaciencia aumentaba por momentos—. *La Joconde.*

—No estará en nuestra lista durante varios meses. Se lo haremos saber con tiempo suficiente.

—¡Necesito que vuelva a su sitio inmediatamente!

—Puede que sí, pero no puedo hacer nada al respecto.

La actitud despreocupada del hombre irritaba aún más a Montand.

—¿Se da cuenta de que hoy es martes? ¡La mitad de los estudiantes de arte de París estarán aquí antes de que finalice la mañana con la idea de copiarla!

—Ese no es mi problema, *monsieur* —dijo Duval mientras ajustaba la lente en su cámara.

—¡Ah!, pero en eso se equivoca. Es mi problema, y lo que es mi problema es su problema.

Duval se encogió de hombros.

—Aun así, no puedo ayudarlo.

—¿Y por qué no?

—Por la evidente razón de que no está aquí.

—¿Qué quiere decir con que no está aquí?

—Es una simple afirmación, *monsieur,* aunque no tengo inconveniente en repetírsela: no está aquí.

Montand empezó a respirar en cortas y rápidas boqueadas.

—Entonces, si no está aquí —dijo, tratando en vano de suprimir su creciente ansiedad—, ¿dónde está?

Una hora después, el inspector Alphonse Carnot de la Sûreté irrumpía en el salón Carré con cuatro agentes elegantemente vestidos a la zaga. *Monsieur* Montand, flanqueado por los vigilantes jefe del museo, lo esperaba en el centro de la sala.

—Inspector —comenzó Montand, pero Carnot le cortó.

—*Monsieur le directeur* —empezó a decir el inspector con dureza—, ¿por qué veo todavía a gente que pulula por las otras galerías? Tenía que haber cerrado el museo ya.

—Eso habría sido completamente inútil —dijo Montand, un poco nervioso—. Hemos cerrado el ala Denon, por supuesto, pero no veía razón alguna para causar una alarma indebida.

—Hay que cerrar todo el museo a la vez —continuó Carnot—. El comisario de policía en persona se reunirá con nosotros en una hora. No le gustará nada si no está cerrado.

A Montand no le satisfacía en absoluto este giro de los acontecimientos. Todavía era posible que el cuadro estuviese mal colocado en alguna parte del museo. Hacer salir ahora a todos los visitantes del museo podría ser una reacción excesiva.

—Bien —dijo Carnot—, ¿a qué espera?

A regañadientes, Montand se volvió a su vigilante jefe.

—Haga lo que dice.

—Pero, *monsieur le directeur...* —comenzó el vigilante.

—¡Ahora mismo! —ordenó Montand.

El vigilante se cuadró, dio media vuelta y se ausentó rápidamente.

—Ahora —dijo Carnot, satisfecho y con aire de suficiencia—, ¿procedemos?

Cuando los últimos contrariados visitantes salieron escoltados del museo, el mismísimo comisario de la Sûreté, Jean Lépine, acompañado por un pequeño séquito de ayudantes vestidos de paisano, hizo su entrada en el ala Denon. No le llevó mucho tiempo localizar al inspector Carnot en el salón Carré. Con un metro ochenta centímetros de estatura, la cabeza afeitada y, en compensación, un mostacho en forma de U invertida, Lépine sobrepasaba al inspector en más de una cosa.

—¡Inspector Carnot —bramó, prescindiendo de formalidades—, su informe, por favor!

—Señor comisario —empezó Carnot—, el jefe de mantenimiento, Picquet, informa que vio un grupo de tres hombres vestidos de porteros que llevaban el cuadro ayer por la mañana. El museo está cerrado siempre los lunes para...

—Sí, sí —lo interrumpió el comisario—, ¡continúe con su informe!

Carnot se aclaró la garganta.

—Estos hombres informaron a Picquet que lo estaban transportando al estudio de los fotógrafos escaleras abajo, un movimiento rutinario. Nunca llegaron a entregarlo. En mi opinión, señor comisario, este fue un trabajo hecho desde dentro.

El comisario dirigió a Montand una mirada desdeñosa antes de volverse hacia Carnot.

—Resolver este delito lo más rápidamente posible y recuperar *La Joconde* es de máxima importancia. No toleraré errores en esta investigación.

—Naturalmente que no, señor comisario.

Con un perfecto sentido de la oportunidad, un joven agente uniformado se detuvo, se cuadró y saludó al comisario.

—Inspector —comenzó, dirigiéndose a Carnot—, algunos de los copistas informan que sus utensilios han sido desplazados en el almacén.

—Los ladrones deben de haberlo utilizado como escondite antes del robo —observó Carnot.

—También hemos localizado el marco vacío y su vitrina en el hueco de una escalera —continuó el agente—.

Y además, hemos encontrado una huella dactilar en el cristal.

—¡Excelente! —exclamó Carnot—. Ahora los tenemos.

—¿Una qué? —preguntó, impaciente, el comisario.

—Una huella dactilar, señor comisario —explicó Carnot, regodeándose en la evidencia de que él sabía algo que desconocía su superior—. Es una nueva ciencia. Las líneas de las huellas de los dedos de cada hombre son diferentes de las de todos los demás y...

—¿Pero cómo nos ayudará eso? —preguntó el comisario.

—Previendo esta eventualidad, el año pasado tomé las huellas de todos y cada uno de los empleados del museo. Si, como sospecho, este es un trabajo realizado desde dentro, tendremos a nuestro hombre en un día, se lo prometo.

—Ocúpese de hacerlo —dijo el comisario.

Carnot solo pudo sonreír, incómodo. Ahora no tenía otra opción que cumplir su precipitada promesa.

Capítulo 28

La prefectura de policía compartía la Île de la Cité con tres edificios que databan de la Edad Media y definían el alma de París: la imponente Conciergerie, la iglesia de la Sainte-Chapelle y el más divino de los edificios: la catedral de Notre-Dame. La isla y su hermana, la Île Saint-Louis, estaban amarradas en medio del río Sena como dos majestuosas señoronas. Siempre habían sido el corazón, la cuna de París, el centro espiritual de toda Francia. Aquí, las legiones romanas conquistaron la tribu de los parisios poco después del tiempo de Cristo; aquí, los habitantes originales de la ciudad se refugiaron de los ataques de los bárbaros y de los vikingos; aquí, en la misma Conciergerie, María Antonieta pasó sus horas finales antes de su cita fatal con *madame Guillotine,* y aquí, el inspector Carnot esperaba impresionar al comisario de policía Lépine mostrándole al hombre que había robado *La Joconde.*

El inspector estaba frente a una pared blanca en una sala del tercer piso de la prefectura. En medio de la sala, un joven agente llamado Brousard, que ayudaba a menudo a Carnot, preparaba dos primitivos proyectores, conocidos como *linternas mágicas,* encima de una mesa. Otro agente estaba preparado al lado de la ventana y, a una mesa separada, estaba sentado el comisario Lépine en persona junto con varios miembros de su plana mayor. Por desgracia, un cambio repentino en la agenda del comisario había impedido un ensayo completo de la presentación. A pesar de ello, y de un hormigueo de excitada aprensión, Carnot se sentía confiado. Sabía que el comisario era escéptico con respecto a las llamadas innovaciones científicas y que solo una demostración concreta de su utilidad podría convencerlo de su valor. Aunque hubiese deseado disponer de más tiempo para prepararla, era la oportunidad perfecta para esa demostración.

El arte de las huellas digitales se venía utilizando desde la década de 1850, cuando un magistrado inglés en la India instruyó a dos comerciantes analfabetos para que sellaran el acuerdo que estaban celebrando haciendo impresiones de las palmas de sus manos en el contrato. En 1901, las huellas dactilares se utilizaban en Inglaterra para identificar a delincuentes y, en una visita a Scotland Yard, en Londres, en el curso de una investigación, el inspector Carnot había asistido a la impresión de las huellas dactilares de los sospechosos.

Pensando que podría utilizar esta nueva técnica para distinguirse y promover su ascenso, había tratado de introducir la nueva ciencia en la Sûreté. Sus ideas fueron recibidas con indiferencia, si no con descarado escepticismo.

Sus superiores seguían confiando en la antropometría, la ciencia de identificar a un delincuente reincidente conservando medidas precisas de sus características físicas, como su altura y la longitud de sus orejas. No importaba que, a veces, se enviara a algún doble a la isla del Diablo, en el mejor de los casos, o, en el peor, a la guillotina. La justicia no significaba nunca ser perfectos, sino solo coherentes.

Carnot no se había amilanado ante la resistencia a la nueva ciencia de las huellas dactilares y se había preocupado por aprender todo lo que podía sobre el procedimiento. Había perseverado y, aunque todavía tenía que ser aceptada por sus colegas, la había utilizado a veces él mismo, si bien con poco éxito hasta ahora.

Mientras investigaba un robo menor en el Louvre el año anterior, había convencido al director Montand de adoptar la norma de tomar rutinariamente las huellas dactilares de todos los empleados del museo. Recopiló y archivó cuidadosamente esas huellas ante la posibilidad de que pudieran necesitarse. Y ahora había llegado el momento y su oportunidad.

Satisfecho de que todo estuviese preparado, Carnot hizo un gesto al agente que estaba al lado de la ventana. El hombre bajó una persiana, oscureciendo la sala.

—Puede empezar —le dijo Carnot a Brousard.

El joven agente giró una manivela de la linterna y una gran imagen de una única huella dactilar se proyectó en la pared.

—Este es nuestro hombre —prosiguió Carnot con autoridad—. Su huella dactilar fue recuperada del cristal de la vitrina que guardaba *La Joconde.* Aplicando unos finos polvos de talco y cepillándolos cuidadosamente después, se revela la huella dactilar. A continuación, se levanta de la superficie mediante la aplicación de una película de celulosa transparente. Esta imagen, por supuesto, está ampliada muchas veces.

Las espiras concéntricas de la huella dactilar recordaban a Carnot el arte moderno que se había puesto de moda recientemente, el impresionismo o algo así, aunque, personalmente, prefería unas pinturas que se parecieran realmente a los objetos que supuestamente representaban. Hizo una seña a Brousard, que giró una manivela del otro proyector, y otra gran huella dactilar apareció al lado de la primera.

—Esta es la huella dactilar de uno de los casi cien empleados que han trabajado en el Louvre en el último año. Simplemente, presionamos las puntas de los dedos en un tampón y después en un papel fino.

Carnot hizo un gesto con una regla de madera.

—Comparando las líneas de aquí y de aquí, podemos ver si las dos impresiones coinciden. Como pueden ver, esta claramente no. La siguiente, por favor.

Brousard pasó la diapositiva siguiente.

—De nuevo, podemos ver claramente por estas líneas que este tampoco es nuestro hombre.

El comisario intercambiaba miradas impacientes con los miembros de su séquito.

—¿Cuánto tiempo durará esto?

—Creo que no mucho más, señor comisario. —Carnot notó que estaba empezando a sudar.

Una docena, más o menos, de impresiones pasaron sin éxito. Carnot procuraba mantener su seguridad en sí mismo mientras el comisario estaba cada vez más inquieto. Una docena más pasó sin coincidencias. En este punto, Brousard se levantó, se acercó a Carnot y le susurró algo al oído. De repente, el rostro de Carnot perdió el color.

—¿Está seguro? —preguntó Carnot en voz muy baja.

—Sí. Estoy completamente seguro.

—¿Por qué no lo ha mencionado antes?

—Acabo de darme cuenta, inspector.

—¿Qué pasa? —preguntó el comisario.

Brousard se retiró y un conmocionado Carnot hizo un gesto al agente de la ventana para que levantase la persiana. El agente lo hizo, provocando que los ocupantes de la sala se protegieran los ojos ante la claridad.

—¿Y bien? —dijo el comisario—. ¿Por qué lo ha detenido?

—Lo siento mucho, señor comisario —empezó a decir Carnot, con voz entrecortada—, pero me parece que tenemos un pequeño problema.

—¿Qué clase de problema?

—Parece —dijo, haciendo una profunda inspiración— que la huella que encontramos era de la mano izquierda del ladrón.

—¿Y?

—Y las huellas digitales de los trabajadores del Louvre —contuvo un momento la respiración— se tomaron solamente de sus manos derechas.

—¿Y esto importa?

—Me temo, señor comisario... que sí.

El comisario dirigió a Carnot una larga mirada despectiva. Carnot casi podía oír el portazo que le cerraba sus aspiraciones de ascenso. El comisario recompensaba los trabajos excepcionales de sus subordinados, pero, por regla general, todo lo que considerara una muestra de incompetencia relegaba a su responsable a un despacho sin ventanas en el sótano, condenándolo a un montón infinito de tareas burocráticas insignificantes.

Después de lo que le pareció una eternidad, el comisario se levantó, seguido por su plana mayor, con el sonido de un montón de patas de sillas arrastradas por el suelo.

—Me decepciona, Carnot. Esperaba más de usted. —Y con eso, dio media vuelta y condujo a su personal mayor fuera de la sala.

Carnot se quedó paralizado, mientras la luz de la linterna mágica silueteaba su rostro en la pantalla. Brousard estaba ocupándose de desenchufar y desmontar el equipo de proyección. El agente de la ventana seguía a las órdenes de Carnot, con la mirada fija en un punto de la pared opuesta.

Carnot estaba furioso, pero no consigo mismo ni con el comisario. La rabia que sentía en su interior se dirigía solo a un objetivo: los perpetradores de este delito. No solo habían arrebatado *La Joconde,* sino que le habían robado la única oportunidad que podría tener nunca de demostrar al mundo que él era algo más que un insignificante y anónimo funcionario civil; que, en realidad, era un gran detective, merecedor de los más altos honores que Francia pudiera otorgar.

En ese instante, hizo un solemne juramento: no se detendría ante nada para someter a estos descarados delincuentes y entregarlos postrados ante el despiadado dios de la justicia.

CAPÍTULO 29

THE NEW YORK TIMES

1 de octubre de 1911

¡SIGUEN SIN ENCONTRARSE PISTAS DEL

ROBO DE LA MONA LISA DEL LOUVRE!

¡La obra maestra de Leonardo da Vinci desapareció sin dejar rastro!

¡DESPUÉS DE DOS MESES,

LA POLICÍA FRANCESA SIGUE SIN SABER NADA!

NEWPORT

EDUARDO DE VALFIERNO PUSO EL EJEMPLAR DEL *NEW York Times* sobre el asiento adyacente al suyo. El tren traqueteó en una ligera curva y él echó un vistazo al paquete de setenta y siete por cincuenta y tres centímetros que se mecía en el portaequipajes que estaba sobre los asientos. La última entrega, por fin.

Pensó en las semanas anteriores. Cada entrega había requerido un viaje diferente desde Nueva York con otra tabla; era demasiado arriesgado transportar más de una a la vez.

Las entregas de las cinco copias primeras acabaron siendo casi rutinarias. Un deferente mayordomo conducía a Valfierno a la presencia de su cliente, que esperaba —con febril expectación— en un estudio o galería profundamente escondido en su mansión. A continuación, una pequeña conversación, durante la que los ojos del cliente permanecían clavados en la tabla embalada, hasta que llegaba el momento de mostrarla, con la inevitable reacción de asombro. Después, estaba el intercambio del dinero, que nunca se contaba o al que ni siquiera prestaba atención Valfierno, y la broma vertiginosa con el satisfecho cliente casi embriagado de deliciosa codicia. Por último, Valfierno se despedía, esperando hasta que se sentaba en su taxi para dar un suspiro de alivio cuando sentía el reconfortante peso del pequeño maletín o portafolios lleno de billetes de cien dólares sobre sus rodillas.

Solo había habido un momento delicado. En la cuarta entrega, a la nueva perra de caza del cliente —una galga inglesa de color negro azabache llamada *Maggie*— Valfierno le cayó mal desde el primer momento. Al principio, el cliente bromeó con ello, pera el persistente gruñido de la perra le recordó que el anterior propietario había presumido de la aptitud del animal para juzgar las personalidades de los hombres. Valfierno conocía demasiado bien la tenue línea en la que se movían sus clientes entre el autoengaño y la suspicacia —sobre todo cuando la galga comenzó a olfatear la misma pintura—, por lo que empleó todos sus poderes de persuasión para dirigir amablemente al hombre hacia el lado humorístico de la situación. Al despedirse, Valfierno se atrevió aún a hacer un chiste, diciendo que, si el hombre se cansaba alguna vez de su perra, siempre podría encontrarle trabajo como evaluadora en una de las galerías más elegantes de Nueva York o de París.

El repentino torbellino de un tren que pasaba en dirección opuesta por la vía paralela devolvió a Valfierno al presente. Cuando la locomotora aceleró por la costa de Connecticut en su marcha hacia Newport, sus pensamientos volvieron a su actual destino: *Windcrest,* la magnífica mansión y los soberbios jardines a la orilla del Atlántico, el hogar de *mister* Joshua Hart y señora.

Desde el momento en que Taggart —en vez del mayordomo de Hart, Carter— abrió las enormes puertas frontales de roble de *Windscrest,* Valfierno supo que esta transacción iba a ser muy diferente de las demás. El guardaespaldas de Hart no dijo nada, pero sus ojos grises acero se clavaron en Valfierno como los de un depredador que evalúa su presa.

—*Mister* Taggart, ¿no? —dijo Valfierno, enmascarando su aprensión—. Creo que *mister* Hart me está esperando.

Taggart lo hizo entrar con una sacudida de cabeza.

Valfierno siguió al hombre por el vestíbulo hasta la biblioteca. Sintió una punzada de desilusión al no ver a *mistress* Hart esperándolo, como había ocurrido en su visita anterior. Dirigió una breve mirada a la mesita de la ventana en la que su madre se sentaba. Por supuesto, había estado en la mansión en diversas ocasiones en los años anteriores sin que se hubiera percatado siquiera de que Joshua Hart estuviera casado; las dos mujeres debían de haber estado en otro lugar de la vasta mansión en aquellas ocasiones. Quizá ahora estuvieran en otra parte del edificio.

Taggart condujo a Valfierno al estudio. Hart estaba sentado, leyendo el *New York Times* en un gran sillón de cuero al lado de la ventana. Los ojos de Valfierno dirigieron una breve mirada al maletín de piel que estaba sobre una mesa lateral.

—¡Ah, Valfierno! —dijo Hart, levantando la vista—. ¡Por fin ha venido!

La mirada de Hart se dirigió a la tabla embalada que Valfierno llevaba bajo el brazo. Se levantó, tiró el periódico al suelo y se acercó, con los ojos fijos en el objeto.

—Confío en que *mistress* Hart y su madre se encuentren bien —dijo Valfierno, procurando parecer despreocupado.

—¿Qué? —respondió Hart, momentáneamente distraído—. ¡Oh, sí! —Después añadió algo más—: La vieja murió. —Entonces, en un tono que sugería que Valfierno lo comprendería perfectamente y aceptaría, añadió—: Por fin.

Cuando Hart volvió a fijarse en la tabla envuelta, Valfierno experimentó una incómoda sensación de desazón. Trató de imaginar el efecto que el fallecimiento de su madre habría tenido en *mistress* Hart.

—Su esposa debe de estar profundamente afligida.

—Eso es quedarse muy corto —dijo Hart—. Yo no podía aguantar sus llantos y su abatimiento constantes, por lo que la envié con sus parientes de Filadelfia, donde podrá llorar todo lo que quiera.

—Siento no poder saludarla —dijo Valfierno.

—Bueno, ya es suficiente —dijo Hart, con la atención puesta en la tabla—. Veámosla.

Valfierno la depositó en una mesa de caoba. Con
gran parsimonia, desató la cuerda y apartó los pliegues,
revelando el dorso de la tabla de madera. Con una mirada
a Hart, la levantó y le dio la vuelta, mostrando la pintura.
Los ojos de Hart se abrieron como platos. Durante un
momento, dio la sensación de que le asustaba acercarse.

—Es la cosa más bella que he visto nunca —dijo finalmente, antes de volverse a Taggart y añadir—: aunque
es un poco más pequeña de lo que había imaginado.

Pero Taggart no estaba mirando la pintura. Estaba
de pie, tan quieto como una estatua, con los ojos fijos en
Valfierno.

Hart se volvió a Valfierno con una mirada que parecía
pedir permiso para acercarse. El marqués sonrió ligeramente y asintió con un movimiento apenas perceptible. Hart
dio un paso adelante y, con cautela, tomó la tabla en sus
manos, la levantó y se la acercó al rostro. Valfierno podía
ver la imagen distorsionada de la mujer de la pintura refle-
jada en las dilatadas pupilas del hombre. Hart le dio brevemente la vuelta a la tabla y asintió con aparente aprobación.

Después, Hart puso la pintura sobre la mesa e hizo
una señal con la cabeza a Taggart, que se acercó y le entregó una cinta métrica.

—El test más básico —comenzó Hart—. Veinte pulgadas y siete octavos de pulgada por treinta pulgadas.
Exacto. Pero no se inquiete. Sé que es real. Es inconfundible. Nadie sino un maestro podría haber creado esta obra.

«No falla», pensó Valfierno. «Un hombre ve siempre únicamente lo que quiere ver; se convence siempre de lo que ya está seguro de que es cierto».

Hart hizo de nuevo una seña a Taggart. Esta vez, el hombrón cogió el maletín de piel.

—Cuatrocientos cincuenta mil dólares —dijo Hart—. Un montón de dinero. —Lentamente, levantó la pintura de la mesa y añadió—: Pero merece la pena cada penique.

Valfierno recogió el maletín e inclinó levemente la cabeza hacia Hart, en muestra de respetuosa gratitud.

—Ahora —dijo Hart—, veamos cómo queda. ¿Vamos?

En la galería subterránea, Hart colocó el borde inferior de la pintura sobre una mesa antigua. La mesa estaba apoyada en la pared principal bajo un espacio vacío, su futuro lugar de honor. Apoyó la tabla en la pared y retrocedió.

—He encargado un marco a una fuente muy discreta. Cuando esté acabado, yo mismo lo colgaré —dijo Hart, admirando la pintura—. No puedo fiarme de nadie más.

Aun colocada sobre una mesa, la pintura era impresionante. Valfierno tuvo que admitir para sí que Diego había hecho un trabajo sobresaliente. Podía pasar por la obra auténtica.

—Ahora, mi colección está completa —dijo Hart, saboreándola.

—¡Imponente! —dijo Valfierno—. Es una lástima que el mundo no pueda compartir esto.

—Pero esa es la cuestión —dijo Hart con entusiasmo mientras aprovechaba el momento para ilustrar a Valfierno con su filosofía—. Todas estas grandiosas obras de arte existen ahora para mi exclusivo placer. Solo viven para mis ojos. Eso es lo que las hace tan especiales, únicas. Ahora, solo yo puedo admirarlas.

—En efecto —dijo Valfierno, empezando a sentir la falta de oxígeno en la estancia.

—Y cuando muera —añadió Hart, caminando en un pequeño círculo, contemplando la colección entera—, he acordado con *mister* Taggart que se asegure que todas y cada una de ellas sean destruidas. Será como llevármelas conmigo, como los faraones del Antiguo Egipto.

Hart se volvió a Valfierno, buscando alguna reacción, esperando una respuesta.

Valfierno se encontró en la extraña situación de no encontrar nada que decir.

* * *

Cuando el tren de Valfierno llegaba a las afueras de Nueva York, se había convencido ya de que había tenido mucha suerte de que *mistress* Hart no estuviera en Newport. Si ella hubiese estado allí, no estaba seguro de cómo hubiera reaccionado ni de qué hubiese dicho. Como mínimo, habría sido una complicación que era mejor evitar. Sentía, no obstante, auténtico pesar por la muerte de su madre, dejándola sola con su marido. Y la visión del abultado maletín que estaba en el asiento adyacente no le procuraba gran satisfacción. El placer que podría haberle proporcionado la hazaña de engañar a Hart quedaba mermado por la simpatía y la preocupación que sentía por su esposa.

Cuando el tren descendió bajo el nivel de la calle en su recorrido final hasta la Grand Central Station, se esforzó por alejar de su mente los pensamientos relativos a *mistress* Hart.

Valfierno se dirigió al recepcionista que estaba tras el mostrador principal del vestíbulo del Plaza.

—La llave de la habitación 137, por favor.

—Naturalmente, señor. —El hombre se volvió hacia las filas de pequeñas casillas que tapizaban la pared posterior.

Valfierno se permitió disfrutar de una sensación de alivio. Había concluido. Mañana tomaría un barco para Francia y en una semana estaría de vuelta en París.

—¡Ah, sí! —dijo el recepcionista—, tiene usted una visita, señor. —En una mano tenía la llave. En la otra, una tarjeta.

Valfierno sintió una punzada de aprensión.

—¿Una visita? —Nadie a este lado del océano, ni siquiera sus clientes, sabía dónde se alojaba.

—Sí, señor. Una señora. Ha estado aquí todo el día. En realidad, creo que todavía podría seguir aquí. Sí, allí está.

Una mujer estaba sentada en un diván en la zona de espera del vestíbulo. Su rostro estaba parcialmente oscurecido por un sombrero de ala ancha, pero Valfierno la reconoció instantáneamente. Era *mistress* Hart.

Capítulo 30

Nueva york

ERA TARDE PARA COMER Y PRONTO PARA CENAR, POR lo que Valfierno y Ellen Hart se sentaron solos en el comedor tapizado de roble del hotel. Estaba cerrado, pero, con la ayuda de una importante propina, Valfierno prevaleció sobre la dirección para que les permitieran sentarse y les sirvieran unos vinos. La copa de cristal de ella permanecía intacta.

—Llegué de Filadelfia hace tres días. Tengo una prima segunda que vive aquí y ha tenido la amabilidad de permitirme que me aloje con ella. Mi marido me dijo que usted llegaría con la pintura esta semana; de hecho, esa fue la razón de que me permitiera viajar a Filadelfia. No quería que mi dolor por la muerte de mi madre le arruinara su momento. ¿En qué otro lugar iba a estar usted que no fuese Nueva York? Y estaba segura de que solo podría estar en el mejor de los hoteles, por lo que solo hacía falta visitar cada uno de ellos. Tuve suerte. Solo tardé tres días en encontrarlo.

—Estoy impresionado por su perseverancia —dijo Valfierno—, aunque le confieso que estoy algo confundido en cuanto a sus motivos.

Eso la hizo ruborizarse ligeramente, volviéndose para mirar a otro lado, con evidente turbación.

—Me entristeció mucho la noticia de la muerte de su madre —añadió Valfierno.

—Muchas gracias —dijo ella, volviéndose y recuperando la compostura—. Por fortuna, falleció mientras dormía. En cierto sentido, fue como si ella no se hubiese despertado después de un pacífico sueño en el que cayera hace muchos años, como si para ella, en realidad para nosotras dos, todo hubiese sido un largo sueño final. —Se detuvo e hizo una profunda aspiración—. Me estoy poniendo muy tonta. Perdóneme.

—En absoluto —dijo Valfierno con una cariñosa sonrisa.

—¿Cuánto tiempo piensa quedarse en Nueva York? —preguntó ella.

—En realidad, mañana parto para Francia.

—Comprendo.

Él tomó un sorbo de vino. El silencio quedaba interrumpido por el distante sonido de platos que llegaba de la cocina del hotel.

—En una ocasión me preguntó —dijo finalmente Ellen— por qué me había casado con mi esposo.

Valfierno elevó las cejas.

—¿Lo hice? Toda una impertinencia por mi parte.

—Sí, fue impertinente. Sin embargo, en aquel momento, parte de mí deseaba responder a la pregunta.

—Desde luego, no era de mi incumbencia.

—Y sigue sin serlo —dijo ella—. Pero ahora me gustaría decírselo.

Valfierno se irguió en su silla, indicando su disposición a escuchar.

Ella bajó la vista hacia la mesa.

—Mi padre dejó muchas deudas cuando murió. —Dejó las palabras suspendidas en el aire durante un momento, antes de levantar la vista hacia Valfierno—. Supongo que hubo un tiempo en el que fuimos muy ricos. Pero, al final, nuestra prosperidad se convirtió en una ilusión.

Valfierno escuchaba con atención, haciendo a veces pequeños comentarios de aclaración pero cuidando de no interrumpir el curso de la historia. Aunque el tema era obviamente delicado, se dio cuenta de que, a medida que ella profundizaba en él, las palabras empezaban a surgir mientras sus hombros descendían y su cuerpo aparecía físicamente relajado, como si hubiera estado conteniendo la respiración durante mucho, mucho tiempo.

Ellen Edwina Beach había vivido con su padre y con su madre en un gran piso con vistas a Central Park en Nueva York. Su padre era inversionista. Su humor se elevaba y se hundía con sus éxitos y fracasos, pero, en su mayor parte, sus inversiones eran sólidas y su disposición, alegre. Los ferrocarriles habían resultado particularmente lucrativos. De hecho, por medio de sus negocios con los ferrocarriles, la familia conoció a *mister* Joshua Hart.

Ellen Beach se crio en medio de un cuento de hadas. Tenía una niñera y pasaba mucho tiempo jugando en el parque, con aros en verano y patinando sobre hielo en invierno. Era muy simpática con los porteros, que hacían la vista gorda cuando ella patinaba sobre ruedas en el vestíbulo de su bloque de pisos.

Cuando se hizo mayor, le resultaba cada vez más difícil pasar tanto tiempo como hubiera deseado con su padre; siempre estaba fuera por negocios y, cuando regresaba, se dedicaba la mayoría de las noches a acompañar a su madre a una serie de reuniones sociales. Eso era cuando los negocios marchaban bien. Cuando no iban bien, se pasaba horas solo, sentado, inabordable, meditando en la biblioteca. En estas ocasiones, por mucho que lo deseara, nunca lo molestaba, aunque le resultara difícil resistir el impulso de ir y sentarse en su regazo como había hecho tantas veces cuando era muy pequeña. No obstante, durante la mayor parte de su infancia disfrutó de una vida de privilegio y satisfacciones.

Cuando Ellen tenía quince años, su madre cayó sin previo aviso en la situación en la que pasó el resto de sus días. Al principio, su padre se pasaba horas sentado a la cabecera de su madre en el soleado dormitorio que daba al parque, pero pronto empezó a desaparecer durante largos períodos de tiempo. Ellen solo lo veía a altas horas de la noche; ella miraba a hurtadillas desde la puerta de su dormitorio cuando él entraba tambaleándose, a menudo despeinado y dando traspiés, desprendiendo ligeros olores de cigarros, alcohol y perfumes.

Su madre pasaba todo el día tumbada en la cama, mirando al cielo y sin responder a nada ni a nadie. Posteriormente, mejoró lo suficiente para levantarse y una enfermera interna la vestía, le daba de comer y le enseñaba de nuevo lo más básico del cuidado personal. Pero ella pasaba la mayor parte del tiempo sentada al lado de la ventana, mirando al parque. El médico informó a Ellen de que lo más probable era que la enfermedad de su madre no mejorara más. No se podía hacer nada.

Ellen tenía dieciséis años cuando se enteró de que su padre había muerto. Había estado de viaje de negocios de larga duración en California y ella no lo había visto durante varios meses. Su reacción a la noticia había sido imprevisible: se irritó enormemente. «¿Por qué había estado tanto tiempo lejos de ella cuando murió? ¿Por qué la había dejado sola?».

La tía soltera de Ellen, Sylvia —hermana de su madre— se trasladó para llevar la casa. Ellen nunca se había llevado bien con las mujeres tristes y autoritarias, y su presencia constante solo servía para recordarle a Ellen la pérdida —a todos los efectos prácticos— de su madre. Un día, *mister* Joshua Hart, un socio de negocios de su padre al que había visitado en diversas ocasiones desde la muerte de su padre, hizo que se sentara para explicarle que su padre había dejado muchas deudas y ya no había dinero para mantener el piso, la enfermera y las dos sirvientas que tenían. La tía Sylvia no tenía muchos recursos propios, pero Joshua Hart le aseguró a Ellen que no tenía que preocuparse. Él se encargaría personalmente de arreglar las cosas para que todo siguiera como estaba, permitiéndoles vivir en el piso, como siempre.

En el decimoctavo cumpleaños de Ellen, Hart le propuso matrimonio y ella aceptó. Aunque era treinta años mayor que ella, había sido generoso, bondadoso incluso. Además, ella sentía que no tenía elección. Estaba, ciertamente, muy agradecida por todo lo que Hart había hecho por su familia, aunque no sintiera apego hacia él. Pero los sentimientos no habían desempeñado ningún papel en su decisión. Haría lo que fuera necesario para asegurar el bienestar de su madre, aunque eso significara casarse con un hombre al que sabía que nunca podría amar.

Finalmente, apartando la vista de Valfierno, dijo:

—Yo no estaba en condiciones de rechazar aquella oferta.

—Desde luego —le aseguró él.

—Al principio, fue bastante agradable —continuó ella—, pero, con el paso del tiempo, fue apartándose cada vez más por sus muchos asuntos de negocios. Yo empecé a sentirme como uno de sus cuadros, como una parte de su colección, con la única diferencia de que, en vez de estar colgada en una pared, siempre tenía que servirle para presumir.

Ella tomó su primer sorbo de vino.

—Creo que nunca le había contado a nadie esta historia.

—Es un honor para mí —dijo amablemente Valfierno.

—Y ahora —añadió ella— parece que mi marido ha adquirido su máxima posesión.

—Sí, supongo que sí.

—¿Y le ha pagado bien?

—Muy bien.

—Estoy segura de que se lo ha ganado.

—Admito que no ha sido un objeto fácil de obtener.

—Imagino que no. —Ellen sonrió débilmente mientras bajaba la vista y cogía suavemente el pie de su copa de vino entre el índice y el pulgar. De la cocina llegaba un lejano sonido de voces.

Finalmente, dijo:

—Me pregunto si podría pedirle un favor.

Valfierno se inclinó ligeramente hacia delante y cruzó su vista con la de ella cuando la levantaba.

—Naturalmente. Cualquier cosa que esté en mi mano hacer.

—Marqués —empezó Ellen—, Edward... quizá yo pueda ser tan atrevida con usted como usted lo fue conmigo.

—No espero menos.

—Con mi querida madre difunta, no tengo ya ninguna razón para seguir con mi esposo.

Ella se detuvo, esperando alguna reacción. El corazón de Valfierno empezó a latir más deprisa, pero no estaba seguro de si se debía a la pura sorpresa o a algo más. Sabía que tenía que decir algo, pero no estaba seguro de lo que iba a decir.

—*Mistress* Hart... —empezó a decir, indeciso.

—Por favor, permítame terminar. Esto no es fácil para mí. Yo creo que usted conoce bien a mi marido, la clase de hombre que es, quiero decir. Puedo asegurarle que su aprecio por su colección sobrepasa con mucho su consideración hacia mí. Sin embargo, no permitiría que me fuese antes de lo que renunciaría a cualquiera del resto de sus adquisiciones.

—Quizá subestime su consideración hacia usted o malinterprete su forma de demostrarle su afecto.

Una mirada ligeramente desconcertada cruzó el rostro de Ellen.

—El deseo de posesión es muy diferente del sentimiento de amor.

Valfierno admitió esto con un ligero movimiento de cabeza.

—En consecuencia —continuó ella, con una inspiración mientras reunía cada elemento de su resolución—, le pediría, le rogaría que me llevara con usted a Francia.

Valfierno dio un respingo en su silla, incapaz de ocultar su sorpresa.

—*Mistress* Hart, yo...

—Ellen. Me llamo Ellen.

—Ellen, no sé qué decir.

—Quizá, entonces, tenga que reformularlo como una simple pregunta: ¿me llevará con usted?

Él hizo una profunda inspiración y exhaló despacio.

—Creo, *mistress* Hart... Ellen..., que comprendo su situación, el dilema en el que se encuentra y, si pudiera ayudarla de alguna manera, estaría encantado de servirle de ayuda. Pero debe comprender que lo que me está pidiendo es imposible. Con independencia de las circunstancias, su hogar está aquí. El mío está en Francia. Me temo que sea imposible. Lo siento. Si puedo ayudarla económicamente de alguna manera...

—No carezco por completo de medios. El quid de la cuestión es que no sabría lo primero que tendría que hacer para... escapar, fugarme, porque eso es lo que sería. Y para lo que necesitaría su ayuda.

Ella apartó la vista mientras levantaba su copa y tomaba otro sorbo de vino.

Valfierno sintió un diluvio de emociones contrapuestas. ¿Era esto lo que quería oír por encima de todo? ¿Era el apuro de la excitación que sentía lo que le decía que abrazara con todo su corazón este giro de los acontecimientos? ¿O se trataba de una señal de advertencia, una alarma emocional que le aconsejaba no implicarse en una situación que solo podía estar cargada de complicaciones imprevistas?

—Ellen —comenzó a decir por fin, sorprendido por la dificultad que tenía para hilvanar sus pensamientos—, me encantaría ayudarla de alguna manera; simplemente no me puedo permitir concitar tanta atención indebida sobre mí mismo. Tiene que entenderlo.

Ella asintió, aceptando la evidente lógica de su exposición. Valfierno podía sentir lo difícil que esto era para ella; las bravuconadas no servían con esta mujer. Ella tomó otro sorbo de vino como si tratara de reunir todo su valor.

—Edward —comenzó a decir lenta y deliberadamente—, sé mucho acerca de usted y estoy segura de que lo que sé sería de gran interés para la policía, para las autoridades. —Las palabras salían vacilantes; no había una pizca de amenaza en su voz.

—Eso es cierto —respondió Valfierno, tranquilo—, pero nunca podría decir nada sin desvelar el papel desempeñado por su esposo en el delito.

—¿Y cree de verdad que eso me disuadiría?

Valfierno suspiró.

—Me sorprende usted —dijo con aire de discreta indignación—. Quizá la haya imaginado como muchas cosas, pero nunca como chantajista.

Ella dejó asomar una sonrisita irónica.

—Tampoco yo. Quizá se deba a mi conocimiento de algunos tratos de mi esposo. E incluso, quizá, a usted mismo.

—¿No irá a acusarme ahora de haberla convertido en una cínica? —Valfierno sonrió—. Si mal no recuerdo, el pequeño plan para obligar a su esposo a consumar el trato que cerramos en Buenos Aires fue idea suya.

—O, al menos, usted me permitió que creyera que lo era —dijo ella.

—Bueno, no lo sé, pero...

—Siendo franca de nuevo —continuó ella—, aunque usted y yo solo nos hayamos encontrado unas pocas veces, había imaginado, quizá esperado, que no fuese usted tan poco comprensivo con respecto a mi situación.

—Puedo asegurarle que la comprendo perfectamente, pero lo que usted sugiere...

—Y además —continuó ella, apartando, nerviosa, la mirada—, que usted recibiría gustoso incluso la oportunidad de ayudarme.

Valfierno no dijo nada. Levantó su copa, consumiendo con parsimonia el líquido rojo oscuro. Hacía mucho tiempo que había aprendido a ocultar la duda, la confusión, el miedo incluso que eran inevitables en su línea de trabajo. Y, aunque en esa fachada cuidadosamente elaborada habían aparecido en los meses anteriores algunas pequeñas grietas, todavía estaba seguro de una cosa: un hombre no puede controlar sus sentimientos sobre el mundo, pero siempre puede controlar las acciones que lleva a cabo en respuesta a ese mundo.

—Ya veo —dijo ella—. Su silencio es suficiente respuesta y no me deja otra opción que prometerle tomar medidas más drásticas para forzar su ayuda en esta materia.

Valfierno la miró. Por supuesto, ella podía estar tirándose un farol, pero algo le decía que no. Había afrontado amenazas —si esto era, en realidad, una amenaza— en muchas ocasiones. Siempre le había parecido mejor considerarlas nada más que como desafíos bienvenidos.

—Ellen —comenzó, tratando de conservar el tono de un bondadoso profesor que ilustra a un estudiante ingenuo—, dice usted que cree que sabe mucho sobre mí, pero me pregunto si es realmente así. En mi vida he hecho cosas que son, como mínimo, lamentables. He sido amenazado, si puedo utilizar una palabra tan fuerte, antes, pero puedo asegurarle que esas amenazas nunca han tenido el efecto deseado. He hecho siempre, sin dudarlo, lo que era necesario para contrarrestar esos intentos de coacción. No la aburriré con los detalles de estos episodios, pero me parece que hay dos cuestiones que debe plantearse en este momento. Primero, ¿cómo sabe que, con el fin de protegerme, no he llegado nunca al extremo, incluso hasta el punto de, digamos, eliminar todas las amenazas contra mí? Y segundo, y más en concreto: si es así, ¿cómo sabe que no haría lo mismo de nuevo?

Sus palabras no produjeron el efecto esperado.

—Creo que hay algo que usted no entiende —dijo Ellen fríamente—. Ni siquiera la muerte me atemoriza en absoluto. Por el contrario, preferiría con mucho morir a volver a vivir con mi esposo.

Ella levantó la copa y la vació. Y Valfierno supo que, por el momento al menos, ella había ganado.

CAPÍTULO 31

CUATRO DÍAS MÁS TARDE, SONÓ EL TELÉFONO EN EL estudio de la mansión de Joshua Hart en Newport. Hart agarró la base negra en forma de palmatoria, levantó el receptor de su soporte y se lo llevó al oído. Su voz era brusca e impaciente.

—¿Sí?

—Soy Taggart.

—Sí, sí, ¿qué ha descubierto?

—He hecho algunas averiguaciones sobre el personal del caballero en cuestión.

Poco después de tomar posesión de la *Mona Lisa,* a Hart le asaltó una vaga sospecha de que había algo que no era como debía ser. Al principio, le ponía eufórico el hecho de saber que ahora poseía el colmo de las obras maestras; al final, su colección estaba completa. Ningún otro hombre en la Tierra podía igualarla.

Pero en su mente rondaba la cuestión del pasaporte. Una vez más comparó el documento falsificado con el emitido en sustitución del perdido. Aparte de las huellas del tiempo en la falsificación, los dos eran completamente idénticos en todos los aspectos. Esto significaba una de dos cosas: o los cómplices de Valfierno eran capaces de hacer copias sin defecto alguno —hasta el punto de falsificar artificialmente la edad de los documentos— o el hombre se las había arreglado de alguna manera para robarle su pasaporte auténtico y hacerlo pasar por una copia falsificada. Si había sido lo segundo, bien, el negocio es el negocio; él mismo había recurrido a medios poco limpios para conseguir una posición de poder sobre sus rivales a la hora de las negociaciones.

Pero si había sido lo primero, si Valfierno tenía recursos capaces de crear falsificaciones perfectas, ¿por qué iba a detenerse en los pasaportes?

Hart empezó a examinar su colección, pieza a pieza. La mayoría de las obras de arte se las había procurado el persuasivo caballero argentino. Valfierno se había adelantado siempre a explicar que los museos tenían reproducciones de máxima calidad que exponer sin previo aviso, pero, ¿por qué, de todas las obras que Valfierno había obtenido, nunca había habido ninguna noticia del robo hasta ahora? ¿Podía deberse a que Hart había insistido en que, en esta ocasión, tenía que haber una prueba absoluta de que la *Mona Lisa* había sido robada?

Acosado por las dudas, Hart había puesto a trabajar a Taggart. Recordó el nombre del potencial cliente que Valfierno le había susurrado al oído en su anterior visita, un conocido y poderoso rival en los negocios. Ese sería un buen punto de partida y, si alguien podía obtener alguna información, ese era Taggart.

—Encontré a uno de sus criados dispuesto a compartir información a cambio de algo de calderilla —informó Taggart—. Poco antes de entregarle el paquete a usted, Valfierno visitó al caballero en cuestión con un paquete de dimensiones similares. Se marchó poco después con un maletín lleno.

Hart empezó a jadear.

—¿Qué entregó exactamente?

—El criado lo vio brevemente. Le enseñé la fotografía. Era lo mismo que Valfierno le entregó a usted.

Las manos de Hart aferraron la base y el receptor del teléfono con tanta fuerza que sus brazos empezaron a temblar. Así que era cierto. Valfierno lo había engañado. Había hecho dos copias, incluso más, para todos los que conocía. ¿Cuántas condenadas cosas había vendido Valfierno?

Taggart rompió el silencio.

—Eso no es todo. Usted me pidió que investigara sobre *mistress* Hart.

Hart solo escuchaba a medias, con la mente consumida por los pensamientos sobre Valfierno y cómo había dejado que el hombre lo engañase.

—Descubrí —continuó Taggart— que había viajado a Nueva York en tren para quedarse con una pariente.

Hart trató de centrarse en lo que estaba diciendo Taggart.

—¿Nueva York? —dijo Hart—. Pero no estaba previsto que abandonara Filadelfia.

—Hice algunas averiguaciones —dijo Taggart— y descubrí que había comprado un pasaje en el vapor *Prinz Joachim.* Zarpó hace tres días hacia El Havre.

—¿Qué está diciendo?

Taggart hizo una pausa antes de seguir.

—Cuando embarcó, estaba en compañía de cierto caballero extranjero.

Un crujido eléctrico atravesó la línea.

—Valfierno... —dijo Hart, siseando el nombre como si le hubiesen perforado los pulmones. El silencio al otro lado de la línea era la confirmación que necesitaba—. *Mister* Taggart —dijo Hart, controlando rígidamente la voz.

—¿Señor?

—Quiero que se quede donde está. Muy pronto, tendrá noticias mías.

—Sí, señor.

Hart colgó el receptor y depositó lentamente el teléfono sobre el escritorio.

Joshua Hart atravesó rápidamente su galería subterránea, con la espalda encorvada y los ojos fijos en el suelo para evitar mirar su colección colgada en las paredes. Todo había cambiado; sus sospechas se habían confirmado y en el estómago se le había formado una espesa masa de terror como una roca. Atravesó la galería a grandes zancadas, dejando atrás la *Mona Lisa,* hasta la pequeña puerta que había al fondo. Sacó la llave, abrió la puerta y entró, encendiendo una luz. La estancia era pequeña, de dos metros setenta centímetros por tres metros sesenta y cinco centímetros, y en ella solo había tres cosas: un taburete, un caballete y una mesa redonda con una pequeña caja tallada sobre ella. Sobre el caballete, había un lienzo en blanco enmarcado.

Hart se mantuvo inmóvil un momento antes de sentarse en el taburete. Se detuvo a mirar la tela en blanco durante todo un minuto. Después, centró su atención en la caja, levantando la tapa abisagrada. Contenía una fila de tubos de pintura y una colección de pinceles de diversos tamaños. Una paleta de artista de tamaño infantil encajaba perfectamente en la tapa. Con cuidado, sacó un pincel de punta fina. Lo contempló durante un momento, dándole vueltas entre los dedos. Después, sacó la paleta en forma de riñón, sucia y salpicada de pequeñas manchas de pintura. Pasó el pulgar sobre el hueco para el dedo, adecuado para un niño y demasiado pequeño para él.

Joshua Hart se sintió paralizado un momento antes de devolver la paleta y el pincel a la caja y cerrar la tapa. Durante unos momentos, se detuvo a mirar el lienzo en blanco. Después, con un repentino y violento movimiento de barrido del brazo, golpeó la mesita, desparramando el contenido de la caja por el suelo. Se levantó abruptamente y salió de la estancia, acercándose directamente a su última adquisición. La agarró y la arrancó de las escarpias. La *Mona Lisa.* De valor inestimable. La posesión más magnífica que cualquier hombre pudiera decir suya, un tesoro que había resistido el paso de los siglos, mientras los simples mortales se acercaban a la conclusión de sus breves e insignificantes vidas. Y ahora era suya. Ningún hombre volvería a fijar la vista en ella. Él y solo él estaba en el centro del universo.

Y, en ese momento, no tenía la más mínima duda de que era falsa. La semilla de esa duda —tan mínima que solo le había dedicado un fugaz pensamiento— había tomado cuerpo y florecido en una terrible constatación: lo había engañado, le había dado gato por liebre un hombre que ahora se había llevado a su esposa.

Miró la mujer de la pintura, su sonrisa ligeramente condescendiente, los ojos algo entrecerrados, distante y burlona. Lo miraba directamente a él, engreída y segura de sí misma. Puso la tabla en el suelo, inclinada formando un ángulo con la pared. Tranquila y mecánicamente, levantó una pierna y, con todas sus fuerzas, lanzó el pie contra el rostro de la mujer. Una grieta se abrió en un ángulo a través de un ojo y sus labios fruncidos. Procurando mantener el equilibrio, levantó el pie y volvió a descargarlo una vez más, aplastando y astillando la tabla en la que había estado el rostro.

Un poco después, Joshua Hart se sentaba agotado y empapado de sudor en su estudio, con la base del teléfono en una mano y el auricular en la otra.

—¿Sí, *mister* Hart? —dijo la voz de Taggart.

—Vamos a encontrarlos —dijo Hart lenta y deliberadamente—. Y, cuando lo hagamos, después de que hayamos recuperado mi dinero... ¿está escuchando, *mister* Taggart?

—Sí, señor.

—Quiero que, por sus pecados, este hombre, Valfierno, sufra y muera. ¿Puede hacer eso por mí, *mister* Taggart?

Se produjo un breve silencio antes de que Taggart replicara:

—Sí, *mister* Hart. Puedo hacerlo.

Capítulo 32

S ENTADO EN UNA BANQUETA, EN SU ESTUDIO DEL SÓTA- no de la *rue* Serpente, con una pierna ligeramente levantada y el pie encima de un cajón de embalaje que estaba en el suelo, a su lado, Diego dijo:

—Se te está cayendo la cabeza. ¡Mantenla levantada! ¿No puedes mirar hacia delante?

Frente a él, al otro lado de su caballete, Julia Conway estaba sentada en otra banqueta. Excepto por la larga bufanda que llevaba puesta alrededor del cuello y le caía por la espalda, estaba desnuda.

Julia levantó la cabeza, mientras el persistente dolor de cuello le recordaba que llevaba sentada casi dos horas seguidas. Nunca antes había posado para un pintor. Siempre había imaginado que sería un trabajo fácil. Después de todo, te limitas a sentarte sin hacer nada. Pero ahora le dolía la espalda, tenía irritado el culo, se le habían dormido las piernas y estaba cansada, por no hablar del frío.

Al principio, había rehusado quitarse la ropa, pero Diego no había demostrado el más mínimo interés por pintarla de otra manera. No parecía insinuante ni provocativo al respecto; en realidad, los calificativos que describían mejor su postura eran clínico y desinteresado. Había coqueteado con ella antes, pero, en cuanto aceptó posar para él, su comportamiento cambió. Estaba completamente volcado en su tarea, o quizá fuese mejor hablar de su arte.

No es que ella se sintiera particularmente atraída por él. Era demasiado intenso para su gusto y, aunque su físico bajo y fornido y sus penetrantes ojos le conferían cierta presencia animal, no era su tipo en absoluto. De todos modos, se sentía vagamente insultada por el hecho de que pareciese más interesado por su arte que por ella.

Entonces, se preguntaba ella, ¿por qué había accedido a posar para él a la primera? La respuesta más obvia era el aburrimiento. Durante meses había estado viviendo en la casa de *madame* Charneau y, aunque hubiera dedicado algún tiempo a pasear por la ciudad y visitar sitios interesantes, sus paseos le habían servido para sentir la tentación de practicar sus habilidades en medio de las omnipresentes masas de turistas.

Le había divertido especialmente el sórdido barrio de Pigalle, que había visitado tomando una serie de tranvías, después de haber aguantado las advertencias de *madame* Charneau. Al haber tenido muchos contactos con las prostitutas durante su estancia en Charleston, reconoció al instante el carácter de las calles que conducían a la plaza Pigalle. De hecho, al cabo de unos minutos de bajar del tranvía, no solo le había pedido sexo una joven muy atractiva, sino que también la habían importunado dos ve-

ces para que se uniera a las filas de las pobres *grisettes*[1]
recién llegadas de provincias, que se ganaban la vida viviendo como *filles de joie.*

Al final, encontró el camino a través del estrecho laberinto de calles hasta el pie de la loma de Montmartre
en cuya cima estaba la basílica del Sacré-Coeur, el templo
católico romano que tiene cierto parecido a una mezqui-
ta musulmana. Había tomado el funicular hasta la cima
y la llenó de orgullo el hecho de reconocer con facilidad
el pequeño ejército de carteristas que se cernía sobre los
turistas. Lo más destacable había sido cuando un joven
tropezó accidentalmente delante de ella, manchándole el
vestido de sirope del pastel al ron que llevaba en la mano.
Casi no había empezado su rosario de disculpas cuando
ella se dio la vuelta y le estrelló en la cara al cómplice el
mismo bolso que había tratado de robar. Había disfrutado
de modo especial al reprender a los dos ladrones frustra-
dos para diversión de los turistas.

Sintió la tentación de demostrar a aquel par de aficionados cómo se hacía en realidad. El problema era que
le había prometido a Valfierno que resistiría el impulso y
se sentía obligada a cumplir su promesa.

Hasta cierto punto, en todo caso.

Bajando de la basílica en el funicular, iba sentada detrás de un turista alemán grandote que se quejaba en voz
alta de una u otra cosa a su pobre mujer, molestando a
todo el coche. Cuando los viajeros salían en fila al pie de

---

[1] Modistillas llegadas a París que terminaban ganándose la vida como prostitutas. *(N. del T.).*

la colina, se colocó detrás de él y lo liberó de su cartera. El hombre se lo merecía, razonó ella, y además, tenía que practicar. Aun así, en deferencia a su promesa a Valfierno, momentos después de bajar del funicular, tiró la cartera al estuche del violín de un chico que tocaba, animoso, su instrumento para ganarse algunas monedas de los turistas.

Le había divertido observar las distintas técnicas utilizadas en las diversas atracciones de la ciudad. Los carteristas que trabajaban con las muchedumbres que esperaban para subir al Arco del Triunfo, por ejemplo, tendían a presentarse como amables paseantes por los bulevares que distraían a las jóvenes parejas con conversaciones encantadoras mientras un cómplice liberaba al caballero de su cartera; los que trabajaban entre las hordas que pululaban entre las patas de la Torre Eiffel parecían ser adeptos a echar subrepticiamente cagadas de paloma en las elegantes levitas y ofrecerse amablemente a limpiarlas mientras un colega aligeraba la carga del caballero; por las abarrotadas aceras de Saint-Germain abundaban bandas de chicos, dos de los cuales hacían como que se peleaban mientras los otros se trabajaban al público espectador. Todo muy entretenido; pero la imposibilidad de participar hacía que para Julia perdiese interés y, antes de que se diese cuenta, ya se había cansado de las muchas diversiones de París.

—¿No has terminado todavía? —preguntó, petulante, a Diego—. ¿Cuándo puedo verla?

—La impaciencia es el mayor enemigo del arte —replicó en un tono monótono y enfadado—. ¿Tratarías de apresurar el florecer de una rosa?

—Bueno, esta rosa está empezando a hartarse.

Ella había estado mirando todo el tiempo su bañera de zinc.

—¿De verdad te bañas en esa cosa mugrienta? —le preguntó con una mueca desdeñosa.

—A veces.

El hombre no le estaba prestando apenas atención. Parecía imposible fastidiarlo.

—¿Y por qué tienes flores artificiales? —dijo ella, aludiendo al ramo dispuesto en el jarrón que estaba en un taburete al lado de la bañera—. ¿No puedes permitirte las de verdad?

—Me gustan más los colores —respondió él en un tono tranquilo, distraído.

—De todos modos —insistió ella—, tengo el culo escocido.

Diego sonrió. En ese mismo momento, había estado tratando de hacer justicia a aquella parte particularmente agradable de su anatomía. Pero su sonrisa se apagó. Aquello no iba bien de ninguna manera y no estaba seguro de la razón. Era una obra de arte perfectamente aceptable —aunque inacabada—, pensó. Hacía justicia a un motivo muy atractivo; no había ningún error. Pero entonces se dio cuenta de cuál era el problema: no había errores en la pintura. Era como otros cientos de ellas que había hecho en los últimos años. Sus colegas —cuya opinión acerca de su obra había pasado de una inicial suspicacia e incluso animosidad a una aceptación irritantemente pasiva— la considerarían como una mera adición más a su creciente corpus pictórico. Esta no era la razón por la que se había aislado del mundo que conocía con el fin de abrir nuevos caminos.

Julia se volvió al oír un sonido de pasos por la escalera.

—Por favor —imploró Diego—, ¿no puedes estarte quieta?

—¿Hola? ¿Diego? —La voz de Émile resonó desde arriba.

—Tu amor está aquí —dijo Diego a Julia, con evidente fastidio.

—No seas ridículo —dijo ella, volviendo el rostro hacia la pared—. No es más que Émile.

Émile bajó la escalera y se paró en seco, con la boca abierta por la sorpresa.

—¿Qué está pasando? —preguntó.

—¿Qué haces aquí? —inquirió Julia, sin mirarlo a propósito.

—No importa lo que yo esté haciendo aquí —dijo—. ¿Qué estás haciendo tú aquí?

—¿Qué te parece? José está pintando mi retrato.

—¿José? —tartamudeó Émile, incrédulo.

—Toma asiento —dijo Diego—. Aprende del maestro.

Émile se acercó hacia Julia, observando la ropa amontonada en una silla cercana.

—Te has quitado toda la ropa.

—Tus poderes de observación son notables —comentó ella con sequedad.

—Y estás desnuda.

—A menudo, las dos cosas ocurren al mismo tiempo. ¿Y por qué no debería estarlo? Soy la modelo de un artista.

—¿La modelo de un artista? —dijo el joven con desprecio—. ¿Y es así como lo llaman ahora?

—¿Qué demonios quieres decir? —preguntó ella, volviendo la cabeza bruscamente.

—Esto es inútil —dijo Diego, tirando el pincel, frustrado—. Estás arruinando la atmósfera, ¿sabes? —añadió, dirigiéndose a Émile.

—¿Arruinando la atmósfera? —dijo Émile—. Yo te enseñaré cómo se arruina la atmósfera. —Y diciendo eso, cogió el montón de ropa y lo arrojó al regazo de Julia.

—Ponte eso.

—¿A ti que te importa? —dijo ella, poniéndose el vestido por delante mientras se ponía de pie de un salto.

Émile no dijo nada, momentáneamente paralizado ante la visión de las curvas exteriores de sus caderas que el vestido no llegaba a cubrir.

—Quizá deberías quitarte también tú la ropa —sugirió Diego— y juntarte con ella.

—¡Pedazo de cabrón! —bramó Émile, y dio un paso hacia él.

Diego retrocedió con una divertida sonrisa en su rostro, que solo sirvió para enfurecer aún más a Émile.

—No te salgas de tus casillas, Romeo —dijo el pintor mientras Émile avanzaba otro paso hacia él.

Pero antes de que pudiera entrar en contacto con él, Émile tropezó con el cajón que Diego había estado utilizando como escabel y trastabilló. Se agarró al caballete en busca de apoyo, pero se derrumbó tras él y él dio con sus huesos en el suelo, encima del lienzo.

—¡Estás destrozando mi pintura! —gritó Julia mientras cogía una manta del catre de Diego y se envolvía en ella.

Diego cogió su raída chaqueta y su gorra.

—De todos modos, no era buena —dijo despectivamente.

—¿Qué quieres decir con que no era buena? —chilló Julia—. ¿Por qué no?

Émile trató de levantarse, pero resbaló en los pegotes de pintura de la paleta de Diego.

—El tema no inspiraba lo suficiente —dijo Diego.

—¿Que no inspiraba lo suficiente? —dijo Julia, indignada.

Diego había llegado al pie de la escalera cuando ella le lanzó un bote de barro lleno de pinceles. Él desvió fácilmente el bote con el brazo, estrellándolo contra la pared.

—¡Necesito beber! —dijo él mientras subía rápidamente la escalera—. ¡Quizá un madeira me dé la inspiración que ansío!

Émile se levantó con dificultad, mirando en la dirección de la escalera. Cogió un trapo y trató de eliminar los pegotes de pintura de su chaqueta, consiguiendo únicamente que las manchas aumentaran.

Julia dirigió su atención al revoltijo del suelo, agachándose y levantando la pintura.

La boca se le abrió de puro asombro. La mujer —si podía llamársele tal cosa— se parecía a lo que se veía en un espejo de la casa de la risa del carnaval. Por una parte, todas las proporciones estaban mal, con los contornos dibujados caprichosamente. Los pechos —más parecidos a un par de mangas de masa pastelera de las que se utilizan para adornar un pastel— parecían salir de su espalda. La exagerada curva de su talle se extendía hasta unas nalgas de tamaño desmesurado que, de alguna manera, aún conseguía transmitir sensualidad.

—¡Mi culo no es tan grande! —bramó ella—. ¿Y qué se supone que son estas cosas? —Señaló, horrorizada, las mangas pasteleras de puntas rojas.

—¿Qué quieres? —dijo Émile en tono de burla—. Me parece que es clavada a ti.

Julia lanzó un gruñido de frustración.

—Te gusta exhibirte. Sabes que lo haces —dijo Émile mientras trataba de quitarse pintura de la cara, con el único resultado de extenderla, dándole el aspecto de un indio del oeste.

Julia cogió un cuchillo que había caído del bote roto y, por un momento, Émile creyó que iba a utilizarlo contra él. Sin embargo, ella le dio la vuelta al lienzo, adornándolo con una serie de airadas cuchilladas.

—Solo puedes culparte a ti misma —dijo Émile con aire altanero.

—¿Qué decías? —dijo Julia entre dientes mientras se volvía hacia él, con el cuchillo dispuesto.

—Cuidado con ese cuchillo. —Émile retrocedió.

Julia miró el arma que tenía en la mano como si la viese por primera vez y la tiró al suelo, indignada. Cogió la paleta manchada de pintura de Diego y la estrelló contra lo que quedaba de su retrato hecho jirones en el suelo. Por si acaso, tiró al revoltijo una mesita, desparramando un periódico viejo, trapos y un cenicero lleno.

—Estás loca, lo sabes, ¿no? —dijo Émile.

—¡Lárgate! —bramó ella—. ¡Lárgate!

Agarrando la manta y levantándola hasta el cuello con una mano, estaba a punto de empujarlo físicamente por la escalera con la otra cuando los distrajo una voz que llegaba desde arriba.

—¡Julia! ¡Émile! —gritó *madame* Charneau mientras arrastraba los pies bajando la escalera, recogiéndose la falda para evitar pisar el dobladillo—. ¿Se lo has dicho?

—¿Decirme qué? —preguntó Julia.

—El *signore* Peruggia —empezó a decir Émile, haciendo un gesto que indicaba que ella era la culpable de que no hubiese tenido oportunidad de decírselo antes—. Está decidido a marcharse.

Segura al pie de la escalera, *madame* Charneau contempló el desorden que la rodeaba.

—¿Qué ha pasado aquí?

—Pregúntele a ella —dijo Émile, señalando con la cabeza a Julia.

—Deberías habérmelo dicho inmediatamente —reprendió Julia a Émile.

—Está bien —dijo Émile a la defensiva—. No se irá durante unos días.

—Pero esa es la cuestión —dijo, frenética, *madame* Charneau—, me acaba de informar de que se va esta misma tarde. Y se lleva la pintura con él.

—La copia, querrá decir —dijo Émile.

Madame Charneau miró a Julia.

—Cambiaron las pinturas, ¿no? —preguntó él a ambas.

La mirada que Julia intercambió con *madame* Charneau le dio la respuesta.

—¡No puedo creerlo!

—Dadme un minuto para vestirme —dijo Julia, exasperada—. Os lo explicaré sobre la marcha.

CAPÍTULO 33

MIENTRAS SE APRESURABAN PARA LLEGAR A LA *COUR* de Rohan, Julia decía sin aliento:

—Era raro que saliera de su habitación. Nunca ha habido tiempo suficiente para entrar y dar el cambiazo.

—Pero tú tenías una copia de la llave desde hace meses —dijo Émile.

—¿Me has escuchado? —dijo ella—. Él solo salía de su habitación para atravesar el vestíbulo unos pocos minutos cada día. Simplemente, no ha habido tiempo y no sabía que se fuese a ir tan pronto.

—¿A qué hora dijo que salía su tren? —preguntó Émile a *madame* Charneau.

—Me dijo que su tren para Florencia sale de la estación de Lyon a las cuatro en punto.

—Entonces, es mejor que nos apresuremos —dijo él antes de volverse hacia Julia—. ¡Tú solo tenías que hacer una cosa!

Julia iba a responderle cuando Émile apretó el paso y tomó la delantera. Ella se limitó a gruñir, frustrada, mientras cogía del brazo a *madame* Charneau para ayudar a la mujer mayor a seguir el ritmo.

Por fortuna, cuando llegaron a la casa de huéspedes poco después de la una, todavía pudieron oír a Peruggia moviéndose por su habitación.

—Muy bien, genio —le dijo Julia a Émile a modo de reto—, ¿qué sugieres?

—No lo sé —dijo bruscamente Émile, tratando de mantener baja la voz—. Tú eres quien tenía que haberse hecho cargo de todo esto hasta ahora.

Julia dudó, pensando.

—Muy bien —dijo finalmente—. *Madame* Charneau, coja la garrafa de *brandy* de la sala de estar y llévela a mi habitación con dos copas. —La anciana asintió y fue a hacer lo que le pedía—. Émile, sube al ático. No dejes que te oiga. Coge la copia y espera una señal en lo alto de la escalera. —Ella sacó rápidamente la llave de su bolsillo y se la entregó—. Solo espero que hicieses un trabajo mejor al copiarla que en la ocasión anterior.

—¿Ahora quieres que lo haga yo? —murmuró mientras ella lo apremiaba para que subiese la escalera.

De camino al segundo piso, Julia explicó rápidamente y en voz baja lo que quería que hiciera Émile.

Julia dejó a Émile al pie de otra escalera pequeña que llevaba al ático y se encaminó al primer piso. Llegó a la puerta de su habitación en el preciso momento en que *madame* Charneau salía. Julia le susurró unas instrucciones antes de desaparecer en el interior. *Madame* Charneau recompuso su bata de casa y llamó a la puerta de Peruggia. Un momento después, apareció el italiano. Había comido muy poco en los últimos meses y su terno de viaje, más bien raído, le quedaba demasiado ancho y le colgaba por todas partes.

—¿Qué pasa? —preguntó, suspicaz.

—*Monsieur* Peruggia —comenzó a decir *madame* Charneau—, *mademoiselle* Julia desea despedirse de usted.

Él la miró de arriba abajo, desconcertado; después, asomó la cabeza y echó un vistazo al pasillo.

—¿Dónde está?

—Ella me dijo que quería despedirse de usted en su habitación.

Peruggia dudó un momento, examinando minuciosamente la cara de *madame* Charneau. Ella se encogió de hombros, le dirigió una agradable sonrisa y empezó a manosear un jarrón de flores que estaba encima de una mesita lateral. Peruggia se quedó un momento en la puerta; después, salió de su habitación y la cerró con llave. Atravesó el vestíbulo hasta la habitación de Julia, se alisó un mechón de pelo y llamó a la puerta. Casi inmediatamente, se abrió.

Julia levantó la vista hacia él con una sonrisa simpática.

—*Signore* Peruggia —dijo ella con evidente alegría.

—*Madame* Charneau me ha dicho que quería despedirse de mí.

—Sí, por favor, entre.

Él permaneció inmóvil.

—Por favor —repitió ella, haciéndose a un lado y haciendo un gesto con la mano.

Él dudó; después, entró. Julia le dirigió una rápida mirada cómplice a *madame* Charneau y cerró la puerta.

Madame Charneau salió disparada hacia la escalera. Émile estaba en los escalones superiores con la tabla envuelta bajo el brazo. Ella le hizo un gesto con la mano y él bajó a toda velocidad y la siguió hasta la habitación de Peruggia. Con su llave maestra, *madame* Charneau abrió la puerta.

Julia levantó la garrafa de la mesa, sirvió dos copas de *brandy* y ofreció una a Peruggia, que permanecía de pie, más bien rígido, al lado de la puerta.

—Siento que se vaya —dijo ella, tomando un sorbo de su copa.

Peruggia cogió la copa, se la llevó a los labios y la vació.

—Echaré de menos su hermosa cara por aquí —continuó ella—. No lo hemos visto mucho últimamente.

Él seguía inexpresivo.

Julia le dirigió una sonrisa amable y relajada.

—¿Y adónde irá ahora? —preguntó Julia, preguntándose si el hombre diría algo siquiera.

Émile desenvolvió la copia de *La Joconde* y la puso encima del colchón. Metió la mano bajo la cama y sacó la maleta. Sacó también la copia de la llave de su bolsillo, la metió en la cerradura y la giró.

La cerradura no respondió.

Finalmente, Peruggia respondió:

—A Florencia. Voy a Florencia.

—Florencia —dijo Julia, rellenando la copa de él—. Suena muy romántico.

—Italia es mi patria.

—¡Oh!, estoy segura de que tendrá alguna amiga que lo espera, ¿no, *signore* Peruggia?

—Mi madre vive allí —dijo él, con una expresión adusta en su cara—. Pero no tengo un especial deseo de verla.

—¡Oh!, pero seguro que habrá alguien.

Peruggia miró con suspicacia a Julia. Después, levantó su copa y la vació de nuevo.

—Hubo alguien... alguna vez.

Émile empezó a sentir un sudor frío. Esto no podía estar ocurriendo otra vez. Cuando se trataba de cerraduras complicadas, como las que se encuentran en pequeñas cajas fuertes, podría pensarse que una copia no funcionase sin algún perfilado adicional para hacer ajustes finos. Pero con cerraduras bastas, como las de las maletas de este tipo, incluso una copia poco pulida tenía que funcionar.

Trató de girar la llave varias veces, sin éxito. La sacó y la examinó. Vio una ligera rebaba en uno de los dientes. De alguna manera, había escapado a su atención cuando copió la llave. Sacando una pequeña lima del bolsillo de su chaqueta, pulió la rebaba a toda velocidad. Volvió a introducir la llave en la cerradura, hizo una profunda inspiración y la giró. La cerradura se abrió.

Rellenando de nuevo la copa de Peruggia, Julia dijo:

—Lo sabía. Era difícil de imaginar que un partido como usted pasara desapercibido demasiado tiempo.

Peruggia miró el líquido oscuro de su copa como si fuese alguna especie de bola de cristal.

—Se marchó con un carnicero.

—Un carnicero... —dijo Julia, tratando desesperadamente de pensar algún comentario adecuado mientras
vaciaba de nuevo su copa. Finalmente, tratando de parecer lo más comprensiva posible, dijo: —Por la carne... sin
duda.

Peruggia asintió con hosca aquiescencia.

—Siempre tuvo un apetito insaciable.

—Ahí está, entonces —dijo Julia.

Hubo un momento de incómodo silencio mientras el
tema se iba agotando como una brizna de humo que se
extingue. De repente, Peruggia salió de su ensoñación.

—Tengo que irme.

—¡Oh!, ¿tan pronto? —protestó Julia—. Pero si tiene mucho tiempo. Por favor, quédese un poco más.

Él fijó la mirada en ella.

—¿Por qué quiere que me quede?

—Porque disfruto con su compañía, evidentemente.
—Trató de rellenar su copa, pero él la cubrió con la mano.

—No más —dijo, dándose la vuelta para salir.

—Y además —dijo ella, interponiéndose entre él y la
puerta—, cuando se vaya, quedará esto muy solitario.

Émile abrió la maleta y sacó unas cuantas camisas dobladas
hasta encontrar *La Joconde*. Con cuidado, agarró ambos lados de la tabla y la puso sobre la cama, al lado de la copia.

—Émile. —La voz de *madame* Charneau llegaba
desde la puerta.

Apartándose del objeto de su atención, Émile se
acercó a la puerta.

—¿Qué pasa? —preguntó, tratando de que su voz fuese un susurro.

—¡Tienes que darte prisa! —dijo ella a través de la puerta.

—Sí, sí —dijo Émile, impaciente, antes de volver a la cama. Arrodillándose de nuevo, cogió la copia.

Se quedó petrificado.

Miró las dos pinturas idénticas, una al lado de la otra. ¿Cuál de las dos era la copia? ¿Cuál de ellas había dejado más tarde?

«Esto es ridículo», pensó. Había vuelto a dejar las dos. «¡Ah, sí, claro!». La de la derecha era la copia. ¿O era la de la izquierda? No, la de la derecha. Ahora lo recordaba con claridad.

Deslizó en la maleta la pintura de la derecha. Volvió a meter las camisas, cerró la tapa, dejó cerrada la cerradura y volvió a meter la maleta bajo la cama.

Julia estaba entre Peruggia y la puerta. Su cara mostraba una sonrisa provocativa.

—¿Y por qué, de repente, le gusto tanto? —preguntó él, poniendo su copa vacía en la repisa de la pequeña chimenea—. Pocas veces me ha dirigido la palabra en varios meses.

—Usted se mostraba muy reservado —dijo ella tímidamente— y además, ya conoce a las mujeres. No conocemos nunca nuestras propias mentes.

Sin cambiar su expresión, Peruggia cerró los ojos y acercó su cara a la de ella.

«Va a besarme», pensó Julia frenéticamente. «Es la única manera de retenerlo aquí. Tengo que hacerlo».

Pero no pudo. Ella se hizo a un lado, haciendo que Peruggia perdiera ligeramente el equilibrio. Él abrió los ojos y se encontró acercándose a la puerta y apoyando la mano en ella.

—¿Ve lo que quiero decir? —dijo ella, sonriendo sin convicción.

Peruggia sonrió satisfecho, encogiéndose ligeramente de hombros. Después, giró el pomo de la puerta. Cuando la puerta se abrió, Julia volvió a interponerse en su camino, lo cogió por las solapas y le hizo girar sobre sus talones, de manera que diera la espalda al pasillo.

—Pero lo echaré de menos —dijo ella. Por el rabillo del ojo vio a *madame* Charneau al lado de la puerta de Peruggia indicándole frenéticamente que Émile todavía estaba dentro.

Julia no tenía elección. Tirando de Peruggia hacia delante y hacia abajo, le plantó firmemente sus labios sobre los suyos. Los notaba húmedos y correosos y estaba segura de que podía apreciar el sabor de la morcilla belga que le había llevado la noche anterior para cenar. Se las arregló para ver cómo salía Émile de la habitación de Peruggia con la tabla envuelta bajo el brazo. Siguió besando a Peruggia hasta que Émile y *madame* Charneau desaparecieron escaleras abajo. En cuanto se fueron, ella retrocedió. De repente, Julia cobró un aspecto formal cuando tendió su mano.

—Bueno —dijo ella—. *Bon voyage!*

Antes de que él pudiera hacer o decir nada, ella lo empujó suavemente, haciéndole salir de su habitación. Cerrando la puerta tras él; se apoyó de espaldas a ella, completamente agotada.

Diez minutos más tarde, Peruggia estaba con *madame* Charneau en la puerta principal. Llevaba puestos su abrigo y su sombrero; en una mano, transportaba su maleta. Bajo el otro brazo, sostenía la tabla, que había envuelto en unas telas.

—Adiós, *madame* —dijo con una brusca inclinación de cabeza—. Gracias por su hospitalidad.

—El placer ha sido mío, *signore* Peruggia. Espero que tenga un agradable viaje.

Peruggia comenzó a andar, pero se paró y se volvió.

—Me parece —comenzó a decir, con voz baja y seria— que la joven dama necesitaría un poco de atención extra durante algún tiempo.

—Por supuesto, comprendo.

Con una torpe inclinación de cabeza final, Peruggia se alejó. *Madame* Charneau esperó hasta que desapareció del patio interior antes de cerrar la puerta. Inmediatamente, Émile apareció desde la cocina mientras Julia bajaba a toda prisa la escalera.

—Estaba cerrado —dijo Émile.

—¿Conseguiste dar el cambiazo? —preguntó Julia jadeando.

—Naturalmente —respondió Émile.

—¿Y la llave?

—Funcionó perfectamente a la primera.

—¡Eres mi héroe! —dijo ella alegremente, rodeándolo con sus brazos.

—Bien hecho, Émile —dijo *madame* Charneau.

Cuando Julia lo soltó, él se quedó un momento un poco deslumbrado. Después, se tanteó rápidamente el bolsillo para asegurarse de que su reloj seguía en su sitio.

—Y tú también —le dijo él a Julia antes de incluir rápidamente a *madame* Charneau—, las dos. Bien hecho.

—El marqués estará orgulloso de todos nosotros —dijo *madame* Charneau.

—¿Cómo te las arreglaste para distraerlo? —le preguntó Émile a Julia.

Ella compartió una rápida sonrisa cómplice con *madame* Charneau antes de responder.

—No te gustaría saberlo.

Y con eso, ella se lanzó hacia delante y le dio un rápido beso en la mejilla antes de girar rápidamente y salir a escape escaleras arriba. Émile la miró, estupefacto.

—Es la segunda vez que hace eso.

—Es la tercera vez que tienes que preocuparte por eso —le dijo *madame* Charneau con un guiño. Después, se puso seria—. ¿Dónde guardarás ahora la pintura?

—Una muy buena pregunta. En realidad, he estado pensándolo mucho.

—¿Y?

—Y, ¿qué mejor sitio para ocultar un elefante —comenzó Émile— que en una manada de otros elefantes?

Iba a mitad de camino por Saint-Germain cuando se dio cuenta de que le faltaba su reloj de bolsillo.

* * *

Con la tabla empaquetada bajo el brazo, Émile llamó a la puerta del estudio de Diego a nivel de la calle.

—¿Diego? —llamó. No hubo respuesta—. ¿Diego?

Como había previsto, el artista no había vuelto aún. Con la llave escondida que Diego guardaba siempre en una vieja y herrumbrosa lámpara de gas pegada a la pared —la misma que Émile había dejado allí cuando Julia, *madame* Charneau y él salieron apresuradamente unas horas antes— entró y descendió por la escalera hasta el sótano.

Pasando por encima del revoltijo del suelo, fue inmediatamente al pequeño cuarto que el artista utilizaba como almacén. Era una jungla de caballetes, cajones, lienzos, tablas y materiales diversos. El único mueble era un pupitre escolar infantil de madera arrumbado en un rincón. Diversas copias de *La Joconde* estaban apoyadas caprichosamente sobre las paredes. Algunas estaban incompletas, pero una o dos parecían terminadas. Algunas de las copias de Diego eran más pequeñas que el original y otras, ligeramente mayores. Émile razonó que debían de haber sido reproducciones legítimas que había creado para el comercio turístico. Diego debía de haber incluido su copia principal con las dimensiones correctas con las tablas que había enviado a Valfierno. En consecuencia, Émile pensó, cuando colocó el original entre ellas, que sería fácil recogerla cuando llegara el momento, a causa de su tamaño único y su evidente calidad superior.

Encantado con su engaño, dejó el cuarto y subió a la calle.

CAPÍTULO 34

PRINZ JOACHIM

VALFIERNO ESTABA CON ELLEN HART EN LA CUBIERta de popa del *Prinz Joachim* contemplando el sol poniente que teñía de rojo el horizonte.

Ellen tuvo que elevar la voz para hacerse oír sobre el ruido del viento y el rumor sordo de las hélices bajo sus pies.

—He oído a otros pasajeros que atracaremos en El Havre a medianoche, hacia las dos, como máximo.

Ella se apoyaba en la barandilla al lado de Valfierno, sosteniendo en una mano su sombrero a pesar de la ancha cinta que lo sujetaba alrededor la barbilla.

—Y, por la mañana, en París —dijo Valfierno.

El viaje desde Nueva York había sido en su mayor parte desagradable. Un *nor'easter*[1] trajo lluvias torrenciales y fuertes vientos procedentes de Nueva Escocia que

---

[1] Ciclón extratropical que se desarrolla a lo largo de la costa oriental de los EE.UU. a causa de las diferencias de temperatura y humedad entre la corriente de aire frío procedente de Canadá y el aire caliente del Atlántico. *(N. del T.)*.

azotaron el barco durante gran parte de la travesía. Solo cuando se aproximaban a la costa europea amainó la tormenta. Valfierno y Ellen pasaron prácticamente todo el tiempo bajo cubierta, en sus camarotes individuales. Su principal contacto se producía a la mesa de la cena, cuando coincidían con otros pasajeros de primera clase y, a veces, con el capitán, por lo que tuvieron pocas oportunidades para mantener una conversación personal.

Ellen sospechaba que esto le venía muy bien a Valfierno. Era obvio que la había evitado y esto la llevaba a preguntarse por la motivación de él para aceptar llevarla con él a la primera. ¿No le había dejado ella otra salida o fue él quien optó por llevarla? En todo caso, ahora mantenía su opción en un estricto nivel de negocios, el nivel en el que parecía encontrarse más cómodo.

Un día antes de la llegada a El Havre, el tiempo mejoró y, tras una cena temprana, ella le pidió que la acompañara a tomar el aire en la cubierta.

Ambos contemplaron cómo una rodaja de fuego naranja pintaba el horizonte antes de extinguirse en el mar.

Pasado un momento, Valfierno se volvió hacia ella y le preguntó:

—¿Qué piensa hacer?

—No tengo ni idea. Mi familia tenía amigos en París, pero de eso hace mucho tiempo, cuando yo era pequeña. Ni siquiera sabría cómo dar con ellos.

—Mi amiga, *madame* Charneau, regenta una casa de huéspedes cerca del Barrio Latino —dijo Valfierno—. Estoy seguro de que podría quedarse allí hasta que se establezca.

Ella asintió. Era obvio que esta no era la cuestión que más la preocupaba.

—Edward —comenzó ella, vacilante—, siento que no hayamos tenido muchas oportunidades de hablar.

Él asintió, pero no respondió.

Ella añadió:

—¿Puedo hacerle una pregunta?

Valfierno se detuvo un momento mirando el mar que se iba oscureciendo antes de responder:

—Naturalmente.

—¿Por qué lo hace? ¿Es solo por el dinero?

—¿Por qué qué? —dijo él, encogiéndose de hombros ante la pregunta.

—No sé —dijo ella, respondiendo a su pregunta retórica—. Por la emoción, quizá; por la emoción de la estafa. —Adornó la última palabra con un movimiento dramático de la mano.

—Me parece que ha leído demasiadas novelas —dijo él, con indulgencia.

—Tiene que haber algo más. Consideremos la situación presente. Ayudarme no le reporta beneficio alguno.

—Usted me obligó.

—Tengo la sensación de que nadie puede obligarlo a hacer nada.

—Además —dijo él en broma—, ¿cómo sabe que no la retendré para pedir un rescate?

—No es mala idea —dijo ella con una recatada sonrisa—. Podría cortarme un dedo y enviárselo a mi esposo. Este casi no lo utilizo.

Ella levantó el meñique. Como todo lo demás en ella, pensó Valfierno, era tan fino y perfecto como el de una muñeca de porcelana.

—Demasiado truculento —dijo él, con aire displicente—. Además, usted es quien me chantajeó, ¿recuerda?

Ellen abandonó su tono de broma y se puso seria.

—¿Quién me iba a creer aunque hubiese ido a la policía? E incluso si me hubiesen creído, mi esposo se habría asegurado de que se echara tierra encima.

—Es cierto —dijo él, considerándolo—. Es un hombre poderoso.

—Entonces, ¿por qué me ha ayudado?

—Digamos —respondió, con un breve contacto visual con ella— que el pensamiento de otro largo viaje transoceánico sin la compañía de una hermosa mujer era insoportable.

Ella miró seriamente su perfil mientras él seguía con la mirada fija en lo que quedaba de horizonte. No sería fácil conseguir que este hombre le dijera la verdad.

Estuvieron allí quietos un momento, mirando los dos la estela que se ensanchaba y disipaba en la superficie cobriza y ondulada del mar. Finalmente, él se apartó de la barandilla.

—Debemos volver y descansar algo mientras podamos —dijo él—. Mañana será un día de mucho ajetreo. Le deseo que pase una buena noche. —Tocó el ala de su sombrero y se dio la vuelta para irse.

—Edward.

Se detuvo y se volvió hacia ella. Ambos se miraron en silencio durante un momento. Después, ella se adelantó, puso suavemente sus manos en los brazos de él, levantó ligeramente su cabeza y apretó sus labios contra los de él. Él no se resistió. Mientras el beso persistía, los dedos de ella se tensaron sobre los brazos de él. ¿Detectó Ellen una mínima respuesta o estaba actuando únicamente el caballero? Lo soltó y retrocedió.

—Gracias por ayudarme —dijo ella en voz baja.

Él hizo una inspiración como para decir algo, pero se detuvo. En cambio, inclinó ligeramente la cabeza y dijo:

—*De nada*[2].

Ellen se quedó mirando cómo se volvía y se alejaba por la cubierta. Después de que desapareciera escaleras abajo, volvió a dirigir la vista al mar. Todo lo que quedaba del día era una tenue capa ocre que se prolongaba en el horizonte. Cuando desaparecieron las últimas trazas de luz y las primeras estrellas reclamaron su puesto en el cielo nocturno, comprendió que ya no había vuelta atrás.

---

[2] En español en el original. *(N. del T.)*.

Capítulo 35

L OS EDIFICIOS DE COLORES AMARILLO Y NARANJA TOStado que tapizan el puente Vecchio resurgían a la vida con una sonata de repiqueteos de apertura de los postigos de madera. Vincenzo Peruggia atravesó el puente en dirección al edificio más imponente de Florencia, la catedral de Santa Maria del Fiore, *Il Duomo,* y se detuvo a mirar a través de un hueco en las tiendas que se amontonaban unas al lado de otras. Bajo sus pies, el Arno pasaba tranquilo, alejándose del anillo de distantes colinas verdes, con su corona de cipreses que perforaba el cielo azul pálido y sin nubes, sobreponiéndose aún a la oscuridad de la noche que se retiraba. Por fin estaba en casa y la persistente humedad que ascendía del río bien podría haber sido la pesada niebla que se levantaba de su corazón. Cogiendo los primeros aromas dulces de los *cornetti*[1] recién horneados en la cálida brisa, volvió a colocarse bajo el brazo la tabla envuelta y siguió cruzando el puente.

---

[1] Variante italiana del cruasán. *(N. del T.).*

Le quedaban dos horas para su cita en la Galería de los Uffizi y Peruggia dio un paseo por la *via* por Santa Maria hasta la plaza del *Duomo*. Dio varias vueltas alrededor de la gran catedral abovedada, tratando de disipar la intensa energía y las expectativas que lo embargaban. La *piazza* volvía a la vida. Los mendigos empezaban a pedir, asumiendo sus puestos de penitentes a la entrada de la catedral; los vendedores disponían sus mercancías en mesas improvisadas; los artistas colocaban sus taburetes y caballetes para exponer sus caricaturas; los turistas iban llegando a la *piazza* acompañados del repiqueteo constante de sus tacones sobre los adoquines.

A las diez en punto, Peruggia estaba a la puerta de los Uffizi. Estaba seguro de que no pasaría mucho tiempo antes de que su nombre fuera aclamado por toda su amada patria. Sería el hombre, el héroe, que había devuelto al lugar que le correspondía el mayor tesoro de Italia. Sería famoso, aunque lo importante no era esa fama, por supuesto. Era justicia lo que ansiaba, justicia para el pueblo de Italia, justicia para la nación que siempre estaba a merced de tiranos rapaces, déspotas que se llevaban lo que codiciaban sin piedad ni compasión; y justicia era lo que él estaba a punto de impartir.

Peruggia se sentó en una antesala sin ventilación en un banco de madera, con la tabla envuelta en el suelo, a su lado, apoyada en su rodilla. Miró de nuevo su reloj de bolsillo. Eran casi las tres. Llevaba esperando cinco horas. ¿Acaso no apreciaban la importancia de su presencia aquí? No importaba. En cuanto se dieran cuenta de su error, le llovería un río del tamaño del Arno de peticiones de excusas.

Finalmente, se abrió la puerta de una oficina interior y salió una mujer corpulenta, elegantemente vestida, con el pelo recogido en un apretado moño.

—Lo verá ahora —dijo ella, con una expresión tan inexpresiva como las paredes de la antesala.

Al entrar en la oficina, lo primero que vio Peruggia fue a un hombre —presumiblemente, el director del museo— que escribía algo en un pulido escritorio de caoba. Estaba tan absorto en su tarea que ni siquiera levantó la vista. Cuando se diera cuenta de la importancia del objeto que tenía en su poder, pensó Peruggia, se volvería loco.

Solo cuando la mujer corpulenta cerró la puerta, el hombre del escritorio se percató y levantó la cabeza. Tenía unos sesenta y tantos años; el pelo, antinaturalmente negro, muy corto, en un estilo que recordaba a los antiguos emperadores romanos. Su expresión no reflejaba una bienvenida, sino solo una vaga y sorprendida curiosidad.

—¡Ah! —comenzó—. *Signore...*

—Peruggia.

—Sí, sí, claro. *Signore* Peruggia. Soy el *signore* Bozzetti. *Prego.* Siéntese, por favor.

Extendiendo una mano pequeña, regordeta, indicó una silla de madera al otro lado del escritorio. Peruggia sintió una repentina punzada de aprensión, como si una voz interior le dijera que se marchara inmediatamente, que huyese lo más lejos posible. Pero contuvo sus temores y se sentó, apretando la tabla contra su pecho.

—Confío en que haya tenido un buen viaje.

El *signore* Bozzetti no era exactamente gordo, pero su cuerpo suave, redondeado, le recordaba a Peruggia la masa de pan. La piel que le rodeaba el cuello colgaba tan holgada como un traje poco ajustado, y era obvio que no se había gastado muchos cuartos en ajustar su traje a su amplio cuerpo. El corte del sayo era bueno y brillaba, lo que hizo que Peruggia tuviera muy presente que su traje estaba verdaderamente desgastado.

—Debo admitir —continuó el *signore* Bozzetti— que, cuando telefoneó, estaba un tanto escéptico. Comprenderá que mucha gente dice tener en su poder cosas que, en realidad, solo existen en algún recoveco fantástico de su mente.

¿Acaso lo estaba insultando? Peruggia no estaba seguro, por lo que permaneció en silencio.

—Tengo curiosidad —persistió Bozzetti, indicando la tabla—. ¿Qué he hecho yo para merecer tal honor?

—Comprendo —empezó Peruggia, despacio— que usted tiene cierta reputación de discreción.

—Eso es muy cierto —dijo Bozzetti, asintiendo con la cabeza, orgulloso, y añadiendo rápidamente—: dependiendo de la situación, naturalmente. Usted mencionó que su motivación primordial era devolver la pintura a su debido lugar.

—Mi única motivación —lo corrigió Peruggia.

—Aparte de las cincuenta mil liras que mencionó.

—Eso es solo por los problemas que he tenido que arrostrar —dijo Peruggia. «¿Acaso no comprende este hombre la naturaleza de la equidad, que la justicia no llega sin pagar un precio?».

—Entonces, tiene que haber hecho frente a muchos problemas. Suponiendo, naturalmente, que la pintura sea auténtica.

Aquí es adonde Peruggia quería llegar. Con una sonrisa de satisfacción, comenzó a desenvolver la tabla, con parsimonia, como si estuviese retirando los pétalos de una rosa.

Cuando el paño cayó, Peruggia giró despacio la tabla, dejando ver la pintura al director del museo, con una sonrisa de suficiencia en su rostro.

Bozzetti unió sus índices, formando con ellos una aguja bajo su mentón mientras lo evaluaba, reduciendo sus ojos a auténticas ranuras. Pasado un momento, asintió con cauta aprobación y miró a Peruggia, mientras en su boca aparecía una sonrisa condescendiente.

—¿Puedo? —dijo, abriendo las manos.

Peruggia vaciló un momento antes de separar la tabla de su cuerpo. Levantándose de su asiento, Bozzetti se inclinó sobre su escritorio y tomó la tabla de las manos de Peruggia. Se acercó a la ventana, le dio la vuelta a la tabla y examinó el dorso, bizqueando un poco mientras examinaba cada cuadrante. Tras unos momentos, le dio de nuevo la vuelta a la tabla. Su examen de la pintura misma pareció superficial en comparación con la atención que prestó al dorso.

—Muy interesante —dijo Bozzetti, tratando de que su voz no delatase concesión alguna—. Dígame, ¿cómo se las arregló para atravesar la frontera con esto?

—Tomé un tren que sabía que iría abarrotado —dijo Peruggia—. Pensé que era un riesgo que merecía la pena correr. Como esperaba, el aduanero se limitó a pasar por el coche y solo comprobó unos cuantos pasaportes.

—Entiendo. —Bozzetti volvió a centrar la atención en la tabla—. ¿Le importa que pida a algunos colegas que me ayuden a autentificarla?

Peruggia se puso en pie de un salto.

—Acordamos que nadie más intervendría.

—Solo nos llevará un minuto —dijo Bozzetti mientras se acercaba del escritorio a la puerta.

Peruggia se sintió atrapado y de repente la estancia se puso al rojo vivo.

Bozzetti abrió la puerta. Dos hombres, que llevaban sendos trajes oscuros que parecían demasiado pequeños, entraron sin decir palabra. Sus expresiones duras no revelaban nada.

—*Signore* Peruggia, permítame presentarle al *signore* Pavela y al *signore* Lucci de los Carabinieri.

¡Las fuerzas de seguridad italianas! El estómago de Peruggia dio una sacudida.

Pavela se acercó y agarró firmemente el brazo de Peruggia.

—*Signore* Peruggia —dijo con voz plana, de oficio—, queda detenido por el robo de *La Gioconda*.

Capítulo 36

SEPULTADO EN SU DIMUNUTO NUEVO DESPACHO DEL sótano de la prefectura de policía en la Île de la Cité, el inspector Alphonse Carnot frunció el ceño ante el expediente que tenía delante en su mesa. Detallaba el caso de un tal Claude Maria Ziegert, un ciudadano alemán que había vivido en París durante varios años. *Herr* Ziegert había atraído la atención de la policía al asesinar a su casera, *madame* Villon, de cuarenta y siete años en el momento de su fallecimiento. Ziegert tenía treinta o treinta y un años —el dato no estaba claro— y probablemente los dos tuvieran una aventura amorosa. Carnot consideró que quizá gozara de un descuento de su renta por acostarse con la mujer; o quizá estuvieran enamorados y hubiesen tenido una pelea de amantes. A juzgar por la fotografía del generoso cuerpo de *madame* Villon —con la garganta seccionada por un corte no demasiado limpio—, probablemente fuese lo primero.

El caso estaba abierto desde hacía más de tres meses y nadie tenía la más ligera idea del paradero de *Herr* Ziegert. Todo el asunto estaba tan frío como el pescado que venden en los mercados de Les Halles y, en lo que concernía a Carnot, apestaba igual que aquel.

Por eso se lo había encomendado el comisario, evidentemente. Carnot no solo había cometido el fatal error de hacer perder el tiempo al comisario, sino también el de decepcionarlo, y ahora estaba pagando por ello.

Disgustado, cerró el expediente y lo dejó en un montón creciente de abultadas carpetas. Unos segundos después, se abrió la puerta y entró el agente que le habían asignado a Carnot cuando gozaba del favor del comisario. Aunque el joven estaba presente en el fiasco de las huellas dactilares, Carnot no podía recordar su nombre.

—Inspector —comenzó a decir alegremente el joven—, los Carabinieri italianos han detenido en Florencia a un hombre por tratar de vender *La Joconde*.

Los ojos de Carnot se centraron en el expediente siguiente.

—¿Y qué importa eso —preguntó, displicente—, la décima o undécima vez que alguien trata de colar alguna copia de aficionado?

—No, inspector —insistió el joven—. Este es un antiguo empleado del Louvre.

Carnot levantó la vista.

—Entre. Dígame.

El agente entró, encantado por que sus noticias hubiesen dado en el clavo.

—Yo estaba allí cuando llegó el telegrama. Lo pusieron en un montón con todos los demás papeles, pero recuerdo el nombre. El año pasado, hubo una pelea en uno de los cafés del barrio de Saint-Martin. El hombre que empezó la pelea era un italiano apellidado Peruggia, y recuerdo que estaba empleado como trabajador de mantenimiento en el Louvre.

—Muy perspicaz —dijo Carnot—. Buen trabajo... ¿Cómo se llama usted... una vez más?

—Brousard, inspector —dijo el joven, un poco desalentado.

—Claro, Brousard —dijo rápidamente Carnot.

—Estaba pensando —continuó Brousard— que quizá debiera enviar a alguien a interrogar al hombre, quiero decir antes de que la información llegue al comisario.

—Quizá tenga razón —dijo Carnot y, levantándose, añadió—: De hecho, creo que iré yo mismo.

—Pero, inspector, creía que el comisario lo había confinado al trabajo de despacho.

—¿Sí? —dijo Carnot mientras cogía su sombrero y su abrigo de un perchero—. Brousard, ha hecho un buen trabajo. Si este telegrama lleva a algún sitio, será muy bueno para mí. Y, naturalmente, me aseguraré de que también sea muy bueno para usted.

—Muchas gracias, inspector —dijo Brousard, cuadrándose.

—¡Oh! —añadió Carnot antes de salir—, si el comisario pregunta por mi paradero, dígale que he salido a tomar un cruasán.

CAPÍTULO 37

EL ATRAQUE DEL *PRINZ JOACHIM* EN EL HAVRE SE HA-
bía retrasado por la niebla, por lo que, cuando el
tren salió hacia París, ya era pleno día. Valfierno y
Ellen Hart pasaron la mayor parte del viaje en silencio. Él
se sumió en un montón de periódicos; ella miraba por la
ventanilla observando el campo que, sin solución de con-
tinuidad, pasaba ante ella, salpicado por pequeñas granjas
y poblaciones, cada una marcada por su propio característico campanario. El contraste de los árboles que pasaban
ante la ventanilla a toda velocidad con el paso más tranquilo de las colinas y campos distantes tenía un efecto casi
hipnótico, permitiéndole dejar su mente en blanco durante un buen rato.

Reflexionó sobre la última noche en el barco. Pudo
racionalizar con facilidad el beso como un gesto de gratitud, una forma de agradecerle su ayuda. Pero, si era sincera consigo misma, sabía que había habido algo más, aunque no estaba muy segura de lo que era. ¿Había querido
que él la tomara en sus brazos y le declarara un amor in-
mortal? ¿Había sido una prueba de algún tipo? En ese

caso, ¿había fracasado? Él no había hecho nada en respuesta, o muy poco, en todo caso. Ahora, era difícil recordarlo. Él no se había marchado, pero tampoco había dado ningún indicio de que el beso hubiese sido especialmente bien recibido.

Trató de apartar el pensamiento. Era inútil especular. Ella le había agradecido su ayuda y eso era todo. Otro pensamiento hizo que apareciera una íntima sonrisa irónica en su rostro. Quizá solo hubiese conseguido hacer un completo ridículo.

—Pronto llegaremos a las afueras de la ciudad —dijo Valfierno en tono puramente objetivo.

Ella lo miró brevemente; después, volvió su rostro hacia la ventanilla.

Al descender del tren en la estación de Orsay, Ellen sintió una ráfaga de emoción cuando la frenética energía de la ciudad comenzó a penetrar en ella. Ya antes había estado dos veces en París: una, cuando tenía doce años, con su madre, antes de que hubiera entrado en coma. En aquella ocasión, habían visitado la *Exposition Universelle* de 1889, pero aun viendo la recién construida Torre Eiffel y los pabellones gigantes en los que se exhibían las maravillas sin fin de la era industrial, no le hizo sentir tan llena de júbilo como ahora. La sensación de aventura y la posibilidad hacían que su corazón latiera rápidamente ante la expectativa, una impresión que no había experimentado de niña. Era pura felicidad, aun teñida, como estaba, por el espectro de un futuro incierto.

Al salir de la estación, Valfierno encontró rápidamente un taxi a motor. Cargó en el vehículo el reducido equipaje que llevaba y le dio al taxista la dirección de la casa de *madame* Charneau para que fuera directamente allí. Valfierno viajaba con dos maletas, una de tela y la otra de cuero. Siempre prestaba especial atención a la de piel y Ellen imaginó que contenía los frutos de sus trabajos más recientes.

Para el gusto de Ellen, el viaje por Saint-Germain-des-Prés resultó demasiado corto. Miraba fascinada el continuo desfile de trolebuses, coches de caballos, automóviles que competían con los acicalados caballos que transportaban a elegantes caballeros de barba gris en sus calesas de cuatro ruedas, hombres anuncio que promocionaban las maravillas del *grand magasin*[1] más moderno y comerciantes que cargaban con cestas de mimbre de bordes altos. Naturalmente, los estilos habían cambiado desde su última visita. Era un nuevo siglo. Las mujeres ya no acentuaban el busto, la cintura de avispa y unas caderas que dieran al cuerpo una exagerada figura de guitarra; ahora, las líneas eran más largas y más delgadas, con abrigos ribeteados de piel que encerraban el cuerpo en elegantes líneas rectas. Los sombreros eran más pequeños y ya no iban rematados como auténticos jardines móviles de flores. Una cosa no había cambiado: las mujeres conducidas por perritos al final de tensas correas, guardando el equilibrio con sombrillas de seda con borlas, y con sus mascotas ataviadas con

---

[1] Grandes almacenes. (*N. del T.*).

unos diminutos conjuntos a juego con los atuendos de sus amas.

«¡Ojalá el viaje perdurara por siempre!», pensaba cuando el taxi entró en la *cour* de Rohan.

Madame Charneau dijo con una sonrisa de bienvenida:

—Naturalmente, cualquier amiga del marqués es bienvenida aquí como huésped durante el tiempo que desee.

Ellen se sentó frente a *madame* Charneau en la sala de estar de su casa de huéspedes. Valfierno se quedó de pie detrás de Ellen, mientras Émile y Julia observaban desde lados opuestos de la estancia.

—Es usted muy amable, *madame* —dijo Ellen—. Por supuesto, le pagaré.

—Solo lleva aquí unos minutos —bromeó *madame* Charneau de cara a los demás— y ya me está insultando.

—Su amabilidad me confunde —dijo Ellen, con un ligero rubor en el rostro.

—Bueno —comenzó *madame* Charneau—, ha hecho un largo viaje. Debe de estar cansada. Le mostraré su habitación.

Ellen se levantó y miró a Émile y luego a Julia, sonriendo con gratitud.

Volviéndose a Valfierno, dijo:

—Quizá, Edward, lo vea más tarde.

La única respuesta de Valfierno fue una ligera inclinación de cabeza en señal de reconocimiento.

—Por aquí, *chérie* —dijo *madame* Charneau, conduciéndola desde la sala.

En cuanto *madame* Charneau y Ellen desaparecieron escaleras arriba, Julia comenzó a asaetear a Valfierno con preguntas ansiosas:

—¿Qué demonios está pasando? ¿Cómo diablos ha acabado ella aquí? ¿Qué ha ocurrido? ¡Cuéntemelo todo!

—Ahora no, Julia, por favor —dijo Valfierno.

—Pero...

—¿Está todo ahí? —interrumpió Émile, centrando su atención en la maleta de cuero que estaba a los pies de Valfierno.

Para Valfierno fue un alivio el cambio de tema.

—Menos algunos gastos necesarios y un incentivo razonable para que los funcionarios de aduanas miraran para otra parte, y ahí se quedará por ahora. No podemos permitirnos llamar la atención tratando de cambiar tal cantidad de dinero; desde luego, no antes de que la pintura haya vuelto sana y salva al museo.

—Entonces, devolvámosla ahora —dijo Émile—. La dejamos a la puerta o algo así.

—Todo en su momento —dijo Valfierno—. Se hará pronto, pero hay que hacerlo bien. Tenemos que asegurarnos de que no haya absolutamente ninguna conexión, ninguna pista que pueda llevar hasta nosotros. —Tras una pausa, preguntó—: ¿Dónde está Peruggia? —La pregunta era informal, casi una ocurrencia casual.

Valfierno captó la mirada furtiva que se dirigieron ambos.

—¿Y bien?

—Se fue —dijo Émile, un poco tímidamente.

—Volvió a Italia —añadió Julia.

La mirada de Valfierno pasó de uno a otra antes de asentir con la cabeza, resignado.

—Era inevitable. Estaba decidido. Esperaba que hubiese aguantado al menos hasta pagarle.

—No hubo forma de detenerlo —dijo Émile.

—Y no porque no lo intentásemos —intervino Julia a modo de coro.

Había algo en el tono de sus voces que indicaba una confianza compartida.

—Y no tuvisteis dificultades para cambiar las pinturas. —Era tanto una afirmación como una pregunta.

—Claro que no —dijo Julia.

—¿Y el original está en un lugar seguro?

—Absolutamente seguro —comenzó a decir Émile—. Está en...

—No —lo detuvo Valfierno—. No tengo que saber dónde está. Confío en ti, Émile. Y, si no sé dónde está, no sentiré la tentación de verla y, si no la veo, no estaré tentado de guardármela. Nadie es inmune al atractivo de una gran belleza.

Julia se dio cuenta de que, después de decir esto, Valfierno dirigió la mirada a la escalera del vestíbulo.

—Bueno, no importa —continuó, volviéndose hacia ellos—. Esperaremos unas semanas, quizá, a ver si Peruggia dice algo. Mientras tanto, pensaremos en la mejor manera de devolverla. —Relajó el tono—. Me impresionaron mucho las noticias que leí sobre vuestra actuación. Fue una auténtica hazaña.

—En realidad, no estuvo mal —dijo Émile, con una mirada a Julia.

—Fue asombroso —dijo Julia, excitada como una niña—, y tuve que apuntarme en el último minuto para entrar en el museo. Ese idiota de Brique...

—Sí —interrumpió Valfierno—, ¿dónde está?

—Desapareció antes del robo y no volvimos a saber de él —dijo Émile—. Por suerte para nosotros, nunca supo nada de lo que planeábamos.

—Tuve que entrar y ocupar su lugar —insistió Julia—. No te creerías lo que tuve que...

Valfierno la detuvo con un suave movimiento de la mano.

—Pronto podréis contármelo todo, pero ahora estoy muy cansado del viaje. Dormí poco la noche pasada.

—Claro —dijo Julia, incapaz de ocultar la decepción en su voz.

—Émile —dijo Valfierno—, ¿serías tan amable de llevar mi maleta al coche?

Émile se agachó y agarró el asa de la maleta de cuero.

—No, la otra maleta, por favor. Yo llevaré esta.

Con una sonrisa incómoda, Émile volvió a dejar en el suelo la maleta de cuero y salió al vestíbulo a recoger la bolsa de viaje de Valfierno.

Valfierno agarró la maleta y él y Julia siguieron a Émile al vestíbulo.

—¿Y vosotros dos os estáis llevando bien? —preguntó Valfierno a Julia después de que Émile saliera al patio con la maleta.

—¿Nosotros dos? —dijo Julia alegremente—. Como dos gotas de agua. En realidad, entre usted y yo, creo que está locamente enamorado de mí.

Valfierno se detuvo en la puerta principal.

—Bueno —dijo con una sonrisa—, me alegro de que al menos os llevéis bien.

—Hablando de... —Julia hizo un gesto con la mano señalando escaleras arriba.

—¿La señora[2] Hart? —respondió Valfierno, casi despreciativamente—. Te aseguro que no fue idea mía traerla aquí. No me dejó otra salida.

—Ya veo. Y, dígame, ¿qué piensa *mister* Hart de todo esto?

—¿Sabes? Es divertido —dijo Valfierno con una sonrisa maliciosa mientras salía al patio—, pero no tuve la oportunidad de preguntárselo.

---

[2] En español en el original. *(N. del T.)*.

Capítulo 38

E N CUANTO LLEGÓ A FLORENCIA, EL INSPECTOR CAR-
not fue directamente al *Commando Provinciale,* en
Borgo Ognissanti, y pidió ver al comandante pro-
vincial de los Carabinieri, el *signore* Caravaggio.

Al presentarse como oficial representante de la
Sûreté de París que había venido a hacerse cargo de la obra
maestra robada y a llevar bajo su custodia al ladrón de
la misma, Carnot sabía que estaba asumiendo el mayor
riesgo profesional de su vida. El comisario Lépine no le
había conferido tamaña autoridad. Si tenía éxito, la
cuestión sería discutible. Los periódicos de París es-
tamparían su nombre en primera plana. El comisario se
aseguraría de que su nombre también apareciese desta-
cado, naturalmente, pero no sería capaz de emprender
ninguna acción contra Carnot, el hombre que habría
recuperado *La Joconde* y entregado al ladrón de la misma.

Si fracasaba... bueno, no fracasaría; no podía fracasar. Tanto la pintura como el hombre estaban en manos de

los agentes italianos. Solo había que convencerlos de que le entregasen a ambos a su custodia.

O eso pensaba.

—Me temo, inspector —comenzó a decir el *signore* Caravaggio— que la pintura en cuestión es una falsificación.

—¿Una falsificación? —dijo Carnot—. ¿Está seguro?

—La han examinado concienzudamente tres peritos —dijo Caravaggio con aire de autoridad impaciente—. Eso sí, es una falsificación muy buena. Hecha con mano experta, dicen, pero, en todo caso, una falsificación. Si lo desea, puede discutir la cuestión con el director del museo, el *signore* Bozzetti.

A Carnot se le revolvieron las tripas. Ahora ya se habría descubierto su ausencia de la Sûreté. En realidad, tendría que haberlo pensado mejor; quizá debiera haber fingido que estaba enfermo para explicar su ausencia. Ahora era demasiado tarde y era impensable volver a París con las manos vacías. Perdería su puesto, probablemente lo degradasen a simple *flic*[1] y le asignaran el turno de noche en Pigalle, convirtiéndose en el hazmerreír de la fuerza. Pero quizá no todo estuviera perdido.

—Al detenido —comenzó a decir Carnot con una autoridad que no poseía ni sentía—, ¿le han dicho que la pintura es una falsificación?

Carnot observó a Peruggia a través de la mirilla de la puerta de su celda. El detenido estaba sentado al borde de su catre, sosteniendo la cabeza entre las manos. Una pequeña

---

[1] Denominación coloquial de los agentes de policía uniformados. *(N. del T.)*

ventana con barrotes era la única entrada de luz natural. ¿Este hombre era simplemente un oportunista a cuyas manos había llegado una falsificación muy buena o estaba implicado en el robo? Si era lo primero, Carnot no tenía nada que hacer. Pero, si era lo segundo...

Carnot asintió al guardia uniformado, que abrió el cerrojo y tiró del pomo. La puerta se abrió con un chirrido y el detenido alzó la vista, entrecerrando los ojos ante la luz brillante que entraba del pasillo. La silueta de Carnot se proyectó en la claridad un momento antes de hacer su entrada, mientras le hacía un gesto al guardia para que dejara abierta la puerta.

—*Signore* Peruggia, soy el inspector Carnot de la Sûreté de París.

La única respuesta del detenido consistió en bajar la cabeza y mirar sus zapatos. Carnot dio unos pasos hacia la pared, mirando la pequeña ventana con barrotes próxima al techo. No se veía el cielo, sino solo los muros de la prisión, grises y amenazadores.

—No es la vista más bonita de Florencia.

Tampoco hubo respuesta. Le hizo una seña al guardia, que trajo una banqueta y la colocó al lado de la cama. El agente salió de la celda, permaneciendo al lado de la puerta. La mole de Carnot se sentó sobre la banqueta.

—Su cara —comenzó Carnot— me resulta familiar. ¿Nos hemos visto antes?

Peruggia elevó lentamente la cabeza y miró a Carnot.

—Sí —continuó Carnot—, el Louvre. Usted trabajaba allí, ¿no es así?

Peruggia no dijo nada, bajando la vista al suelo.

A pesar de la ausencia de respuesta, la confianza de Carnot en sí mismo aumentó. Peruggia era uno de los dos hombres que habían dejado caer la vitrina. Un auténtico exaltado, recordó. Esto había que explotarlo.

—Su impulso para devolver *La Joconde* a su país de origen es encomiable.

Peruggia levantó la vista de nuevo y habló en tono grave:

—*Injusticia* es solo una palabra hasta que un hombre actúa para remediarla.

Eso parecía más bien una excusa, pensó Carnot, aunque le sorprendió que la voz del hombre transmitiera tanta convicción. Tenía algo que ver con el asunto.

—Encomiable —dijo—, pero equivocado.

—No espero que lo entienda un francés.

—¿Entender qué?

—Lo que siente un patriota cuando los tesoros de su patria los saquea un invasor.

—Un invasor —dijo Carnot, pensando—. Supongo que se refiere a Napoleón Bonaparte.

—¿A qué otro puedo referirme? —le espetó Peruggia—. Mi único deseo era salvar el honor de Italia devolviendo *La Gioconda*. Pero ahora este país está gobernado por idiotas, que no son capaces de reconocer el corazón de un verdadero patriota.

—Un verdadero patriota —dijo Carnot, sopesando la expresión—, aunque muy estúpido.

—Mi madre no parió a ningún estúpido —dijo bruscamente Peruggia, entrecerrando los ojos.

—Me parece que el expediente muestra otra cosa.
Peruggia se irguió, irritado.

—Si ha venido aquí a insultarme...

—Eso sería lo último que vendría a hacer aquí —dijo
Carnot. Después, su voz adoptó un tono casi profesional—. Quizá sea conveniente una pequeña lección de historia.

Tras su entrevista con el *signore* Caravaggio, Carnot
había visitado a los Uffizi, donde el *signore* Bozzetti volvió a asegurarle que la pintura era, en efecto, una copia
excelente. En el curso de esta entrevista, también descubrió algunos datos interesantes, datos que le venían muy
bien.

—En pocas palabras —comenzó Carnot—, Napoleón no robó *La Joconde.*

—¡Usted no sabe de qué habla!

—Siento decirle que sí. La historia demuestra que
Francisco I, rey de Francia, se la compró en 1516 al mismísimo Leonardo da Vinci. Creo que pagó por ella cuatro
mil monedas de oro. —Se había preocupado de memorizar algunos detalles importantes—. La pintura estuvo colgada durante algún tiempo en el dormitorio de Napoleón,
pero finalmente fue legada al Louvre. Así que, ya ve, en el
mejor de los casos, su pequeña cruzada estaba basada en
información errónea y, en el peor, fundada en una pura
fantasía.

—No lo creo.

—Solo tiene que consultar cualquier libro de historia o a cualquier experto para confirmar la exactitud de lo
que le acabo de decir.

—No me preocupa lo que digan —dijo Peruggia, aunque su postura desafiante empezaba a mostrar algunas grietas.

—Pero el problema es —dijo Carnot, añadiendo un toque de impaciencia a su voz para darle un efecto dramático— que al resto del mundo sí.

Peruggia bajó la vista y volvió a sumirse en el silencio. Carnot sonrió. Estaba haciendo progresos.

—Y además, naturalmente —continuó, haciendo un esfuerzo para mostrarse comprensivo—, tenga en cuenta la cuestión de las cincuenta mil liras que usted pidió. Es difícil pensar que un verdadero patriota pensara sacar un beneficio de su noble gesto.

—Ningún italiano condenaría a un compatriota por devolver *La Gioconda* a la tierra en que nació —dijo Peruggia.

La convicción del hombre iba desapareciendo, pensó Carnot. Lentamente se puso en pie y avanzó hacia la pared, bajo el ventanuco. Era el momento.

—Quizá no —dijo—. Sin embargo, sí condenaría a un mezquino sinvergüenza por tratar de engañarlo.

—¿Engañarlo? —explotó Peruggia—. Yo no estaba tratando de engañar a nadie.

—¿Pretende decirme que no sabía que la pintura es falsa? ¿Una falsificación? Sin duda, usted no puede ser tan ingenuo.

—Ahora, usted está tratando de engañarme a mí.

—¿Por qué iba a hacerlo? Si la pintura fuese auténtica, ni siquiera me hubiese molestado en venir a verlo. Simplemente, regresaría a Francia y dejaría que usted se pudriese aquí.

—No, no es posible —dijo Peruggia.

—Ha sido evaluada por tres expertos —dijo Carnot con aire de suficiencia—. Puede que los italianos no sepan mucho más, salvo usted, aparentemente, pero conocen su arte.

—Pero no la perdí nunca de vista —dijo Peruggia, más para sí mismo que para Carnot. Se levantó y empezó a caminar, mirando el suelo de la celda como si, de alguna manera, encerrara la verdad.

Carnot sintió que la esperanza se agitaba en su pecho. Esta era la primera admisión concreta de culpabilidad que hacía el hombre.

—¿Nunca? —preguntó.

Peruggia se paró en seco. Carnot contuvo la respiración. Casi lo tenía.

—¡Esos perros! —dijo finalmente Peruggia, tanto para sí mismo como para Carnot—. ¡Ellos me timaron!

Carnot sonrió satisfecho.

—Hábleme de esos perros, amigo mío —dijo, con voz empapada de empatía.

Peruggia se volvió a Carnot, entrecerrando los ojos.

—¿Por qué? —dijo el italiano, cauteloso—. ¿Por qué le voy a decir nada? ¿Qué gano yo?

Carnot se encogió de hombros, tratando de indicar que no tendría mayores consecuencias para él.

—Si no dice nada, no solo irá a la cárcel por falsificación y fraude, sino que también se convertirá en un apestado en su propio país, un traidor que trató de engañar al pueblo de Italia. Y, encima, quedará usted ante todo el mundo como el clásico tonto del bote. Por otra parte, si me cuenta algo, es muy posible que se convierta en el héroe nacional que aspira a ser..., el hombre que recuperó la auténtica *Gioconda*.

Peruggia levantó la vista hacia el pequeño y elevado ventanuco y los muros grises de la prisión que se divisaban tras él. Apretando el puño, levantó lentamente el brazo hacia la pálida luz. Después, con un repentino y violento movimiento, estampó de lado el puño cerrado en la pared de piedra de la celda.

Y Carnot supo que lo tenía en sus manos.

CAPÍTULO 39

LA GENTE QUE VIVÍA EN LA CIUDAD DE DIJON Y EN los pueblecitos del *plateau* de Langres no recordaba un invierno peor. Los cortos días, más cortos aún a causa de las nubes negras, cargadas de agua, que ocultaban el sol y el cielo durante semanas, se habían cobrado su cuota en el estado de ánimo de la población. Y ahora habían vuelto las lluvias. Durante toda la noche, las abundantes precipitaciones tamborilearon en los tejados, manteniendo despiertos a los habitantes. Durante el día, llovía a cántaros, convirtiendo a las personas en prisioneras virtuales dentro de sus propias casas, oscuras y fétidas.

Los arroyos y afluentes que desembocaban en el Sena ya se habían convertido en rápidos y crecidos torrentes. La gente que se ganaba la vida cargando las *péniches*[1] con vino y bienes de consumo que llevaban a los muelles de Bercy y a las naves que se sucedían en la ribera de París

---

[1] Gabarras. *(N. del T.)*.

sabían que, si se mantenía esta situación, tendrían que soportar malos tiempos. Cuando el río se desbordaba, la navegación se tornaba demasiado peligrosa.

Todo el mundo estaba de acuerdo. Nadie recordaba una época en la que hubiera llovido tanto.

QUINTA PARTE

Porque todos los días diluvia.

SHAKESPEARE, *Noche de Reyes*.

CAPÍTULO 40

PARÍS

DESDE SU LLEGADA A PARÍS, TRES SEMANAS ANTES, Ellen Hart había sentido que se aligeraba la carga que había llevado durante casi tanto tiempo como tenía memoria. Había estado rodeada de lujos, atendida día y noche por un pequeño ejército de sirvientes, con todos sus deseos materiales cubiertos. Pero todas estas cosas se habían convertido en una piedra de molino pendiente de su cuello que la ataba a una vida que se había visto obligada a escoger. Su devoción por su madre le había dado el único incentivo para seguir adelante; su muerte le había dejado una tristeza en el corazón que le pesaba como el plomo, al haberse extinguido de repente y para siempre su razón de vivir. Solo una esperanza se le había presentado, una luz distante en el horizonte: Eduardo Valfierno. Y esa esperanza la había traído ahora a París, donde, a pesar de un futuro incierto, la sentía tan cálida y luminosa como los ritmos fluidos del idioma que la rodeaba. Parte de su amplia educación como joven dama consistió en aprender a hablar francés, el idioma de los diplomáticos. De hecho, ella había hablado en francés con su madre muchas veces y su uso actual le traía recuerdos queridos de aquellas conversaciones. Incluso se encontró conversando con Julia en francés. Imaginaba que Julia sentía lo mismo que ella: que era más que una lengua una forma diferente de pensar, de relacionarse, de vivir.

Su estancia en la casa de *madame* Charneau, en la *cour* de Rohan, había sido cómoda y agradable. La anciana era como una tía bondadosa que hacía todo lo posible para que se sintiese en casa; Julia podría haber sido una prima más joven que charlaba sin parar sobre lo ingenuo que era Émile y de cómo Diego estaba siempre dirigiéndole miradas lascivas y sugerentes, aunque a veces no le resultara fácil decidir si a Julia esto le parecía mal o bien. Ellen encontraba amable y divertida a la joven, aunque tenían poco en común.

Los patios enclaustrados y la telaraña de caminos y soportales a los que daban los escalones de la puerta principal de *madame* Charneau eran un oasis en medio de la ciudad. La cercana *cour du* Commerce Saint-André estaba llena de pequeñas tiendas y negocios, cada cual más encantador y fascinante que el anterior. Las tiendas de antigüedades estaban pared con pared con pequeños restaurantes, *papeteries,* salones de té y *chocolateries.* La preferida de Ellen era una juguetería con los escaparates engalanados con muñecas, barcos de juguete y soldaditos de plomo, todo ello dispuesto en torno a un magnífico globo de aire caliente, con la tela que lo cubría, sobre la cesta del mismo, tan cuidadamente decorada que le recordaba un huevo de Fabergé.

A pesar de la persistente lluvia que había caído sobre París durante las últimas semanas, casi todos los días paseaba hacia el río y cruzaba el Petit Pont hacia la Île de la Cité. El mercado permanente de flores que discurre por el muelle de las Flores, en la orilla nordeste del río, nunca dejaba de elevarle el espíritu. Ellen echaba de menos el verano, con su concierto olfativo silvestre de perfumes y fragancias naturales interpretado por una profusión de jazmines, dalias y arrayanes; y el otoño, cuando le llamaba la atención una inacabable variedad de crisantemos. Pero aun ahora, en pleno invierno, los invernaderos mediterráneos y los remotos jardines de Chile contribuían a la abundancia de ramos, cada uno de los cuales pugnaba por eclipsar al anterior.

Ellen había llevado tantas flores y plantas en maceta que, a veces, *madame* Charneau se quejaba con una sonrisa de sentirse mareada por el aroma. ¡Menos mal que la norteamericana no se obsesionó tanto con el Mercado de los Pájaros de los domingos! ¡Lo último que necesitaba era una casa llena de canarios, pinzones y cacatúas!

Émile visitaba la casa de vez en cuando, sobre todo para hablar con *madame* Charneau. Cuando estaba en la casa durante estas visitas, Julia parecía verdaderamente encantada de verlo. Émile raramente mostraba ningún signo evidente de entusiasmo hacia Julia, pero Ellen sospechaba que él también disfrutaba con estos encuentros. De todos modos, se interrumpían con frecuencia cuando Émile anunciaba que ya era hora de regresar a la casa de Valfierno.

Ella no había visto a Valfierno desde el día en que habían llegado juntos a París, hacía ya tres semanas, y, aunque sus excursiones y observaciones fueran una distracción, aún albergaba la esperanza de que le hiciera una visita. En alguna ocasión, había oído un vehículo a motor en el patio y su corazón empezó a latir un poco más fuerte, pero, al ver que nadie llamaba a la puerta, la decepción que sentía era palpable.

Y así, finalmente, había optado por encargarse ella misma de sus propios asuntos.

Por medio de Émile, había solicitado reunirse con Valfierno en la casa de este. Él había contestado diciendo que esperaba visitar pronto la *cour* de Rohan y la vería allí entonces, pero Ellen insistió. Por fin, se concertó el encuentro a las tres de la tarde del sábado siguiente.

Madame Charneau se había ofrecido a llevar a Ellen a la casa de Valfierno o, al menos, a hacer que Émile viniera a buscarla, pero ella insistió en ir por su cuenta. Lo prefería así. Tenía su dirección y unas orientaciones generales y podría encontrar la casa. Y, por el camino, quería quedarse a solas con sus pensamientos.

Salió de la *cour* de Rohan poco después de la una, con mucho tiempo por delante. Por fortuna, la lluvia matutina había cesado, aunque el cielo todavía amenazaba con nubes grises y cargadas. Al cruzar el Petit Pont hacia la Île de la Cité, le llamó momentáneamente la atención un grupo de jóvenes —estudiantes de la Sorbona, a juzgar por sus indumentarias bohemias a la moda— que dirigían con interés sus miradas al río. Ella desvió brevemente la mirada hacia aquel lado para ver qué podían estar observando. El agua presentaba un color gris oscuro y unos cuantos chicos jóvenes estaban en la parte baja del muelle con los tobillos en el agua y chapoteando en ella. Miró un momento antes de volverse y seguir adelante.

Al llegar a la isla, echó un vistazo a la gran catedral mientras se encaminaba al puente de Notre-Dame. Cuando llegó a la margen derecha, giró hacia el este, siguiendo el río, atravesando después la plaza de *Hôtel de Ville*. La gran plaza al pie del palaciego edificio del ayuntamiento de la ciudad —normalmente desbordante de actividad— aparecía vacía y triste; en ella el brillo del agua de lluvia reflejaba la tenebrosa nube que la cubría. Siguiendo adelante, pronto se encontró en una de las partes más antiguas de París: el Marais.

En solo unos minutos, acabó completamente perdida en el berenjenal de calles que serpenteaban en una especie de laberinto urbano. Este barrio antiguo y poco elegante había escapado al masivo rediseño de París del barón Haussmann, cincuenta años antes, por su escasa importancia y su fama de barriada pobre. Su enrevesada maraña de estrechos caminos medievales, allí dejados sin el beneficio de la rima o la razón, todavía confundía y atormentaba al viajero desprevenido.

Aquí no había amplios bulevares dominados por paredes de edificios uniformes de cinco plantas y mansardas. En cambio, cada inmueble parecía haber sido erigido en una época diferente, con una finalidad diferente y en un estilo completamente diferente. Grandes *hôtels particuliers*[1] con verjas de entrada, rodeados por altos muros, se elevaban al lado de diminutos cafés; estrechos edificios de pisos construidos unos al lado de otros, separados únicamente por parques en miniatura que bullían —aun en pleno invierno— con ruidosos y fogosos niños; judíos de

---

[1] Palacetes particulares. *(N. del T.)*.

Europa del Este con grandes barbas ejercían sus oficios en una miríada de talleres de peletería y joyería; carniceros y pescaderos exponían sus mercancías en docenas de pequeños establecimientos abiertos a la calle; librerías, *magasins d'antiquités*[2] y galerías, con sus fachadas de madera pintadas de colores rojo brillante, azul y verde, se tambaleaban a lo largo de los *petits trottoirs*[3]. Este era un mundo aparte de los amplios y abiertos bulevares del nuevo París.

No todo el Marais se resumía en tiendas y pobreza. Muchos de los burgueses de la ciudad preferían la atmósfera de la ciudad vieja a la de la moderna y renovada ciudad. Y aquí la vida era mucho más barata, por no hablar de su colorido, mucho más acentuado.

Al principio, Ellen se sintió completamente desorientada por el rompecabezas de callejuelas y callejones, pero, a pesar de los esporádicos chubascos que la obligaban a buscar cobijo en pasadizos abovedados o bajo marquesinas cercanas, comenzó a disfrutar del hecho de estar perdida por las calles de París. En realidad, nunca se había sentido más libre en toda su vida: dar la vuelta por aquí y por allá, avanzar a empujones entre la gente sobre la estrecha cinta de la acera, asombrarse ante todas las maravillas que la rodeaban, rebosante de emoción y de ilusión ante lo que pudiese encontrar a la vuelta de la siguiente esquina en pronunciado ángulo.

Y la multitud de distracciones mantuvo su mente ajena a la aprensión que sentía por su inminente encuen-

---

[2] Tiendas de antigüedades. *(N. del T.)*.
[3] Pequeñas aceras. *(N. del T.)*.

tro con Valfierno. Ella había querido disponer de tiempo para considerar lo que iba a decirle, pero cuanto más pensaba en ello, más difícil le resultaba dar con algo. Lo único que sabía era que, de alguna manera, había descubierto, de una vez por todas, cuáles eran sus verdaderos sentimientos. Se había educado en una cultura en la que la franqueza se consideraba el colmo de la grosería, pero estaba cansada de esos juegos —porque juegos eran— y, si llegaba el caso, le preguntaría simplemente si ella le gustaba. Entonces, ¿por qué tenía la sensación de que algo tan sencillo sería lo más difícil que había hecho nunca?

A veces, se paraba para preguntar educadamente por la dirección, pero las respuestas no le servían de mucha ayuda. Todo el mundo parecía tener la actitud de que era inconcebible que no conociese la zona y, por tanto, nadie necesitaba indicaciones para moverse por allí. Y así, fue un tanto desconcertante que, al mencionar la *rue* de Picardie a un carnicero que disponía las piezas de carne delante de su pequeña tienda de la *rue* de Bretagne, señalara impaciente una esquina de la calle hacia la mitad de la manzana.

—*C'est là, madame* —dijo, en un tono que sugería que solo una estúpida no sabría que estaba ya allí—, *c'est là!*

Y llegaba más de media hora antes.

La viñeta editorial presentaba un grupo de vigilantes del Louvre, desafiantes ante el espacio vacío en el que había estado *La Joconde*. El jefe de los vigilantes protesta: «No se podía robar; nosotros la vigilamos continuamente, salvo los lunes». Valfierno estaba pensando si entretenerse leyendo un editorial de *Le Matin* deplorando la ineptitud de la seguridad del museo cuando el sonido metálico del llamador de su puerta principal captó su atención.

Sacó su reloj de bolsillo. Todavía no eran siquiera las dos y media. A sabiendas de la acordada visita de Ellen, Émile había salido antes al mercado de Les Halles, por lo que Valfierno estaba solo en la casa y no había previsto que Ellen llegara tan pronto. Había tratado de evitarla desde su llegada a París. Había pensado que sería lo mejor para ambos. Podría haberla dejado fácilmente en Nueva York. Sus amenazas, tal como las planteara, tenían poco peso. Pero le habían dado la justificación para decidir llevarla con él, una idea muy mala por todos los conceptos, pero que, sin embargo, le había encantado. En todo caso, podía permitirse justificarlo únicamente por su deseo de ayudarla; cualesquiera otros sentimientos pondrían en peligro todo por lo que tanto habían trabajado él y otras personas.

Se acercó a la ventana del primer piso. Al mirar hacia abajo, vio brevemente la estampa de una mujer bajo el pequeño alero, ante la puerta principal.

Aunque había estado tratando de prepararse durante todo el día, Valfierno sintió que su corazón se aceleraba.

Mientras bajaba la escalera, se recordó que haría todo lo que estuviese en su mano para ayudarla, pero no más.

Se detuvo ante la puerta, permitiéndose el breve gozo de anticipar el momento de ver su rostro de nuevo. Alargó la mano y giró el picaporte.

—Eduardo —dijo la mujer cuando la puerta se abrió—, creí que ibas a dejarme aquí de pie en la acera todo el día.

—Chloé —exclamó Valfierno, sorprendido.

La última persona que habría esperado ver a su puerta era la esposa del marchante de arte Jean Laroche, el hombre que, muchos años atrás, había contratado una banda de matones callejeros para que lo atacaran, posiblemente a sugerencia de su esposa.

—¿Y bien? —dijo ella con coquetería—. ¿No vas a invitarme a entrar?

—Estoy esperando a una persona.

—¿Sí? Bueno, no querría echar a perder tu pequeño *tête-à-tête,* pero seguro que no querrás negarle a una vieja amiga unos minutos de tu tiempo.

Valfierno vaciló, echando un vistazo a la estrecha calle vacía.

—Naturalmente que no —dijo finalmente—. Entre, por favor.

Chloé entró en el vestíbulo, dirigiéndole una mirada presumida mientras pasaba ante él. Ella se detuvo y se dio la vuelta, fijándose en el entorno mientras se quitaba sus guantes negros de seda.

—Así que aquí es donde has estado escondiéndote —dijo ella, entrecerrando, coqueta, sus ojos azul pálido—. No ha sido fácil encontrarte, ¿sabes?

—Una deliciosa sorpresa que lo haya conseguido —dijo Valfierno sin alterar la voz—. ¿Y cómo está *monsieur* Laroche?

—¡Oh!, ¿no lo sabes? Murió. ¿No lo ves? Estoy de luto.

Ella ejecutó una pequeña pirueta para mostrar su vestido negro, perfectamente ajustado, desde su amplio busto hasta su cintura de avispa. Sus caderas estaban deliciosamente acentuadas por los pequeños aros, muy de moda, que se escondían bajo el tejido. De alguna manera, pensó Valfierno, ella siempre se las arregló para ser pequeña y pechugona al mismo tiempo.

—La acompaño en el sentimiento, *madame*.

—Gracias —dijo ella con irónico sarcasmo—, pero ya tengo todas las condolencias que necesito.

—¿Cómo falleció su esposo...?

—Él se encargó de matarse —dijo ella a modo de simple constatación—, con una pistola. Al menos, tuvo la decencia de hacerlo fuera, en el bois de Boulogne, y no en nuestra casa. Al menos eso, Y, por supuesto, la pequeña fortuna que dejó.

Valfierno iba a indagar más, pero lo pensó mejor.

—Bueno —empezó—, como le he dicho, estoy esperando a una persona.

—Por favor, Eduardo —dijo ella, con tímida coquetería—, solo cinco minutos de tu tiempo y me iré. Lo prometo.

Tras una breve vacilación, le indicó un pequeño recibidor justo al lado del vestíbulo.

Se sentaron Chloé, en un pequeño sofá; Valfierno, en una silla tapizada. Ella se compuso como una flor que dispusiera sus pétalos y lo miró directamente a los ojos. Tenía la cara de una de esas muñecas de porcelana que vendían en La Samaritaine, redonda y exquisitamente proporcionada, con ojos grandes y expresivos.

—Y bien —dijo Valfierno—, ¿a qué debo el placer de su visita?

—¡Ah, sí! Bueno, es muy sencillo, en realidad. Mi esposo, siendo un marchante, dejó tras él montones de... bueno, tú sabes, pinturas y pequeñas esculturas y otras cosas por el estilo, y ahora necesito ayuda para deshacerme de todo.

—Entonces, ha venido al sitio adecuado —dijo Valfierno vivamente—. A poca distancia de esta casa, encontrará, al menos, a una docena de los mejores marchantes de arte de París.

—Pero yo esperaba poder convencerte de que me ayudaras. En realidad, estoy convencida de que seríamos unos socios ideales.

—Por desgracia, *madame...*

—Chloé.

—Chloé. Me he retirado de este negocio y, aunque le agradezco mucho que haya pensado en mí, me temo que debo declinar su amable oferta. Bueno, realmente ha sido encantador verla.

Valfierno empezó a levantarse de su silla.

—Tienes razón, naturalmente —dijo ella—. Es un negocio aburrido. No puedo esperar para alejarme de ello todo lo posible, lo que me lleva a la razón real de mi visita.

Valfierno, a regañadientes, volvió a sentarse.

—No te preocupes. No te voy a echar a perder tu pequeña cita. Te diré lo que tengo que decirte y desapareceré. Como un pajarito. —Ella hizo un rebuscado gesto con la mano antes de dejarla sobre él, con ojos parcialmente cerrados—. Tú sabes, Eduardo, que siempre lamenté que... no llegáramos a conocernos mejor.

—No estoy muy seguro de que su esposo lo hubiese aprobado.

—Cierto. Naturalmente, ahora que él está fuera del cuadro, esa cuestión ya no tiene importancia.

—Me halaga, *madame* —dijo Valfierno—, me halaga ciertamente, pero el tiempo tiene la testaruda costumbre de moverse constantemente hacia adelante. Uno tiene las mismas posibilidades de dar marcha atrás al reloj como de invertir el curso de un río.

—¡Oh, Eduardo! —dijo ella con un suspiro de decepción—, de verdad que deberías haber sido un poeta en vez de echar a perder tu vida como un charlatán barato.

—*Madame* —dijo él con fingida indignación—, un charlatán, quizá, pero nunca barato.

—Dime —continuó ella, señalando su cuerpo con un gesto dramático de las manos—, sinceramente, ¿cómo puedes rechazar esto?

«Debe de tener cuarenta y tantos, al menos», pensó Valfierno, pero seguía siendo una de las mujeres más seductoras que había visto nunca.

—No es fácil, lo admito —dijo él mientras se levantaba de la silla—, pero hay que ser fuerte. En fin, ha sido bueno verla de nuevo, Chloé.

Ella se levantó, con una mirada pícara en su rostro.

—Esta persona a la que esperas es, naturalmente, una mujer.

—Una buena amiga mía.

Bromeando, ella puso las manos en el pecho de él.

—Tenía yo razón, ¿no es así? —De repente, se volvió, alegremente petulante—. Puedes decírmelo. Exactamente, ¿hasta qué punto es buena amiga tuya? —Su tono estaba marcado con celos teatrales.

Él tomó amablemente su manos en las suyas y las levantó.

—Chloé. No ha cambiado y nunca cambiará. El mundo necesita mujeres como usted, aunque solo sea para recordar a los hombres qué es realmente la pasión, por no hablar de lo hermosa y lo peligrosa que puede ser una persona de su sexo.

—Lo tomaré como un cumplido.

—Debería. —Él le soltó las manos—. Solo espero que su próximo esposo aprecie la rosa exquisita que tendrá.

—Dime —dijo ella, poniéndose los guantes—, ¿es más hermosa que yo? ¿Más joven, quizá?

—*Madame* —replicó Valfierno mientras ella abandonaba el recibidor—, con respecto a lo primero, no es posible encontrar a una mujer más hermosa que usted en todo París, y con respecto a lo segundo, bueno, como usted no tiene edad, la cuestión es dudosa.

—Eres muy zalamero, Valfierno —concedió Chloé—, pero dudo que esta mujer, quienquiera que sea, sea buena pareja para ti. Si fueses listo, te darías cuenta de que, si te enamoraras de mí, no habría nada en el mundo que no pudieras conseguir. No solo saborearías unos placeres que van más allá de tus imaginaciones más salvajes, sino que, entre nosotros dos, podríamos tener todo París en la palma de las manos al momento.

—Chloé —dijo Valfierno sin acrimonia—, el problema que tenemos las personas como nosotros es que hemos olvidado, si es que alguna vez lo supimos, cómo enamorarnos. Nos aferramos demasiado rígidamente a nuestros pequeños mundos, los mundos que hemos creado y que conocemos muy bien. Abandonarlos es demasiado doloroso.

—¡Oh, ya veo! —dijo Chloé en tono de broma—. Ahora hablamos de amor. No me había dado cuenta de que esto era tan serio. ¡Qué generoso por tu parte permitir que esta pobre criatura ingenua penetre en tu pequeño y sórdido mundo!

—Ha sido encantador —dijo Valfierno, dando por terminada la conversación mientras abría la puerta y la guiaba amablemente hasta la delgada cinta de la acera.

—Es, desde luego, un hombre raro el que con tanta impaciencia me muestra el camino a la calle.

Valfierno lo recibió con una sonrisa cómplice y una ligera oscilación de la cabeza.

—Muy bien —dijo ella, resignada—. Lo último que puedes hacer es darme un beso de despedida.

—Adiós, Chloé —dijo él, dejándola marchar—. Espero que encuentres lo que buscas.

Ella se encogió ligeramente de hombros, enmascarando el rostro con una sonrisa angelical.

—Y lo sentiré de verdad si no lo encuentras.

Ella se puso de puntillas, le cogió la barbilla entre sus manos enguantadas y le dio un prolongado y apasionado beso. Después, con una coqueta mirada atrás, se alejó con paso ostentoso hacia la *rue* de Bretagne.

Después de cerrar la puerta tras ella, Valfierno sacó su reloj de bolsillo para ver la hora.

Ellen levantó la vista para mirar la placa esmaltada de color azul colocada en un lado de la pared de ladrillo: *rue* de Picardie. Poco más que un callejón, la anchura de la calle de adoquines difícilmente permitiría el paso de un carro o de un automóvil. Los edificios que se elevaban a ambos lados a diferentes alturas, pintado cada uno de un color pastel diferente, daban a la calle un agradable toque desordenado.

Tras mirar su reflejo en el escaparate de una tienda, se estiró el abrigo. Cuando quedó satisfecha, se volvió a tiempo de ver surgir a dos personas de la tercera casa de la derecha.

Su corazón dio un salto.

Valfierno estaba de pie, de espaldas a ella, hablando con una mujer a la que sacaba por lo menos la cabeza, vestida de negro.

Valfierno tomó las manos de la mujer, las levantó y las besó. Cuando la dejó marchar, la mujer dijo algo antes de ponerse de puntillas, poner las manos sobre el rostro de él y darle un prolongado beso. No pudo ver la reacción de Valfierno. Solo le vio tocar suavemente el brazo de ella.

La mujer retrocedió y, dirigiendo una mirada a Valfierno, comenzó a caminar hacia Ellen. Cuando Valfierno entró en la casa y cerró la puerta, Ellen se dio rápidamente la vuelta, mirando el escaparate de la tienda con el corazón desbocado.

Mientras la mujer se acercaba, Ellen no pudo resistirse a mirar hacia un lado, cruzándose brevemente sus miradas. Ella se volvió de nuevo hacia el escaparate y vio el reflejo de la mujer mientras pasaba tras ella, cruzándose de nuevo sus miradas en la luna del escaparate. La mujer avanzó unos pasos pero, en vez de girar hacia la *rue* de Bretagne, se detuvo. Tras una momentánea vacilación, se volvió de cara a Ellen.

—Excuse, *madame* —dijo la mujer, acercándose.

Ellen se volvió hacia ella.

—Perdóneme —continuó la mujer—, pero, ¿ha venido a ver a *monsieur* Valfierno?

Ellen sintió de repente que le faltaba el aliento. Miró a la mujer durante un momento que le pareció una eternidad. Le resultaba difícil cifrar su edad. No era alta, pero sí tenía buen tipo, con delgados brazos y piernas. Iba completamente vestida de negro y llevaba recogido su cabello oscuro bajo un tocado de terciopelo.

—Sí —dijo Ellen, por fin, aturdida—. Sí, a eso vengo.

—Lo sabía —dijo Chloé—. Tengo un sentido especial para estas cosas. ¡Oh!, lo siento, estoy siendo terriblemente grosera. Soy *madame* Laroche. Chloé Laroche.

Chloé tendió una mano enguantada. Ellen la miró un momento antes de estrecharla.

—Encantada... de conocerla —dijo Ellen.

La mujer entrecerró los ojos, con una sonrisa de cierta complicidad en el rostro.

—Usted es estadounidense.

—Sí —dijo Ellen—. Me temo que mi francés no sea tan bueno como debería.

—*Mais non.* Es excelente. Usted debe de ser la nueva amiga de Eduardo. Él la ha mencionado.

Había algo en los modales de esta mujer que hacía que Ellen se sintiera incómoda. Daba la sensación de que la estuviera sondeando para algo, como si tuviera una especie de conocimiento superior que estuviera tratando de verificar.

—Sí —respondió Ellen—. Yo soy *mistress* Hart, *mistress* Ellen Hart.

—*Mistress* Hart —repitió Chloé con evidente sorpresa—. *Enchantée.* ¿Conoce bien a Eduardo?

—En realidad, no muy bien. ¿Usted... es amiga suya?

—¡Oh, sí! Yo diría que sí —respondió Chloé—. Somos amigos desde hace bastante tiempo. Desde antes de que se fuera a Buenos Aires. Fue una lástima que tuviera que irse de París tan de repente. Entre usted y yo, creo que su negocio de exportación encierra a veces más de lo que él confiesa.

Ellen sintió la repentina necesidad de averiguar más cosas por medio de esta mujer.

—Bueno, ha sido un placer conocerla. —Ellen inclinó educadamente la cabeza e hizo ademán de alejarse.

—*Madame* Hart. —Chloé puso la mano sobre el brazo de Ellen para retenerla—. Creo que sé por qué está usted aquí.

—¿Sí?

—Naturalmente. Es muy claro. Usted se ha enamorado de él.

Ellen hizo una brusca inspiración.

—No creo que sea de su...

—Pero, querida, él confía en mí totalmente. Como se hace siempre con *une amante. Comprenez?* ¿Cuál es la palabra? Una amiga muy especial, una amante, ¿comprende?

De repente, Ellen sintió que se desmayaba.

—¿No se lo ha dicho? —preguntó Chloé con fingida sorpresa teñida de simpatía—. Bueno, ese es un hombre para usted. Nunca quiere hacer daño a una mujer, en especial a una mujer bella. Y usted es muy bella. Parece que está pálida. ¿Se encuentra bien?

Ellen no sabía qué decir. Y la mirada de lástima, comprensiva, que le estaba dirigiendo la mujer le hacía querer darle una bofetada con el dorso de la mano.

—Perdone —dijo finalmente Ellen, rodeándola para pasar.

—¡Otra vez! —dijo Chloé hacia ella—. Digo lo que se me ocurre, lo que me pasa por mi estúpida cabeza. Estoy segura de que Eduardo lo aclarará todo.

Chloé Laroche dejó que una sonrisa satisfecha atravesara su cara mientras se daba la vuelta y se alejaba hacia la *rue* de Bretagne, haciendo que las cabezas de varios hombres se volvieran hacia ella mientras pasaba.

Tratando de contener las lágrimas, Ellen se acercó a la puerta de Valfierno, deteniéndose finalmente sobre los adoquines mientras levantaba la mano para amortiguar los sollozos. Permaneció solo un instante antes de dar la vuelta y caminar rápidamente hasta el final de la *rue* de Picardie.

Alejándose apresuradamente por la *rue* de Bretagne abajo, con las lágrimas corriendo por sus mejillas, recibió con agrado la lluvia que empezó a caer de nuevo, con más fuerza que nunca.

*   *   *

Incluso la lluvia que caía a cántaros no pudo hacer mucho para lavar el polvo negro de carbón de las caras de los mineros mientras recorrían penosamente las embarradas calles de Lorroy de camino a su comida de mediodía. Las vidas de todos los integrantes de la pequeña comunidad situada a ochenta kilómetros al sur de París dependían de una sola cosa: el carbón. La mayoría de los hombres trabajaban largas horas en los pozos de la mina perforados en las colinas; otros cargaban el carbón en las gabarras del canal para llevarlo Sena abajo en su viaje a París y a puntos situados más al norte. Las fuertes lluvias hacían imposible que las barcazas volvieran a recoger más cargas. Los crecidos y torrenciales afluentes del Sena habían detenido todo el tráfico fluvial, los muelles del canal se habían inundado y las vagonetas de la mina estaban paradas, cargadas con un carbón que no podían descargar. Pero el peligroso trabajo de rascar el oro negro de las colinas de Lorroy continuaba.

Los hombres estaban acostumbrados a la dureza, pero la incesante lluvia hacía aún más insoportable su difícil existencia. En esta época del año, todavía era de noche cuando partían de sus casas por la mañana, y de noche era cuando salían de los túneles al final de la jornada. El camino a casa a la una de la tarde para la comida de mediodía era su única oportunidad de ver el sol. Pero aquel día no había sol, como tampoco había salido en varias semanas. Unas nubes espesas y cargadas pendían sobre sus cabezas, oscureciendo las cimas de las colinas que revestían el canal. En el mejor de los casos, lo que la poca luz les permitía era atravesar un constante sucio anochecer.

Mientras se acercaban a sus modestas casas de ladrillo alineadas al pie de una colina, podían ver las lámparas que ardían en el interior y sus espíritus se elevaban al pensar en el vino, el pan y los quesos dejados por sus esposas e hijos.

Iban caminando con dificultad, con las cabezas agachadas frente a la lluvia. De repente, todos a una, los hombres se pararon en seco e intercambiaron rápidas y confusas miradas.

—¿Qué es eso? —preguntó un hombre.

—No lo sé —replicó otro.

Todos habían sentido lo mismo. El suelo bajo sus pies estaba vibrando, rizando los charcos de agua a su alrededor.

Durante un momento, permanecieron como hipnotizados antes de que uno gritara:

—¡La colina!

Los hombres levantaron la vista. La colina se estaba moviendo.

—¡Avalancha! —gritó uno de ellos, aterrado.

Los árboles entrecruzados en ángulos inverosímiles en la falda de la colina se desprendían y el lodazal licuado se deslizaba hacia las casas, sus casas. En un instante, el muro de barro y madera sepultó las estructuras, derribando los tejados, rompiendo las ventanas, arrancando las puertas de sus goznes, apagando las lámparas que los recibían.

Levantando las botas del barro viscoso y pegajoso, los hombres avanzaron mientras gritaban los nombres de sus esposas e hijos.

Capítulo 41

E L INSPECTOR CARNOT NO TUVO GRAN PROBLEMA para convencer a las autoridades italianas de que le dejasen llevarse detenido a Peruggia. A su modo de ver, su delito había sido relativamente menor. Simplemente, había tratado de vender una falsificación de una pintura robada recientemente. La copia que había intentado vender era tan buena que el precio que había pedido era verdaderamente razonable. Así que la galería de los Uffizi se quedó con la pintura, pensando en exponerla como un ejemplo excelente de reproducción. Carnot se preguntó al principio si estarían mintiéndole al decirle que la pintura era una falsificación, pero no tenía mucho sentido que lo engañasen, pues nunca podrían exponerla como si fuese la original. En todo caso, tenía lo que buscaba: al hombre que lo llevaría hasta la obra auténtica y, más importante aún, hasta el cerebro del robo.

Las autoridades italianas aún no habían dado noticia de la detención a los periódicos y Carnot las convenció para que no lo divulgaran. Cuantos menos seguidores de Peruggia conocieran su situación, mejor.

Peruggia habló poco en el viaje de vuelta en tren a París. Se portó bien con Carnot. El hombre había sido cruelmente traicionado. El inspector quería tener todo el tiempo necesario para que lo asumiera. Carnot no esposó al italiano. Contaba con el deseo de Peruggia de vengarse para que no tratara de escapar y necesitaba ganarse la confianza del hombre.

Carnot había mantenido en el máximo secreto posible su descubrimiento de Peruggia. Había telegrafiado a su superior inmediato en la Sûreté para informarle de que había viajado a Florencia simplemente para interrogar a alguien que podría tener información sobre el robo. Ahora tenía que orquestar muy cuidadosamente su plan. Tendría que dar explicaciones al comisario, pero, si podía resolver el caso, todo se lo perdonarían.

Al llegar a París, Carnot llevó en un taxi automóvil a Peruggia, por unas calles empapadas de lluvia, a la Île de la Cité y lo introdujo por una entrada lateral en la prefectura de policía. Inmediatamente buscó al joven agente, Brousard, que le había llevado la información relativa a Peruggia, y le asignó el papel de vigilante del detenido.

—Póngalo en una celda cómoda —le dijo Carnot—. Asegúrese de que tenga todo lo que necesite.

—¿Qué hacemos con respecto al comisario? —preguntó Brousard—. ¿No hay que informarle?

—Todavía no. Si lo hacemos bien, en unos días tendremos a toda la banda. Y eso será un triunfo enorme para los dos.

—Entiendo, inspector —dijo Brousard, radiante. Después añadió rápidamente—: Hay algo más. Hay dos caballeros estadounidenses esperando en su despacho. Han estado aquí todo el día.

—¿Estadounidenses? ¿Quiénes son?

—No lo sé, *monsieur.*

—Entonces, ¿por qué los ha llevado a mi despacho?

—Insistieron. Parece que uno de ellos cree que es muy importante.

—Muy bien. —Carnot se preguntaba qué querrían estos hombres. No importaba. Se desharía de ellos y volvería sobre el asunto que le ocupaba.

Despidió a Brousard y bajó a su despacho del sótano. Al entrar, vio a un hombre alto y muy corpulento, con la cabeza afeitada, de pie al lado de la ventana. Un hombre mayor que el primero, bien vestido, estaba sentado, fumando un cigarro, en la silla que estaba tras el escritorio de Carnot.

—¿Es usted Carnot? —preguntó el hombre de la silla.

—Soy el inspector Carnot —respondió, irritado—. ¿Y quién es usted?

—Supongo que podría ser cualquiera, pero, en realidad, soy Joshua Hart. Quizá haya oído hablar de la Eastern Atlantic Rail and Coal.

Carnot no dijo nada. ¿Quién no había oído hablar de la Eastern Atlantic, uno de los mayores imperios empresariales del mundo? Y el nombre, Joshua Hart, sí, lo había oído antes. El inspector cerró la puerta tras él. Había algo en estos hombres que le ponía nervioso.

—Sí, creo que sí —dijo, tratando de parecer despreocupado mientras se quitaba el sombrero y el abrigo y los colgaba en un perchero.

—Este es mi socio, *mister* Taggart.

Taggart asintió, con una expresión impenetrable en el rostro. Hart se levantó y se adelantó al lado del escritorio, indicando que renunciaba a la silla con un gesto de la mano hacia ella.

Carnot se sentó.

—¿Y qué puedo hacer por ustedes, caballeros? —preguntó, esperando dar una sensación de autoridad—. Soy un hombre muy ocupado.

—Creo —empezó a decir Hart— que se trata, más bien, de lo que podemos hacer por usted.

—Ciertamente, no le entiendo. Y, como les he dicho, estoy muy ocupado.

Para enfatizar lo que decía, Carnot cogió algunos papeles de su mesa y empezó a hojearlos.

—Tengo información relativa al robo de la *Mona Lisa* —dijo Hart.

Carnot dejó los papeles y pasó la vista de un hombre a otro.

—¿*La Joconde?*

—Como quiera usted llamarla, sí.

Carnot bajó la vista a sus papeles, fingiendo indiferencia.

—¿Y por qué han acudido a mí?

—Hemos hecho algunas averiguaciones y descubrimos que quizá tuviese algún interés personal por la cuestión.

Carnot levantó la vista bruscamente.

—¿Sí? Entonces, en ese caso, caballeros, han perdido el tiempo. Mi interés es puramente profesional y, además, tengo toda la información que necesito. En realidad, solo es cuestión de tiempo antes de que detenga a los culpables.

—Estoy impresionado —concedió Hart—. Entonces, quizá deberíamos unir nuestras fuerzas.

—*Monsieur* —dijo Carnot con tanta indignación como pudo mostrar—, soy inspector de policía. No tengo intención de unir fuerzas con nadie.

Hart cruzó una mirada con Taggart. Carnot creyó ver el tenue brillo de una sonrisa que atravesaba el rostro del hombre más grande.

—Ya veo —dijo Hart, tirando la ceniza del cigarro en un pequeño cenicero de lata que había sobre la mesa.

Carnot se levantó. Esto había llegado demasiado lejos.

—Me temo que no tengo más tiempo para esto —dijo—. Debo pedirles que se vayan.

—Permítame preguntarle algo, inspector —dijo Hart en un tono informal—. Siento curiosidad.

La estancia quedó un momento en silencio. Después, Hart se inclinó sobre el escritorio y fijó en Carnot una dura mirada. Sus ojos eran tan penetrantes que, involuntariamente, Carnot se echó atrás.

—¿Cuánto gana un inspector de policía?

A su pesar, Carnot pudo sentir cómo su corazón se aceleraba de repente.

—A juzgar por este despacho —continuó Hart—, me imagino que no será mucho.

—No es de su incumbencia, *monsieur*.

—Pero me gustaría hacer que lo fuese.

—¿Está tratando de sobornar a un agente de la ley?

—Eso dependerá... —dijo Hart, aplastando su cigarro en el cenicero de lata— del agente.

Capítulo 42

A MEDIDA QUE IBA PASANDO LA TARDE Y EMPEZABA A anochecer el día de la esperada visita de Ellen, la impaciencia de Valfierno fue transformándose poco a poco en una extraña mezcla de irritación y decepción. Desde que llegó a París, no se había dirigido a ella de ninguna manera. Por el contrario, había hecho todo lo posible para evitarla, con el fin de no transmitirle una idea equivocada. Cada vez que trataba de ordenar sus sentimientos por ella, acababa en un callejón sin salida. Y así se había convencido a sí mismo de que solo cuando todo este asunto concluyera —cuando *La Joconde* hubiera vuelto al Louvre, cuando supiera de la suerte corrida por Peruggia, cuando hubiera pasado suficiente tiempo— podría resolver su dilema emocional.

Tendría que haberle aliviado que ella no hubiera acudido al encuentro solicitado, pero la decepción inicial que sintió era tan profunda que acabó enfadándose consigo mismo por dejar que esos sentimientos lo invadiesen sin control.

Cuando Émile regresó aquella tarde y preguntó sin mayor interés por la visita de Ellen, Valfierno le informó secamente de que ella no había aparecido.

La situación no hizo más que empeorar cuando Valfierno, que se enorgullecía de su capacidad de dormir profundamente aun en medio de las peores crisis, no pudo hallar descanso durante la noche. El constante azote de la lluvia sobre las ventanas tampoco contribuyó y él no logró dormirse hasta que la luz blanca grisácea de la mañana comenzó a penetrar por las ventanas. Se despertó al final de la mañana solo para comprobar que las pocas horas de descanso no habían servido para aliviar la confusión del día anterior.

A mediodía, sin dar la más mínima explicación a Émile, Valfierno se acercó andando al garaje, subió a su automóvil y se dirigió al oeste, siguiendo el río. No prestó atención a los mirones congregados en el Pont-Neuf para observar el espectáculo del constante ascenso del nivel del agua; en esta época del año, solía subir, y este había sido un invierno especialmente húmedo. Cruzó a la margen izquierda y continuó por la *rue* Dauphine.

Al poco rato, entraba en la *cour* de Rohan. Detuvo el coche al lado de un murete y corrió bajo la lluvia hasta la puerta principal de la casa de *madame* Charneau, utilizando la aldaba de bronce en forma de cabeza de gato para anunciar su presencia. La puerta se abrió casi inmediatamente.

—¡Marqués! —exclamó *madame* Charneau, asombrada—. Entre. Entre. Va a coger lo que no tiene.

—He venido a ver a la *mistress* Hart —dijo Valfierno, entrando en el vestíbulo.

—¿*Mistress* Hart? —dijo *madame* Charneau, sorprendida—. ¿Pero no lo sabe?

—¿Saber qué?

—Bueno, creí que ella lo había visitado ayer para despedirse.

—¿Despedirse? ¿Dónde está?

—Se fue. Hace solo unas horas. Hizo sus maletas y tomó un taxi automóvil a la estación de Orsay.

—¿Adónde iba?

—A Viena, creo que dijo. Fue todo muy de repente.

—¿Le dijo ella por qué?

—No. Estuvo hablando un rato con *mademoiselle* Julia, pero...

—¿Julia está aquí?

—Sí, quería ir con *madame* Hart a la estación, pero...

—¿Dónde está?

—Arriba, en su cuarto.

Valfierno dejó atrás a *madame* Charneau y subió a toda velocidad la escalera al primer piso.

—Julia —dijo, llamando a la puerta—. Julia, abra la puerta, por favor.

—¡Váyase! —Llegó desde el interior la voz de Julia.

—¿Qué le dijo *mistress* Hart?

—¡Le he dicho que se vaya!

—Por favor, Julia.

—¿Cómo ha podido? Váyase, ahora mismo.

Frustrado, Valfierno golpeó con el puño la puerta antes de salir corriendo escaleras abajo hasta *madame* Charneau.

—Ella no me dijo nada —comenzó—, solo me agradeció...

—¿Qué tren va a coger?

—No lo sé. Como le digo, todo ocurrió muy rápido. Ella anunció que se marchaba...

Pero Valfierno ya había salido y corría hacia su automóvil.

—¡Marqués! —dijo *madame* Charneau mientras Valfierno ya se alejaba—. ¡Creí que lo sabía!

Valfierno se dio cuenta de su error demasiado tarde. Se dirigía por la *rue* Mazarine hacia el río cuando se encontró bloqueado el paso. Un agente de policía le dijo que se había producido un ligero desbordamiento más abajo. Dio la vuelta y se encaminó a la *rue* de Lille, encontrándose con retenciones provocadas por la masa de tráfico desviada de las rutas cercanas al río. Finalmente, llegó a la fachada de la estación de Orsay y salió corriendo hacia la entrada principal.

La tenue luz que penetraba a través de la enorme claraboya daba a la amplia estación un inquietante ambiente claustrofóbico. Valfierno se acercó a grandes zancadas al tablón de anuncio de llegadas y salidas. Estirando el cuello, lo inspeccionó hasta que lo encontró: salidas, Viena, a la una y media. Se volvió para mirar el reloj que estaba sobre la entrada principal. Marcaba la una y dieciséis.

Corrió hacia la barandilla desde la que se veían los andenes dobles de la planta inferior. Solo había un tren, de cuya locomotora se desprendían nubes de humo blanco mientras aumentaba la presión de vapor. Empujando, llegó a la escalera y bajó a toda velocidad.

En el andén, se abrió paso a través de la masa de viajeros y acompañantes que iban a despedirlos y de mozos que cargaban los equipajes en los coches. Llegó al final del andén, donde solo había un pequeño grupo de personas. No había ni rastro de Ellen.

—Edward.

Al sonido de la voz, se dio la vuelta.

Ellen Hart estaba en medio de la muchedumbre, entre empujones. Llevaba un vestido blanco con una chaqueta de viaje marrón; había echado ligeramente hacia atrás su ancho sombrero, dejando ver una mirada cautelosa en su rostro.

Valfierno se acercó a ella. Estuvieron un momento, frente a frente, mientras un torbellino de gente los rodeaba antes de mezclarse en una masa indiferenciada.

—Ellen, ¿qué estás haciendo?

—Me voy, Edward. Siento no haberme despedido, pero...

Ella dejó la palabra en el aire.

—Pero, ¿por qué te vas?

—Tengo un primo en Viena. Se llama Jonathan. En realidad, es un primo tercero o cuarto. Pasamos mucho tiempo juntos cuando mi padre vivía.

—Pero, ¿por qué te vas tan de repente?

—Este no es mi sitio, Edward. A veces, no estoy muy segura de que haya algún sitio para mí.

Valfierno vaciló.

Ellen continuó:

—Mi primo y yo nos hemos escrito varias veces durante las pasadas semanas. Tengo razones para creer que me recibirá con gusto, que puede ayudarme. Y quizá más.

A su alrededor, los viajeros subían a los coches y sus seres queridos les decían los últimos adioses.

—Tengo que subir al tren.

Valfierno se acercó aún más.

—Ellen, tu esposo puede estar buscándote. Te seguirá la pista. Estarías más segura si te quedaras en París.

—Yo nunca estaré a salvo de mi esposo, pero cuanto más lejos, mejor.

—Pero yo garantizaré tu seguridad.

—Tú ya has hecho más de lo necesario. No estoy segura de haberte demostrado bastante gratitud por todo lo que has hecho.

—Entonces, demuéstralo escuchándome, quedándote.

—¡Pasajeros al tren! —bramó en el andén la estentórea voz del jefe de tren.

—Tengo que irme. —Se volvió hacia el coche.

Valfierno le puso una mano en su brazo.

—Estás cometiendo un error.

—¿Yo? ¿Y por qué? Me has dicho que crees que no debo marcharme, pero no me has dicho por qué. ¡Oh!, ya sé, por mi seguridad. Pero eso no es suficiente.

Ella lo miró directamente a los ojos, desafiándolo a decir algo.

—Porque... —dijo finalmente— porque quiero que te quedes.

Ella esperó que dijera algo más. Dos finos y agudos pitidos del silbato del jefe de tren se dejaron oír entre la barahúnda de voces a su alrededor. Un hombre empujó a Valfierno desde atrás, como si lo animara a hablar, pero no dijo nada.

—Edward —dijo finalmente Ellen—, una vez me dijiste que solo tomabas de las personas lo que ellas están más que dispuestas a compartir. Me pregunto si también les dices solo lo que ellas quieren oír.

Un trueno apagado hizo temblar la claraboya superior, en respuesta al estridente sonido del silbato del tren.

—Adiós, Edward.

Dejó que un mozo la ayudara a subir al coche. Sin mirar hacia atrás, desapareció en el pasillo. Valfierno se echó a un lado, tratando de verla a través de las ventanillas de los departamentos, pero solo había extraños.

Con un chirrido de metales y un bufido de vapor, el tren cobró vida y empezó a rodar paralelo al andén. Valfierno solo pudo ver cómo se alejaba.

* * *

Los espectadores que estaban sobre el puente del Alma miraban asombrados la estatua de piedra del zuavo que monta guardia sobre el puente.

El soldado, esculpido en piedra, que adorna un pilar, había servido durante cincuenta y seis años de indicador del nivel del río. Orgulloso y desafiante, con su mano izquierda en la cintura y la derecha cruzando su pecho, sus pies quedaban normalmente justo por encima del nivel del agua. En ocasiones de crecida estacional, la superficie del río le llegaba por encima de los dedos de los pies y, en momentos de crecidas inusualmente grandes, el agua le llegaba a los tobillos. Ahora, el río había subido hasta cubrir la mano que descansaba en la cintura. Muchos de los espectadores especulaban sobre la altura a la que podría llegar.

* * *

Ellen miraba su reflejo en la ventanilla mientras el tren atravesaba el túnel y aumentaba su velocidad. Realzada frente al muro negro del túnel, su cara parecía vieja y gastada. O quizá fuera solo su estado de ánimo. Ahora sus sentimientos contrastaban drásticamente con la exaltación que sintió menos de un mes antes, cuando subió al tren que la llevara a París.

Una repentina sacudida del coche la sacó de su ensoñación. Miró a su alrededor; los otros viajeros volvían la cabeza y murmuraban preocupados. El tren estaba frenando. Después se detuvo, impulsándola ligeramente hacia delante. Un interventor pasó rápidamente ante ella hacia la cabecera del tren. Un viajero preguntó por qué se habían detenido, pero el hombre uniformado solo le dijo:

—Estoy seguro de que solo nos retrasará un momento, *monsieur.*

Ellen oyó el débil siseo del vapor que salía. No le hacía feliz estar dejando París, sobre todo en estas circunstancias, pero el movimiento físico del tren siguiendo su camino hacia algún lugar, en todo caso, le había transmitido cierto impulso a su vida. Pero ahora, allí sentada, inmóvil, podía sentir cómo todas sus dudas y temores se cernían sobre ella como las negras paredes del túnel. Sintió una abrumadora urgencia de salir del tren a toda costa. El creciente pánico ambiente quedó cortado en seco al aparecer el interventor en la parte delantera del coche:

—*Messieurs e mesdames* —comenzó a decir, jadeando—, me temo que tenemos un pequeño problema. —Un leve murmullo se extendió entre los pasajeros. El interventor pidió silencio con un gesto—. Nos han informado de que se han producido algunos desbordamientos menores a lo largo de la línea. Me temo que tendremos que volver a la estación de partida.

Un torrente de preguntas asaltó al interventor mientras trataba de atravesar el coche para pasar al siguiente, pero solo hizo gestos con la mano, repitiendo:

—*Je suis désolé, monsieur, je suis désolé...*

El tren dio una sacudida y comenzó a andar hacia atrás. Mientras el resto de los viajeros murmuraban sus quejas, Ellen se volvió de nuevo hacia la ventanilla. Lentamente, una tenue sonrisa de alivio se extendió por el reflejo de su rostro.

En cuanto el tren hubo regresado a la estación término, comunicaron a los viajeros que se habían suspendido todos los servicios a causa de las inundaciones en las vías. Cuando subió la escalera, Ellen se dio cuenta de que la gente abarrotaba la barandilla y señalaba hacia abajo. Vio una extraña capa, como un espejo, bajo el tren, donde deberían estar los raíles.

—El río —dijo alguien, y ella se percató de que los raíles estaban ahora completamente sumergidos bajo un manto de agua que ya cubría la parte inferior de las ruedas.

—*Madame* —dijo el mozo que había subido su equipaje—, trataré de encontrarle un taxi automóvil.

Con una última mirada al reflejo de las luces de la estación en la superficie de agua grasienta, Ellen se volvió y lo siguió hasta la entrada.

Mientras ponía las maletas de Ellen junto a la pared del vestíbulo, *madame* Charneau dijo:

—Nunca había visto un tiempo así. Una inundación en la estación del tren. ¿Qué más va a ocurrir?

El taxi de Ellen había tardado más de una hora en llegar hasta la casa de *madame* Charneau. Las calles estaban atascadas a causa de los carros y vehículos motorizados desviados de la zona del río.

—¿La encontró el marqués, querida?

—Sí —dijo Ellen—. Vino a despedirme.

—¡Qué alboroto hizo!

—¿Qué quiere decir?

—No sé lo que le dio. Entró aquí excitadísimo y parecía no saber que usted se marchaba. Sin embargo, yo creía que la había visto ayer. Seguro que se lo diría.

—¿Qué dijo?

—¡Oh! No se preocupe por eso ahora, querida. Primero séquese, y puede quedarse aquí el tiempo que quiera. La lluvia parará pronto y todo volverá a estar en orden.

—¡Ellen!

Ambas se volvieron para ver a Julia, que estaba de pie en el descansillo del primer piso.

—¿Qué ha pasado? —dijo ella mientras bajaba a toda velocidad la escalera.

—La estación se inundó —dijo *madame* Charneau—. No la molestes ahora con preguntas. Ayúdala a quitarse las cosas mojadas. Prepararé un té.

Cuando *madame* Charneau desapareció en la cocina, Julia recogió el abrigo mojado de Ellen.

—Estuvo aquí preguntando por ti.

—Lo sé —dijo Ellen—. Me encontró en la estación inmediatamente antes de que saliera el tren.

—¿Qué te dijo?

—No sé —comenzó Ellen con una voz que delataba su cansancio—. Dijo que no quería que me fuera.

—¿Te dio alguna razón?

—Solo dijo que no estaría segura si me marchaba de París.

—¿Eso es todo lo que pudo decir?

—Yo le indiqué que mi primo lejano de Viena era un hombre joven y que había mostrado interés por mí.

—¿Tu primo? —preguntó Julia—. Me dijiste que ella tenía unos cincuenta años o así, ¿no?

—Me temo que sí —dijo Ellen con una sonrisa avergonzada.

Julia se llevó la mano a la boca para reprimir una risa involuntaria.

Ellen asintió con la cabeza mientras también empezaba a encontrarlo divertido. De repente, las dos trataban en vano de suprimir su carcajada refleja.

—En realidad, no es divertido —dijo Julia en un vano esfuerzo para controlarse.

—No, no lo es —dijo Ellen, sin conseguir mantener una cara seria.

Les llevó un momento sofocar su risa.

—De todos modos —dijo finalmente Julia, enjugando una lágrima de risa—, después de lo que te dijo de él esa horrible mujer, Chloé, se lo merecía.

Los últimos restos de la risa de Ellen se transformaron de repente en auténticas lágrimas, lo que hizo que Julia la arropase con sus brazos.

—No te preocupes. Te traeremos ropa seca para que puedas descansar. Yo te llevaré el té.

Antes de que Julia pudiera guiar a Ellen escaleras arriba, se oyeron unas insistentes llamadas a la puerta. Las dos mujeres se separaron e intercambiaron unas miradas desconcertadas.

—Quizá —comenzó Julia— haya oído que los trenes se han cancelado.

Otra serie de aldabonazos. Ellen vaciló. Julia le hizo una seña estimulante con la cabeza, levantó el pestillo y abrió la puerta.

De pie, contra el muro de lluvia torrencial, estaba un hombre bajo y corpulento de cara redonda.

El inspector Carnot se quitó el sombrero; su boca dibujó una sonrisa condescendiente.

—*Madame* Hart, supongo.

CAPÍTULO 43

A ELLEN SE LE CORTÓ LA RESPIRACIÓN UN MOMENTO. ¿Debía negarlo, decir simplemente que se había equivocado? Pero era obvio que el hombre, quienquiera que fuese, sabía que no. Y entonces, el miedo que la invadía desapareció como por ensalmo al caer en la cuenta de que, en lo más profundo de su alma, ella ya no era *mistress* Hart y podía decirle sencillamente la verdad.

—Mi nombre es Beach —dijo ella finalmente, irguiéndose—. Ellen Edwina Beach.

—Soy el inspector Carnot, de la Sûreté, y, con el nombre que prefiera, tengo que pedirle que me acompañe a la prefectura.

—¿Por qué razón? Yo no he hecho nada.

—Naturalmente que no. Nos gustaría hacerle algunas preguntas. Una mera formalidad, se lo aseguro.

—¿Preguntas sobre qué?

—Todo quedará explicado en la prefectura, *madame.*

—No tiene usted derecho a llevarla a ninguna parte —dijo Julia, acercándose tras Ellen.

—¡Ah!, la otra estadounidense. —El inspector le dirigió a Julia una mirada evaluadora—. *Mademoiselle* Conway, creo.

—¿Y a usted qué le importa?

—Un golpe de suerte. Para que vea, también nos gustaría hacerle unas preguntas.

—¿Tiene un mandamiento? —preguntó Julia.

—¿Para qué quiero un mandamiento, *mademoiselle?* —respondió Carnot, tratando de controlar su impaciencia—. Por el momento, no se la busca en relación con ningún delito. Además, usted está ahora en Francia. No damos la lata con cosas como mandamientos. Naturalmente, si lo prefiere, puedo volver con algunos agentes...

—Está bien —le dijo Ellen a Julia—. Yo puedo ir con él. No tengo nada que ocultar.

—Muy inteligente, por su parte, *madame* —dijo Carnot—. Tengo un coche, por lo que no nos mojaremos demasiado.

—Yo iré con ella —dijo Julia, desafiante, antes de añadir en inglés—: pero solo para asegurarme de que todo se desarrolle honesta y respetablemente.

Sonriendo amigablemente, el inspector Carnot se hizo a un lado. Cuando Ellen y Julia estaban saliendo por la puerta, *madame* Charneau apareció tras ellas.

—¿Qué significa esto? —preguntó—. ¿Adónde las lleva?

—Está bien —dijo Ellen—. Vamos a ir con el inspector a responder algunas preguntas.

—¿Qué clase de preguntas?

—¿Y usted es...? —inquirió Carnot en un tono desafiante.

—Yo soy *madame* Charneau y esta es mi casa. —Se irguió, orgullosa.

—Ya veo. En algún momento, puede que tenga que hacerle también unas preguntas a usted. Mientras tanto, *madame*, ¿sabe dónde para el marqués de Valfierno?

—Nunca he oído hablar de él —dijo rápidamente.

—¡Lástima!, porque querrá leer esto. —Sacó un sobre cerrado de su bolsillo interior y se lo entregó.

La respuesta de *madame* Charneau consistió en cruzarse de brazos y dirigirle una mirada desafiante.

Carnot sonrió y dejó la carta en un pequeño estante del vestíbulo.

—Asegúrese de que lo recibe.

El inspector Carnot escoltó a Ellen y a Julia hasta un coche que estaba en el patio, con el motor ronroneando al ralentí. Abrió la puerta trasera e indicó a las dos mujeres que subiesen. Él se sentó en el asiento del conductor y, con una desconcertante vibración, el coche se puso en marcha. *Madame* Charneau lo vio desaparecer en una cortina de lluvia antes de cerrar la puerta y coger el sobre sellado.

Madame Charneau se apresuró a atravesar el Pont-Neuf, temiendo que el viento y la lluvia pudieran arrastrarla hasta la rápida corriente del río. Era una visión inquietante. Sin su tráfico habitual, el río hervía y se presentaba como una oscura y furiosa amenaza. Nunca lo había visto tan alto, tan poderoso. Unos pocos espíritus fuertes, con los abrigos firmemente cerrados y las manos sosteniendo sus sombreros sobre sus cabezas, permanecían en la balaustrada del puente mirando sobrecogidos cómo rompían las olas contra los embarcaderos tratando de alcanzar los muelles que estaban al nivel de la calle. Antes, *madame* Charneau había tratado de llamar por teléfono a Valfierno desde el hotel de Fleurie, pero los teléfonos no funcionaban.

Llegó a la margen derecha y se apresuró por el muelle de la Mégisserie en dirección al ayuntamiento. Era difícil mantenerse fuera de los charcos y pequeñas corrientes que se habían formado en la calzada y pronto tuvo los zapatos completamente empapados.

Cuando llegó a la entrada de la casa de Valfierno, en la *rue* de Picardie, estaba completamente calada. Aporreó la puerta, con el recuerdo del inspector de policía llevándose a Ellen y a Julia dándole vueltas en la mente.

Valfierno abrió la puerta y ella entró rápidamente en el vestíbulo.

—*Madame!* —dijo sorprendido—, ¿qué ha pasado? ¿Ocurre algo malo?

Ella hizo una profunda inspiración y empezó:

—Un policía se ha llevado a *madame* Hart y a *mademoiselle* Julia para hacerles unas preguntas.

—¿Qué me está diciendo? —dijo Valfierno—. *Mistress* Hart dejó París hace varias horas. Yo la vi subir al tren.

—No —dijo sin aliento *madame* Charneau—, su tren tuvo que regresar a la estación por las inundaciones.

—¿Qué pasa? —dijo Émile, bajando la escalera.

—Han detenido a *mistress* Hart y a Julia —dijo Valfierno.

—¿Detenidas? —explotó Émile—. No lo entiendo. Usted dijo que *mistress* Hart se había...

—¿Cuándo ha ocurrido? —preguntó Valfierno a *madame* Charneau.

—No hace media hora. Y el inspector me dijo que le diera esto.

Ella le entregó la carta, arrugada y húmeda a pesar de sus esfuerzos para protegerla de la lluvia.

Valfierno cogió un abrecartas con mango de marfil de una mesa lateral y abrió el sobre. Desdobló cuidadosamente una única hoja. Parte de lo escrito estaba corrido, pero aún era legible. Leyó en voz alta.

—«*Monsieur,* no hemos tenido el placer de conocernos, pero espero que esto se solucione pronto. Mi proposición es sencilla: venga inmediatamente a la estación de metro de Saint-Michel trayendo con usted la pintura original —usted sabe a qué me refiero— junto con todo el dinero que ha obtenido de su clientela en América. No trate de engañarme, se lo advierto. Sé más de su plan de lo que posiblemente crea. Esta, se lo aseguro, no será una transacción unidireccional. Como sabrá, tengo detenida a *madame* Hart. Si nuestro negocio no concluye satisfactoriamente, las consecuencias que para ella se deriven serán bastante graves. Tenga presente que esta transacción tendrá un carácter privado entre nosotros dos. Una vez concluida, mi interés por usted habrá finalizado: una ventaja añadida, dado que le facilitaré que escape a la persecución. Lo espero a las cuatro, exactamente. Contando con su oportuna respuesta, espero que acepte, *monsieur,* mis saludos. Inspector Alphonse Carnot».

—Es, desde luego, muy educado —comentó *madame* Charneau.

Valfierno le pasó la carta a Émile y sacó su reloj de bolsillo. Eran las tres y cinco.

—Esto es indignante —dijo Émile, alterado, leyendo detenida y rápidamente la carta—. ¿Quién es el tal Carnot?

—Creo que es un estimado miembro de la Sûreté —respondió Valfierno, con un brusco atisbo de sarcasmo.

—¿Un *flic?* —dijo Émile, sorprendido—. ¿Por qué juega a este tipo de juego con nosotros?

—Diría que la gran cantidad de dinero que todavía tenemos en nuestro poder quizá tenga algo que ver con ello.

—¿Pero cómo lo ha descubierto?

—No estoy seguro. Quizá nuestro amigo, el *signore* Peruggia, esté de alguna manera en el ajo.

—Esto es lo que pasa cuando trae a gente de fuera —dijo Émile, exasperado.

—Pero tú fuiste quien nos lo trajo primero —señaló *madame* Charneau.

—*Madame* Charneau —dijo Valfierno—, estoy olvidando mis modales. Acérquese al fuego.

Él la guio hasta la sala de estar, donde unos troncos encendidos chisporroteaban en la chimenea.

—Nunca he visto una lluvia así. —Ella se frotó las manos sobre el fuego—. Si esto sigue así, el río pasará por encima de los puentes.

—La estación de metro mencionada en la carta —le dijo Valfierno a Émile—, ¿la conoces?

—Sí, está justo cruzando el río, al lado del puente Saint-Michel. Es una de las estaciones nuevas que todavía están en construcción.

—Y completamente abandonada en domingo —añadió Valfierno—. El lugar perfecto para evitar miradas indiscretas.

Valfierno miró atentamente el fuego, pensando febrilmente.

—Émile —dijo tras unos tensos segundos—, recoge la pintura. No podemos usar el coche; la policía habrá bloqueado todas las calles que llevan al río. Quiero que la lleves a la estación de metro cuanto antes, pero es imperativo que no te dejes ver hasta que yo te llame. ¿Comprendido?

—Será demasiado peligroso para usted —protestó Émile—. Déjeme ir. Yo le llevaré tanto la pintura como el dinero.

—Me temo que no sea eso lo que quiere —dijo Valfierno, pensativo.

—Pero aquí dice que no lo perseguirá si sigue sus instrucciones —dijo Émile.

—Quizá no me persiga, pero sospecho que hay más de lo que dice en esta carta.

—No lo entiendo —dijo Émile.

—Carnot puede haber sabido de la pintura por Peruggia, eso está claro. Sin embargo, Peruggia no sabía nada de *mistress* Hart, lo que me hace pensar que nuestro policía, o alguien más, no solo quiere la pintura y el dinero.

—¿Qué?

Valfierno metió la mano por detrás del reloj de la repisa de la chimenea y sacó un largo guante blanco. Lo contempló un momento, sintiendo el suave y sedoso tejido entre los dedos.

—A mí.

Capítulo 44

É MILE SALIÓ INMEDIATAMENTE DE LA CASA PARA RE-cuperar la pintura del estudio de Diego, al otro lado del río. Cuando más se acercaba al Sena, más espectacular resultaba la inundación en las estrechas y retorcidas calles del Marais. El agua sucia burbujeaba en torno a las cubiertas de las alcantarillas, haciéndolas girar y bailar como si fuesen tapas de ollas hirvientes; unos ríos en miniatura llenaban los bordes de la calzada a cada lado de la calle. La lluvia mezclada con copos de nieve caía de unas nubes plomizas. La escarcha de color blanco plateado se pegaba a los troncos desnudos de los árboles y a los bancos vacíos del parque, en incongruente contraste con el barro y el fango grasiento que cubrían las calles.

A una manzana del río, un carro tirado por un caballo, cargado con sacos terreros, pasó traqueteando y obligó a Émile a saltar fuera del camino. Un soldado con pinta de malas pulgas arreaba al caballo, reacio a seguir adelante, y, cuando llegó a la altura de Émile, un saco se cayó de la parte de atrás en un profundo charco, salpicándolo con agua fría y mugrienta.

Empapado hasta la piel, se detuvo en el *pont au Change* que llevaba a la Île de la Cité. El agua había subido muy por encima de los embarcaderos bajo el nivel de la calle. Las arcadas que los barcos atravesaban normalmente habían desaparecido. Quedaba un metro escaso de espacio entre las aguas torrenciales y la parte superior de los arcos. Trozos de muebles, toneles de madera y toda clase de desechos y basuras se acumulaban contra la acera del puente que miraba río arriba.

Suprimiendo un tirón de miedo en el estómago, Émile hizo una inspiración profunda y se apresuró a atravesarlo.

En el estudio del sótano de la *rue* Serpente, el agua había empezado a filtrarse por el suelo. Diego reunió rápidamente las obras que planeaba llevarse. Las últimas semanas habían sido una locura de trabajo; no había creado tantas obras nuevas en tan corto espacio de tiempo en más de dos años.

En un montón colocado al lado de su bañera de zinc, había encontrado la copia principal de *La Joconde,* la que había utilizado como punto de referencia para hacer todas las demás. Durante un instante, pensó en llevársela, pero descartó la idea; había alcanzado una nueva cumbre de creatividad artística y ya no le interesaban los frutos de su período sabático de creación.

La copia de *La Joconde* le recordó el montón de falsificaciones incompletas y las otras telas que tenía en su almacén. Cogió la copia principal, se dirigió al pequeño cuarto, la apoyó en la pared y repasó las reproducciones en busca de algo interesante que hubiese pasado por alto. No encontró nada y volvió a su estudio, dejando atrás la copia.

Émile pasó rápidamente por delante de la prefectura de policía hasta el puente de Saint-Michel, que unía la isla con la margen izquierda. Las alborotadas aguas parecían aun más feroces aquí, pero se tragó sus miedos y empezó a cruzarlo, dejando atrás un grupo de curiosos que observaban las turbulentas aguas.

El río había tomado un color amarillento y se parecía poco al usualmente plácido y majestuoso Sena. El canal estaba obstruido por los desechos. Un atasco de barriles y tablones pugnaba por romper a través de los arcos del puente que iban desapareciendo a ojos vista. Los muebles chocaban contra los contrafuertes y se partían en mil pedazos. Aún le pareció ver algo como el cadáver de un cerdo que giraba sin parar como un extraño tiovivo en el torbellino del agua.

En la otra orilla, un barbado oficial ordenaba a un grupo de doce o más soldados que descargaran el mismo carro que había visto pasar antes.

—¡Rápido ahí! —bramaba el oficial—. ¡No dejéis huecos entre los sacos!

El militar se volvió hacia la gente que estaba en el puente.

—¡Ustedes! —gritó el hombre—. ¡Todos ustedes! ¡Fuera del puente ahora mismo! ¿Es que no se dan cuenta del peligro?

Aquellos ciudadanos de París giraron las cabezas hacia el oficial con más curiosidad que alarma. Intercambiando entre risas algunas observaciones, optaron por ignorarlo y volvieron a centrar la atención en el furioso espectáculo que tenían bajo sus pies. Un hombre —con la ayuda de otro que lo sostenía por el cinturón— estaba tratando incluso de bajar y recuperar un barril de vino.

—*Imbéciles!* —gritó el oficial antes de volverse para gritar una vez más a sus hombres—. ¡Más deprisa! ¡Tenemos que reforzar todo este sector! ¡Levantad las losas del suelo y utilizadlas si hace falta!

Émile cruzó la calle hasta la plaza de Saint-Michel, donde reparó en el vistoso arco de hierro que sostenía un cartel en el que podía leerse: «MÉTROPOLITAIN». Debajo de él, una choza provisional tapaba la boca de entrada de la futura estación de metro de Saint-Michel, el lugar de encuentro señalado por el inspector Carnot.

Cruzó la plaza y se apresuró hacia la *rue* Danton. El agua que burbujeaba por las tapas de las alcantarillas llenaba la calle con una profundidad de ocho o nueve centímetros, dificultando el avance de Émile, pero finalmente pudo llegar a la *rue* Serpente. Fuera del estudio del sótano de Diego había un gran carro de mano. Lo cubría una lona, pero podían verse los bordes de una serie de tablas que se perfilaban debajo. Émile levantó la lona y pudo ver un conjunto de lienzos. Los revisó, pero no encontró trazas de *La Joconde*. En realidad, no reconocía en absoluto ningunas de aquellas pinturas. Subió de la calzada inundada a la acera del edificio, que todavía no estaba mojada y actuaba como una especie de presa, protegiendo la escalera que llevaba al sótano.

Émile entró por la puerta abierta y descendió al estudio. El piso estaba resbaladizo a causa de las grandes filtraciones de humedad. Diego estaba delante de una mesa llena de lienzos pintados extendidos sobre marcos de madera. Estaba envolviéndolos, uno a uno, en telas.

—¿Qué estás haciendo? —preguntó Émile.

—Las ratas ya se han marchado. Sigo su sabio ejemplo.

Émile cogió un lienzo del montón. Era la imagen más extraña que había visto en su vida. Una mujer o, más bien, partes de una mujer estaban amontonadas en el asiento de un sillón. La mitad de su cabeza había sido limpiamente rebanada en un ángulo de cuarenta y cinco grados; riachuelos de cabello multicolor caían en cascada desde un rostro parcial, sin facciones; algo —una mano, quizá, o una garra— sostenía parte de un periódico, un periódico real, *Le Journal,* que había sido pegado sobre el lienzo, como tenía auténtico papel pintado en la pared que estaba detrás de la silla. Los pechos de la mujer flotaban libremente —¡Dios mío!, eran los pechos de Julia, los de su presunto retrato, que parecían mangas de masa—. Parecía como si los hubiesen cortado y pegado en el centro. Su trasero estaba parcialmente cubierto por un trozo de tela pintado de manera que pareciera una especie de cancán. Tenía la sensación de estar mirando a través de una especie de caleidoscopio de pesadilla las piezas separadas de un rompecabezas humano que solo pudiera haber imaginado un loco ciego.

—¿Te gusta? —preguntó Diego.

—Ni siquiera sé qué es —dijo Émile.

Diego cogió lo que quedaba del retrato original de Julia. Faltaban grandes trozos. El lienzo rajado, emborronado y corrido por la paleta que le había tirado Julia, evocaba la misma calidad deslavazada del que sostenía Émile.

—¡Inspiración! —dijo Diego.

—Pero este no es tu nombre —dijo Émile, señalando la firma que aparecía en la esquina inferior del lienzo que tenía en sus manos.

—¡Ah, pero sí lo es! Es el nombre que reservo para mi verdadero arte. Me llamo Pablo Diego José Francisco de Paula Juan Nepomuceno María de los Remedios Cipriano de la Santísima Trinidad Ruiz y Picasso. —Diego tomó aire y se encogió de hombros—. Abreviado: Picasso.

Dejando la pintura dañada, Picasso cogió su original de las manos de Émile y lo añadió a su fardo.

—La inspiración me vino como un relámpago, gracias a tu bella y fogosa Julia.

Émile miró a Picasso a los ojos. Era evidente que el hombre estaba loco como una espuerta de grillos.

—*Au revoir, monsieur* Émile. Y puedes guardarte mi parte del dinero. He redescubierto algo que ninguna cantidad de dinero puede comprar. Mi alma. Dale por mí un beso de despedida a la encantadora Julia. Creo que le gustará.

Picasso se puso en la cabeza una boina manchada de pintura y desapareció escaleras arriba con sus últimos lienzos. Émile se quedó un momento mirando cómo se iba antes de entrar en el almacén.

La estancia era un caos, con lienzos y materiales esparcidos por el suelo mojado. Rechazando un ataque de pánico, Émile se arrodilló y empezó a moverse entre el revoltijo de cosas. Recogió todas las tablas con imágenes de *La Joconde,* descartando las reproducciones manifiestamente incompletas hasta quedarse con cuatro.

Despejó el pequeño escritorio del rincón, colocando encima las cuatro tablas. Dos eran de idénticas proporciones; las otras dos eran ligeramente mayores, pero también idénticas de tamaño.

El pánico volvió. No debería haber otras del mismo tamaño que la original. Buscó de nuevo entre las tablas restantes en el suelo. Era obvio que todas estaban sin terminar, así que se levantó, con la mente acelerada. Había visto todas las pinturas que Diego había cogido y no estaba entre ellas. Tenía que estar aquí. Seguramente, cuando ocultó por primera vez el original, no cayó en la cuenta de la copia de idéntico tamaño.

Después lo recordó: la copia principal. Era del mismo tamaño que el original. Esa debía de ser la otra pintura.

Esto no era un problema. Podía reconocer la auténtica. Pensaba que recordaría las dimensiones exactas —no es que importara mucho, porque no tenía una cinta métrica—. Examinó las dos tablas más pequeñas. Ambas eran excelentes, pero, evidentemente, demasiado pequeñas. Tenía que ser una de las pinturas más grandes, pero, ¿cuál de ellas? Les dio la vuelta. Ambas tenían en la parte superior la reparación en forma de crucifijo. Para asegurarse, comprobó el dorso de cada una de las tablas más pequeñas. Tenían remiendos similares, aunque en lados opuestos. Eso no tenía sentido. No importaba. Eran demasiado pequeñas.

Comparó las dos tablas más grandes, poniéndolas una al lado de la otra sobre el escritorio. Miró primero una y luego la otra, y a la inversa. Eran idénticas.

El tiempo pasaba rápidamente. Puso una encima de la otra y volvió al estudio. Envolvió ambas en una pieza de tela y subió la escalera de dos en dos escalones.

CAPÍTULO 45

VALFIERNO CONVENCIÓ A *MADAME* CHARNEAU DE que había hecho todo lo que había podido y de que se quedase en su casa. No salió mucho después que Émile, pero casi no consigue llegar a tiempo al *pont au* Change. Policías y soldados estaban limpiando la calle de mirones y tratando de impedir el acceso a la Île de la Cité. Un agente estaba más preocupado por colgar un cartel de un árbol anunciando que los ciudadanos tenían veinticuatro horas para entregar cualesquiera cosas sacadas del río. Agarrando con fuerza el asa de su maletín de cuero, Valfierno aprovechó la confusión y atravesó el puente antes de que expulsaran del mismo al último grupo. Pasó por detrás de un oficial del ejército que discutía con un agente. El oficial estaba defendiendo el uso de dinamita para limpiar el atasco de desechos con el fin de reducir la presión que ejercía sobre el puente. El agente de policía trataba de explicar que las paredes de sacos terreros no podrían resistir el empuje repentino del agua.

Cuando llegó al otro extremo del *pont au* Change, Valfierno se detuvo un momento a mirar el río. Lleno de espuma y de fango, había tomado un pálido color gris plomo. Las aguas chocaban con los contrafuertes del puente con tal fuerza que Valfierno no pudo menos de preguntarse si serían lo bastante fuertes para aguantarlas. Después, en medio de los restos que arrastraba el río, vio el cuerpo de una mujer que flotaba cabeza abajo. Iba vestida con ropas de campesina y tenía sus brazos y piernas extendidos mientras giraba lentamente en medio de la torrencial corriente. Observó, paralizado, cómo se golpeaba con un contrafuerte del puente un momento antes de ser succionada por una estrecha abertura en la parte superior de uno de los arcos casi tapados por los desechos. Valfierno se dio la vuelta y se apresuró a atravesar la Île de la Cité hasta el puente de Saint-Michel, y cruzó a la margen izquierda.

No pasó mucho tiempo hasta que llegó al mismo letrero adornado con la palabra «MÉTROPOLITAIN» ante el que antes había pasado Émile. Valfierno probó a empujar la puerta de la choza de madera levantada delante de la entrada del metro y comprobó que estaba abierta. Se deslizó hacia el interior.

El agua resbalaba escalera abajo mientras Valfierno descendía hacia la oscuridad. Tras doblar dos esquinas, entró en un andén de la estación tenuemente iluminado por una línea de bombillas incandescentes que recorría la bóveda. Colgada hacia la mitad de la pared curvada había una gran placa esmaltada con «SAINT-MICHEL» en letras blancas sobre un fondo azul.

A Valfierno, aquel espacio le parecía una enorme cripta. La primera línea de metro se había abierto en 1900, poco antes de su partida a Buenos Aires. Las pocas veces que había utilizado el metro, no lo había impresionado. No le gustaba que hubiera restado negocio a los autobuses que circulaban al nivel de la calle y a los antes populares *bateaux-mouches*. El metro le había parecido poco natural, por no decir desagradable; ocupaba un oscuro mundo de tinieblas que llenaban el estruendo y el repiqueteo de las ruedas de acero que resonaban en las paredes alicatadas. Prefería los vigorizantes paseos por la superficie o las observaciones de opinión de los taxistas. No veía gran diferencia entre los trenes del metro y los carritos mecánicos que habían instalado en alcantarillas seleccionadas para satisfacer a los turistas curiosos llamados por la atracción subterránea más inverosímil de París.

Un coche de madera del metro, de color rojo oscuro, estaba parado sobre las vías inundadas. La trinchera que recorrían los carriles también estaba llena de agua hasta una profundidad de medio metro. Extendiéndose quizá unos dieciocho metros de largo, el andén terminaba en una salida trasera abovedada con una escalera ascendente. Un lienzo de pared plano y alicatado separaba esta salida trasera de la bóveda del túnel. No todas las luces estaban encendidas y el sonido de gotas de agua que se filtraban de las paredes contribuía a la fría, húmeda y amenazadora atmósfera.

—¿Marqués de Valfierno?

Valfierno se dio la vuelta. Una figura parcialmente oculta por la oscuridad se erguía en la boca de un pasaje pedestre de conexión no iluminado.

—¿Inspector Carnot?

Carnot avanzó hasta la tenue luz.

—Oficialmente, sí —dijo el inspector—, pero, para estos fines, *monsieur* Carnot es suficiente. Creo que conoce al *signore* Peruggia.

El desgarbado italiano salió del pasaje detrás de Carnot.

Valfierno trató de ocultar su sorpresa.

—Sí, nos conocemos bien —dijo, asintiendo ligeramente con la cabeza—. Me alegro de verlo de nuevo, *signore.*

—Usted me engañó —murmuró Peruggia—. Usted cambió la pintura por una copia.

—Y le pido disculpas, pero, en todo caso, amigo mío, las autoridades italianas hubiesen devuelto la pintura a Francia. Y, después de todo, le pagaron bien.

Peruggia miró a Valfierno. Después, una incómoda sonrisa iluminó su rostro.

—Y ahora me pagarán mejor.

—Sí —dijo Valfierno. Dirigió su atención a Carnot—. ¿Vamos al negocio que tenemos entre manos antes de que esto nos arrastre a todos? —Para enfatizar lo que decía, levantó un pie del andén y se sacudió el agua.

—Pronto —dijo Carnot—, pero no he acabado con las sorpresas.

Carnot miró hacia atrás, hacia el pasaje, y se hizo a un lado. Valfierno siguió su mirada, esperando ver a Ellen y a Julia.

De la oscuridad salió Hart, seguido por Taggart. Valfierno no pudo ocultar su sorpresa al ver a estos dos hombres.

—Marqués —dijo Hart con áspera amabilidad—, es un placer verlo de nuevo.

Valfierno hizo todo lo que pudo para recuperar la compostura.

—Como siempre, señor, el placer es mío.

Hart avanzó.

—Creo que tenemos que atender un negocio que no se cerró. En primer lugar, me gustaría que me entregara la pintura que ya le pagué. Además, no solo me gustaría recuperar mi dinero, los cuatrocientos cincuenta mil dólares; creo que también me llevaré el dinero de los otros. Si mis cálculos son correctos, creo que asciende a casi tres millones de dólares.

—Me temo —comenzó Valfierno, incapaz de reprimir una sonrisa— que sus cálculos son un tanto optimistas. A decir verdad, los otros compradores pagaron considerablemente menos que usted.

La mandíbula de Hart se tensó mientras trataba de controlar su ira.

—No obstante, ciertamente —añadió Valfierno—, supone una gran cantidad de dinero.

—Y eso no es todo —dijo Hart, recuperando su compostura con una sonrisita—. Me gustaría también unas disculpas. Unas sinceras disculpas.

Valfierno se las arregló para mostrar una pequeña sonrisa.

—Las dos primeras cosas que ha mencionado no serán ningún problema, pero la tercera... ¿Por qué voy a tener que pedirle disculpas?

—Para empezar, podría disculparse por fugarse con mi esposa.

—Quizá sea usted quien deba disculparse ante ella.

—¿Y por qué demonios voy a deberle yo una disculpa a ella?

—¡Oh!, no sé —dijo Valfierno con mansedumbre—, ¿quizá por ser un pirata falto de escrúpulos y malvado, que se aprovecha de la miseria de otros, que trata de arrebatar todo lo bello del mundo solo para encerrarlo para su propio pervertido placer y que, en realidad, no sabría distinguir un Pissarro de un orinal?

La sonrisita de la cara de Hart se evaporó. Taggart avanzó hacia Valfierno, pero Hart interpuso la mano para detenerlo.

—Todavía no —dijo Hart. Después señaló con la cabeza el maletín que llevaba Valfierno—. El dinero. ¿Está todo ahí?

—La mayor parte. Nueva York, como sabe, suele ser algo cara.

Hart hizo una seña a Taggart, que cogió el maletín de Valfierno. Abrió el cierre y hurgó entre los fajos de billetes; después se volvió y asintió mirando a Hart antes de cerrarlo de nuevo.

—Bien —dijo Hart—. Esto es, sobre todo, para castigarlo. Lo que quiero realmente es la pintura. Y asegúrese de que esta vez sea la auténtica.

—¿Dónde están? —preguntó Valfierno.

—Supongo que se refiere a mi mujer y a su encantadora... sobrina, ¿no?

—Primero, tengo que ver que están sanas y salvas.

—No está usted en condiciones de negociar —le espetó Hart.

—Quizá no, pero, aun así, tengo que verlas.

—Están cerca. ¿Dónde está la pintura?

—También está cerca.

Hart y Valfierno se miraban fijamente uno a otro.

—Taggart —dijo Hart.

Sin soltar el maletín, Taggart cruzó el andén hasta la puerta del coche del metro. Giró la manivela y la abrió. Valfierno se acercó. Ellen y Julia estaban sentadas en un banco, con las manos atadas por detrás y amordazadas. Julia se debatía con las ataduras. Ellen estaba sentada e inmóvil, mirando a Valfierno; su compostura estaba por encima del aprieto en el que se encontraba.

—Suéltelas primero —dijo Valfierno.

Hart explotó en un ataque de ira.

—¡Basta ya! ¿Dónde está la condenada pintura?

Taggart cerró de un portazo la puerta del coche.

Valfierno se volvió hacia Hart.

—¿Acaso cree que soy tan estúpido como para entregársela? La *Mona Lisa* está tan bien escondida que, si no las suelta ahora mismo, no sueñe con llegar a poseerla. A menos que haga exactamente lo que le digo, puedo asegurarle que ni usted ni nadie más volverá a ver la pintura.

La declaración de Valfierno pareció surtir el efecto deseado en Hart, que no pudo encontrar las palabras adecuadas para responder de inmediato. Al menos, podría haberlo tenido si el momento no se hubiese visto interrumpido por un grito de pánico. Todo el mundo se volvió hacia la entrada principal mientras Émile se deslizaba de espaldas por los escalones hasta dar con el andén, se le escapaban de las manos las tablas envueltas y resbalaba por el suelo hasta detenerse a los pies de Peruggia.

Valfierno miró con estupefacción el rostro horrorizado y avergonzado del joven.

—Lo siento —dijo Émile, con un rictus de dolor y señalando con la cabeza la escalera—. Resbalé.

Mientras Émile trataba de ponerse de pie, Carnot lo cogió por el brazo y lo empujó hacia Valfierno.

—Evidentemente, tienes que controlar tu don de la oportunidad —dijo Valfierno con una cautelosa sonrisa.

Peruggia recogió las tablas, mirando ambas, asombrado.

—¿Qué es esto? —gruñó Hart, señalando con un gesto las pinturas.

—No estaba seguro de cuál era —dijo Émile—, así que traje las dos.

Hart miró un momento las tablas antes de rebuscar en su bolsillo y sacar una cinta métrica de sastre. Mientras Peruggia sostenía aún las pinturas, él comenzó a medir apresuradamente los lados.

—¿Dónde están? —preguntó Émile en voz baja a Valfierno.

Valfierno le hizo una seña con la cabeza hacia el coche.

Antes de que Émile pudiera decir nada más, Hart bramó a voz en grito:

—¡Ambas son demasiado grandes!

Arrancando las tablas de las manos de Peruggia, Hart las tiró por el andén y se acercó, amenazante, a Émile.

—Estaba seguro de que era una de ellas —tartamudeó Émile—, pero podría haberme equivocado. Había otras dos.

Hart se volvió a Valfierno, con la cara roja de ira.

—¿Después de todo, todavía trata de timarme?

—No —protestó Émile, volviéndose a Valfierno—. Traté de coger la buena. Todo estaba hecho un batiburrillo.

—¿El estudio de Diego? —preguntó Valfierno.

—Sí —replicó Émile, y añadió—: solo que ahora se llama de otra manera.

—Está diciendo la verdad —le dijo Valfierno a Hart—. Está solo a unas calles de aquí. Lo traeré.

—Si no está allí —dijo Hart, controlando apenas su rabieta—, lo lamentará, se lo prometo. ¡Todos lo lamentarán!

—Su esposa no tenía nada que ver con la pintura —dijo Valfierno. No la castigue.

Hart se le acercó, con las mandíbulas rechinando de tensión.

—¿Acaso cree que todavía la tengo por mi esposa después de lo que me ha hecho? ¿Después de lo que ustedes han hecho? ¡Ustedes están juntos en esto y sufrirán juntos si no consigo la condenada pintura! —Y volviéndose hacia Taggart, añadió—: No lo pierdas de vista. Ya sabes lo que hay que hacer.

Taggart sonrió mientras sacaba una pistola automática Colt 45, plateada, de una sobaquera oculta bajo su chaqueta. Dejando el maletín en un banquito colocado en la pared, a su lado, tiró hacia atrás de la corredera para extraer un cartucho del cargador e introducirlo en la recámara.

Los ojos de Carnot se abrieron como platos.

—Usted dijo que no habría violencia.

—Y si todo el mundo coopera —dijo Hart en tono alarmante—, no la habrá.

Tras una señal con la cabeza de Valfierno, Émile condujo a Hart escaleras arriba y salió de la estación. Valfierno, Carnot y Peruggia permanecían de pie, en el andén empapado, mirando a Taggart. Del túnel llegaba el sonido del agua que goteaba.

Finalmente, habló Peruggia, con su hosca voz, espesa por el resentimiento.

—Nadie dijo nada de armas.

CAPÍTULO 46

HART SIGUIÓ A ÉMILE CALLE ABAJO POR LA *RUE* Danton alejándose del río. El agua fría y sucia le calaba los zapatos de charol y las ondulantes cortinas de lluvia le empapaban el abrigo. Al hombre mayor le costaba seguir el ritmo y esto le proporcionaba a Émile cierta satisfacción. Hart se merecía todas las incomodidades a las que lo estaba sometiendo.

—¿Siempre llueve así aquí? —gruñó Hart mientras trataba en vano de evitar que las vueltas de su pantalón rozaran el agua.

—Solo cada cien años, más o menos —respondió Émile con una rápida mirada por encima del hombro.

El pie de Hart se enredó momentáneamente en un periódico empapado, que, furioso, trató de quitarse de encima de un puntapié.

—Tenemos que darnos prisa —dijo Émile, indicándole con la mano que avanzara.

Deshaciéndose del periódico, Hart chapoteó tras él.

En la estación del metro, Carnot caminaba, nervioso, por el andén. Taggart permanecía, implacable, en pie, toqueteando con el cañón de su arma la palma de su mano izquierda. Peruggia se acercó a Valfierno y le susurró:

—Esto no ha sido idea mía.

—Me parece —dijo Valfierno, bajando la voz y apartando la vista de Taggart— que el señor Hart y su amigo tienen suficientes ideas por todos nosotros.

—Será mejor que se den prisa —dijo Carnot, sin dirigirse a nadie en particular, con los ojos fijos en el agua que bajaba constantemente por la escalera—. No me voy a quedar aquí abajo para siempre.

Cuando Émile y Joshua Hart giraron a la *rue* Serpente, un agente los llamó, mientras corría por el lado opuesto de la calle.

—Tienen que alejarse del río —gritó el policía—. Van a dinamitar las obstrucciones de los arcos de los puentes que miran río arriba. ¡Es posible que los sacos terreros no resistan la avalancha! ¡Los soldados dispararán unos tiros de advertencia antes! ¡Aléjense todo lo que puedan!

Hart parecía preocupado, pero Émile lo cogió del brazo y lo condujo hasta la puerta del estudio. La abrió y le indicó a Hart que tenía que bajar la escalera.

—Yo no voy allá abajo —protestó Hart.

—Usted verá —dijo Émile mientras salía disparado hacia abajo—, pero aquí es donde están las pinturas.

Hart vaciló un momento antes de seguirlo con pies de plomo.

El agua del piso le llegaba ahora a Émile a la altura de los tobillos.

—¿Dónde están? —dijo Hart, mirando alrededor.

—Aquí dentro.

Émile lo condujo hasta el pequeño almacén. Hart reparó en el desorden de lienzos, tablas y materiales esparcidos mientras Émile se acercaba al escritorio de madera en el que estaban las dos tablas más pequeñas.

—Tiene que ser una de estas —dijo Émile.

Hart sacó del bolsillo su cinta métrica y midió los lados de cada tabla.

—Sí —dijo, mientras la expectativa empezaba a vencer su aprensión—. Son del tamaño correcto.

Sus ojos iban de una a otra pintura. Eran indistinguibles.

El estampido distante de fuego de fusilería penetró por la ventana al nivel de la calle.

—Tenemos que irnos ahora mismo —dijo Émile, agarrando a Hart por el brazo—. Esa es la advertencia.

Hart se soltó airado, sin apartar la vista de las pinturas.

El sonido de otra descarga de fusilería llegó a sus oídos.

—Coja las dos —dijo Émile—. ¡Tenemos que irnos! ¡Vamos!

—Pero, si hay dos, puede haber más —dijo Hart, mirando alrededor de la estancia.

Émile sintió un impulso casi insuperable de agarrar a este hombre por el cuello y estrangularlo allí y en aquel momento. En cambio, lo miró con desprecio y dijo:

—Entonces, ahóguese por todos los que me preocupan.

Con eso, Émile salió corriendo de la estancia y subió la escalera de dos en dos peldaños.

Hart sudaba profusamente, con los ojos pasando de una pintura a otra. No cabía el error. La de la derecha. La profundidad. Los colores apagados. La sensación eléctrica del genio que transmitía. ¡Esa era! Era positivo.

Después miró de nuevo la de la izquierda y rápidamente volvió a la otra. Su confianza desapareció. No podía distinguirlas.

El pánico y la duda llenaron su pecho. ¿Y qué pasaría si no fuese ninguna de las dos? ¿Si estuviese en otro lugar de la estancia?

Hart oyó una explosión amortiguada, como la detonación del disparo de un cañón distante. Fue seguido de una vibración del suelo con un ruido sordo. Era el momento de marcharse. Colocó una tabla encima de la otra, las cogió y salió de la habitación a toda prisa.

En cuanto Émile salió del estudio, oyó una explosión distante que venía en la dirección del río. La lluvia había disminuido hasta quedarse en una llovizna constante y, durante un momento se produjo un ominoso silencio, seguido de un amenazante y sordo rumor, como si de una estampida de cientos de caballos con los cascos amortiguados se tratara. A sus pies llegaban trozos de desechos. Un pequeño ejército de ratas trataba frenéticamente de abrirse camino por el agua mientras la corriente se las llevaba. Miró escaleras abajo. No había señales de Hart. Ya había visto y oído bastante. Tenía que volver a la estación del metro lo antes posible, pero no podía regresar por donde había venido. Alejándose de donde procedía el sonido, corrió todo lo que pudo por el agua mugrienta que le llegaba a los tobillos.

Cuando Hart puso el pie en los escalones, el ruido apagado se había hecho mucho más fuerte. Aferrando las dos tablas de la *Mona Lisa* y pegándolas a su cuerpo, trató de subir, con el corazón latiendo de tal manera que parecía que fuese a escapársele del pecho.

Llegó a la calle, se detuvo y se inclinó, buscando desesperadamente el aire. El ruido de su pesada respiración comenzó a dar paso a un nuevo sonido: el rugido del agua torrencial. Se irguió y giró hacia la *rue* Danton cuando un muro de agua, de más de un metro de alto, surgió a la vuelta de la esquina. Con un *crescendo,* el agua chocaba contra los edificios del lado opuesto y retrocedía hacia la *rue* Serpente, hacia él. A pesar del efecto canalizador de la estrecha calle, parecía al principio que la ola que llegaba había perdido parte de su fuerza y, por un momento, pensó que podría aguantarla. Pero la creciente presión en torno a sus piernas le hizo cambiar de idea y se volvió para huir. Solo pudo dar un paso vacilante antes de que el muro de agua lo golpeara con la fuerza de una ola de marea, tirándolo y arrancándole una de las tablas de las manos.

Capítulo 47

E

N EL PRECISO MOMENTO EN QUE EL MURO DE AGUA entraba en la *rue* Serpente, Émile llegaba a la *rue* Hautefeuille, una estrecha calle lateral de unos cincuenta metros hacia el este. Miró hacia el río y vio otra ola, comprimida en el reducido espacio, que avanzaba hacia él y amenazaba con cortarle la retirada. Corriendo, alcanzó el lado opuesto segundos antes de que el diluvio pasara tras él. La oleada repentina creó un embolsamiento móvil que atravesaba la *rue* Serpente, desviando el muro principal de agua. Momentáneamente a resguardo de la corriente, Émile continuó tratando de recorrer la *rue* Serpente, levantando los pies para sacarlos fuera del agua a cada paso.

Detrás de él, Joshua Hart todavía se las arreglaba para aferrar desesperadamente una tabla mientras el embolsamiento móvil de agua lo arrastraba, sin que pudiese hacer nada para impedirlo, alejándolo del río por la *rue* Hautefeuille.

Émile llegó a la intersección con Saint-Michel, un ancho bulevar que llevaba directamente al río, donde coincidía con la *rue* Danton en la plaza de Saint Michel. A ambos lados, surgían del agua unas filas de castaños que daban a la escena un aura casi pantanosa. A diferencia de las estrechas calles que había dejado atrás, el amplio bulevar permitía que la corriente de agua se expandiese, reduciendo de alguna manera su ferocidad. Aquí, el agua, aunque todavía se movía velozmente, le llegaba escasamente a las rodillas, facilitándole el movimiento.

La estación de metro de Saint-Michel estaba a su izquierda, directamente hacia las furiosas aguas grisáceas que surgían por la ahora indistinguible orilla del río. Para llegar a la estación, tendría que luchar contracorriente. El instinto de supervivencia le gritaba que se alejara todo lo posible del río. Si la estación ya se hubiese inundado, sería demasiado tarde para salvarlos y no tendría sentido exponer su propia vida. Tomó una decisión.

Observando el patrón creado por los desechos en la corriente arremolinada, Émile juzgó que la corriente era más fuerte en medio del bulevar y más débil a los lados. Pegado a las fachadas de los edificios, comenzó a andar hacia el río. El camino era difícil. El agua estaba fría y había perdido gran parte de la sensibilidad de los pies; le llegaba a las rodillas y los muslos le dolían por el esfuerzo hecho para avanzar.

A unos dos tercios del camino hacia la estación del metro, Émile perdió pie y se cayó en el agua hacia delante. Inmediatamente, la corriente lo agarró y, jadeando en busca de aire, todo él se sacudió tratando de encontrar algo a lo que agarrarse. Aunque el agua tenía noventa centímetros escasos de profundidad, un pánico frío de indefensión prendió en su pecho. Trató de volver hacia atrás, pero la corriente era demasiado fuerte. Cuando tragó un buche de agua sucia, su mano izquierda barrió violentamente una hilera de barras metálicas. A pesar del dolor lacerante, consiguió agarrarse a una de las barras para detener su impulso. Con todas sus fuerzas, se acercó más a la verja, consiguió asirse con la otra mano y se levantó.

Aferrándose a las barras, trató de recuperar el aliento mientras calculaba la distancia restante hasta la estación del metro. El agua que llegaba y la fuerza creciente de la corriente que le arrastraba las piernas hicieron que le pareciera imposible alejarse de allí.

Tratando todavía de conseguir aire, una pesada capa de agotamiento absoluto se abatió sobre él. Sentía las piernas como bloques de piedra, y estaba indeciso entre el impulso de seguir adelante y rendirse a las aguas torrenciales. Pensó en Valfierno. ¿Qué diría? «Has hecho todo lo que has podido», quizá, o: «sería una estupidez que arriesgases más tu vida». Sabía lo que Julia estaría pensando: Ella no esperaba que la rescatara. Después de todo, ni siquiera había podido duplicar correctamente una llave. Pensar en esto lo enfadó. Ella creía que lo sabía todo, pero, en realidad, no sabía nada de él. No tenía ni idea de lo que él era capaz. Sintió cómo la rabia ascendía lentamente en su pecho, superando la torpe fatiga.

Levantó el pie y dio un paso adelante.

Capítulo 48

E L INSPECTOR CARNOT MIRABA, NERVIOSO, EL FLUJO creciente de agua que entraba por la escalera desde la calle.

—Esto está empeorando —dijo, con la voz tensa por la aprensión.

—No tiene buena pinta —remachó Peruggia.

Las miradas de Valfierno y Taggart no se despegaban una de otra mientras el agua se arremolinaba alrededor de sus pies buscando el nivel inferior de las vías inundadas.

—Está bien —dijo Valfierno, tratando de parecer razonable—. Tenemos que salir todos de aquí ahora mismo.

Taggart levantó ligeramente el cañón de su arma.

—Nos quedaremos.

—Entonces, tenemos, al menos, que sacarlas de aquí. —Valfierno indicó el coche del metro.

Taggart movió lentamente la cabeza.

—No haremos nada hasta que vuelva *mister* Hart.

—¿Y si no vuelve? —preguntó Carnot, con un agudo tono de pánico en su voz.

Los ojos de Taggart no se apartaban de Valfierno.

—Nos quedaremos aquí.

El sonido de un disparo amortiguado se filtró desde la calle.

—¿Qué es eso? —preguntó Peruggia.

—Fuego de fusilería —dijo Carnot—. Es una señal de advertencia de algún tipo.

—*Mister* Taggart —dijo Valfierno, con un tono de urgencia en su voz—, es evidente que este no es un lugar en el que se deba estar si la inundación empeora.

—Esto ha ido demasiado lejos —dijo Carnot, avanzando hacia Taggart—. En mi condición de oficial de la prefectura de policía, insisto en que...

En un rápido movimiento, Taggart dirigió su arma hacia Carnot y disparó. En aquel espacio cerrado, la explosión fue atronadora. Cuando el inspector cayó hacia atrás sobre el empapado andén, estaba muerto. A pesar del efecto amortiguador del agua, la detonación resonó en las paredes de la estación.

—*Madonna!* —murmuró Peruggia, bajando la vista hacia el cuerpo sin vida de Carnot.

—Nos quedaremos aquí —dijo Taggart, apuntando con el arma a Valfierno. Su tono seguía siendo tranquilo y uniforme.

Otro disparo amortiguado de fusil penetró desde fuera. Valfierno tomó una decisión.

—Voy a sacarlas de aquí ahora mismo. —Se volvió hacia el coche.

—Yo no lo haría —advirtió Taggart.

—¿Va a dispararnos a todos? —preguntó Valfierno sin mirar atrás.

Taggart levantó el arma hacia la espalda de Valfierno, con el dedo apretando el gatillo.

Valfierno llegó hasta la puerta del coche y agarró la manivela.

La pistola disparó.

Valfierno se encogió, pero no sintió ningún impacto. Se volvió y vio a Peruggia y a Taggart peleándose en el andén, luchando salvajemente por la posesión del arma.

Valfierno oyó otra explosión distante. Se volvió hacia el coche, abrió la puerta y entró.

Los ojos de Ellen lo miraron ilusionados y él le quitó la mordaza.

—Sabía que vendrías —jadeó entrecortadamente.

—Nunca te decepcionaría —dijo Valfierno antes de desatarle las manos.

Con las manos libres, Ellen comenzó a soltarse los pies. Valfierno se volvió hacia Julia y le quitó su mordaza.

—¡Ya era hora!

—Lo siento, *mademoiselle* —dijo Valfierno, luchando con las ataduras alrededor de sus muñecas—, pero me retrasó el mal tiempo.

Valfierno miró hacia el andén. Taggart y Peruggia estaban ambos de pie en un cuadro inmóvil. Taggart había recuperado su arma y la sostenía a menos de medio metro del rostro de Peruggia.

Valfierno se aproximó a la puerta del coche. Mientras lo hacía, el vagón empezó a vibrar. Un temblor y un ruido sordo, como un pequeño terremoto, atravesó la estación.

Taggart sonrió.

—¡No dispare! —gritó Valfierno.

La mirada de Taggart se dirigió a Valfierno. Estaba sonriendo con aire de suficiencia. Había recuperado el control.

Las vibraciones aumentaron de intensidad como si algo abominable se acercara desde las profundidades del negro túnel.

—Se lo advertí —dijo Taggart, con voz fría y monótona.

Ajeno a todo lo demás, Taggart se volvió a Peruggia y apretó el gatillo. Solo el sonido de un brusco clic penetró el rumor sordo. Una mirada de sorpresa reemplazó la dura sonrisa en el rostro de Taggart. Tiró de la corredera. Peruggia saltó sobre Taggart, en pugna por la pistola un segundo antes de que el rumor se convirtiera en un fuerte rugido. Un torrente de agua entró por la escalera al mismo tiempo que una violenta oleada llegaba del túnel hasta la parte trasera del vagón. Las ocupantes del coche se abrazaron mientras el diluvio las lanzaba de lado a lado. La agitada pared de agua tiró a Peruggia y a Taggart como si fuesen un par de bolos, barriéndolos, junto con el cuerpo de Carnot, hasta las vías y llevándolos a la oscura boca del túnel, frente al vagón.

Después, tan rápido como había aparecido, la corriente de agua empezó a decrecer.

—¿Qué les ha pasado? —preguntó Ellen.

—Peruggia, Taggart y el policía han desaparecido —dijo Valfierno—. El río debe de haber roto a través de la pared de sacos terreros. Ahora irá aflojando. En unos minutos, podremos salir a la calle.

Julia miró, estupefacta, el andén inundado.

—¿Y Émile? —preguntó, frenética—. ¿Está bien?
Valfierno la miró.
—No lo sé.

* * *

Émile se movió pegado a las fachadas de los edificios hasta que estuvo en paralelo con la entrada al metro, al otro
lado del ancho bulevar de Saint-Michel. La pequeña bre-
cha en la pared de sacos terreros había provocado el torrente inicial de agua, pero parecía que la mayor parte de
la barrera estaba en su sitio, manteniendo a raya el río. Al
menos por ahora. El agua se filtraba entre los sacos restantes y Émile se dio cuenta de que solo era cuestión de tiempo antes de que toda la barrera se desplomara.

Bajo el cartel de «MÉTROPOLITAIN», sostenido
aún por su soporte de hierro en forma de arco, la entrada
a la estación era un agujero enorme; la choza provisional
de madera había desaparecido. Una corriente constante
de agua se colaba por la enorme boca como si fuera un
sumidero gigante. El pensamiento de bajar aquella escalera
le llenaba a Émile de un terror helado y se quedó paralizado. Morir aquí, al aire libre, era una cosa, pero no soporta-
ba el pensamiento de quedar atrapado en los sofocantes e
inundados túneles.

De repente, le llamó la atención un fardo de ropa
andrajosa que pasaba a través del hueco de los sacos terreros. Atravesó la calle a toda velocidad y se quedó atascado
en un revoltijo de sillas y mesas que se habían amontona-
do contra la fachada de un café que hacía esquina. Una

tira de paño que estaba atrapada en una de las sillas empezó a desenrollarse sin cesar como la rotura del fardo. Después se liberó y se dirigió arremolinada hacia él.

Vio que, después de todo, no era un fardo de ropa. Era un cuerpo, el cuerpecito de un niño. Émile vio con horror cómo se acercaba a él en un rumbo directo de colisión.

Y entonces, cuando estaba solo a unos metros, una de las piernas se enganchó en algo bajo la superficie. El cuerpo giró alrededor, volviéndose ligeramente hacia su lado y revelando una cara.

Émile sintió como si hubiesen succionado violentamente el aire de sus pulmones.

El sonido del agua torrencial se apagó cuando se dio cuenta de que el cuerpo que estaba en el agua era el de su hermana Madeleine. Un silencio nada natural descendió a su alrededor y Émile volvió de nuevo a sus nueve años. Su corazón se llenó con una curiosa mezcla de alegría e inmensa tristeza: alegría porque, al final, la había encontrado, y una tristeza desgarradora porque había llegado demasiado tarde para salvarla. Los sentimientos irracionales lo atravesaron en una terrible oleada de emociones contradictorias.

Después, la realidad del momento y los sonidos de la ciudad inundada volvieron cuando el cuerpo se liberó y se alejó de él, revelando el cadáver de una anciana. El cuerpo desecado, pequeño y débil como el de un niño, debía de haber salido de su tumba en algún lugar río arriba. Paralizado, Émile lo vio adentrarse en el centro del bulevar en el corazón de París.

Otra explosión, más cercana esta vez, dirigió su atención hacia el río. El agua estaba pasando por encima de las barricadas. Lo que quedaba de la pared de sacos terreros estaba empezando a derrumbarse.

* * *

De pie en la puerta del coche, Valfierno miró el andén, tratando de calibrar la fuerza de la corriente mientras el agua seguía descendiendo.

—¿Es seguro? —preguntó Ellen.

—No mucho —replicó Valfierno—. Pero me parece que es más seguro de lo que era. ¿Estáis preparadas?

—¿Tenemos elección? —preguntó Julia, tratando de impulsar su valor.

Valfierno les dirigió a ambas una mirada tranquilizadora.

—Tendremos que utilizar la entrada principal. —Indicó la escalera que estaba a la derecha—. La otra salida puede estar bloqueada.

Julia siguió la mirada de Valfierno hacia el maletín que todavía estaba en el banco, al lado de la pared.

—¿Es lo que creo que es? —preguntó.

—Sí, y supongo que sería buena idea llevárnoslo con nosotros —replicó con una sonrisa sardónica—. Nos cogeremos las manos. Yo iré primero y cogeré el maletín al pasar.

Él le dio la mano a Ellen. Ella la cogió y, a su vez, le dio su mano a Julia. Valfierno salió al andén. El agua les llegaba por encima de los tobillos, pero la corriente no parecía demasiado fuerte. Sosteniéndose unos a otros como los eslabones de una cadena, fueron atravesando el andén hacia la pared curvada. Cuando Valfierno alcanzó y agarró el asa del maletín con la mano izquierda, oyó el estampido distante de la segunda explosión y sintió un temblor bajo sus pies.

Sobre ellos, la pared de sacos terreros comenzó a derrumbarse. Solo era cuestión de segundos antes de que la sección restante de la pared desapareciera. Émile corrió hacia la entrada de la estación. Impulsando salvajemente las piernas por encima de la corriente, cubrió rápidamente la distancia que faltaba. En el mismo instante en que agarraba una pata del arco de hierro que sostenía la señal de «MÉTROPOLITAIN», lo que estaba a la izquierda de la barrera de sacos terreros se derrumbó, dando paso a un diluvio de agua hacia la calle.

Miró la escalera hacia abajo, se agarró a una barandilla lateral y empezó a descender por el agujero negro. Cuando estaba a mitad de camino, el muro de agua llegó arriba a la entrada y un segundo después lo golpeaba con el impacto de un puño gigante. La irresistible fuerza lo soltó de la barandilla y lo arrojó a un estrecho pasaje lateral. Dando tumbos sin poder impedirlo en el agua turbia, contuvo la respiración y buscó a tientas algo a lo que agarrarse. Sus pulmones a punto de explotar iban a llenarse de agua de forma refleja cuando abrió los ojos y la vio de nuevo.

Delante de él, reluciendo confusa su pequeña figura en el agua, su hermana Madeleine le ofrecía su mano. Perdiendo rápidamente la consciencia, Émile la alcanzó y la agarró, pero, en vez de la manita suave de una niña, sintió el frío y duro acero de una barandilla metálica.

CAPÍTULO 49

CON LAS MANOS FIRMEMENTE ENTRELAZADAS, Valfierno, Ellen y Julia estaban a unos metros de la escalera que llevaba a la entrada principal cuando los zarandeó un chorro repentino de aire que llegaba desde arriba.

—¿Qué es eso? —gritó Ellen.

Valfierno vaciló solo un segundo.

—Tenemos que dar la vuelta —gritó—. ¡A la otra entrada, rápido!

Ellen y Valfierno soltaron las manos y se volvieron al mismo tiempo. Julia sintió que la mano de Ellen se le escapaba de la suya y vio una pared de agua que bajaba por la escalera. Empezó a correr hacia la salida trasera. Era más fácil correr a favor de la corriente que contracorriente, pero se hacía más complicado mantener el equilibrio.

Valfierno tendió su mano vacía a Ellen. Antes de que ella pudiera cogerla, sus pies salieron disparados desde atrás y ella se cayó en el andén, amortiguando su caída el agua que entraba. Valfierno estaba a punto de levantarla cuando la pared de agua helada chocó contra ellos.

Corriendo por delante de Valfierno y Ellen, Julia casi había llegado a la salida trasera cuando la alcanzó la columna de agua. La arrojó violentamente contra la escalera donde esta se unía con la pared lateral que separaba la salida trasera del túnel. Tambaleándose por el dolor, trató desesperadamente de resistir la corriente que la empujaba hacia las vías. Trató de llegar a la esquina de la salida trasera para buscar algo a lo que agarrarse, pero lo único que encontró fue la resbaladiza superficie de los escalones.

Después, unos segundos antes de que el agua embravecida se la llevara, alguien la agarró por la cintura, la sacó de la corriente y la subió hasta la escalera.

Sin aliento, levantó la vista a la cara de su rescatador.

—¡Émile! —exclamó asombrada, con los ojos como platos.

—¿Estás bien? —preguntó él, arrodillándose.

Durante un momento, ella lo miró a los ojos, con los suyos abiertos de par en par, encantada. Después, su rostro se tensó.

—¿Dónde has estado? —Ella frunció el ceño, dejando que la tensión de las últimas horas la abandonara en un ramalazo de alivio.

—Tratando de no ahogarme —dijo, antes de añadir con urgencia—: ¿Dónde están los demás?

—No lo sé. Venían justo detrás de mí.

Émile miró a través de la masa de agua enfurecida que bajaba por la escalera de la entrada principal y atravesaba en diagonal el andén, golpeando lateralmente el vagón antes de deslizarse hacia las vías. No se veía a nadie. Después oyó que alguien gritaba el nombre de Julia.

La fuerza de la terrible oleada tiró a Valfierno. Arrastrado por la corriente sin poder remediarlo, consiguió sacar la cabeza a tiempo para ver a Ellen, que se deslizaba a toda velocidad por el andén hasta las vías antes de desaparecer en el túnel. Llegó a ver brevemente que alguien sacaba a Julia hasta la escalera de la salida trasera antes de que la ola lo pegara literalmente a la pared divisora. Sin aliento, miró hacia la salida trasera directamente a su izquierda.

—¿Julia? —preguntó.

Émile asomó la cabeza a la vuelta de la esquina. Una gran sonrisa sorprendida iluminó la cara del joven mientras se acercaba y gritaba:

—¡Cójame la mano!

—¡Agarra esto! —Valfierno balanceó el maletín y lo lanzó hacia la escalera. Émile se estiró para agarrarlo, pero el empapado contenedor pesaba más de lo que calculara Valfierno y no alcanzó su destino. Valfierno no lo dudó. Sacrificando su equilibrio, se estiró con ambas manos y agarró el asa cuando el maletín se deslizaba delante de él. Un instante después, el torrente de agua lo arrastraba fuera del andén y se lo llevaba a las oscuras fauces del túnel.

Capítulo 50

Julia agarró a Émile por el brazo cuando, instintivamente, trató de acercarse al andén.

—¿Qué vas a hacer? —le preguntó ella.

—Ir tras él.

—¿Sabes siquiera nadar?

Émile vaciló.

—No.

—Entonces, ¡no vas a ayudarlo ahogándote tú!

Émile gruñó, frustrado, y, completamente agotado, se sentó, desalentado, en los escalones, enterrando la cara en sus manos. Julia le echó los brazos alrededor de sus hombros.

—Émile —dijo ella—, has hecho todo lo que has podido. Me has salvado la vida.

Él no respondió. Ella acercó la mano a su barbilla y le levantó su cara hacia ella. En la otra mano sostenía el reloj de bolsillo del joven.

—Mira, quizá esto te anime un poco —dijo ella, sonriendo con cierta vacilación.

Él lo miró con expresión desconcertada antes de levantar la vista hacia ella. En su rostro se formó una cansada sonrisa mientras lo cogía con dulzura.

—Y toma esto también —añadió ella; después se inclinó hacia delante y lo besó en los labios.

Él le devolvió el beso un momento y después se echó atrás.

—Es la tercera vez que haces eso —dijo él, un poco perplejo.

—No tenía ni idea de que los estuvieses contando.

—No lo vuelvas a hacer —dijo él.

Ella lo miró, dolida y confusa.

—¿El qué? ¿Besarte?

—No —dijo él, como si le explicara algo a un niño—, robarme el reloj.

La sonrisa volvió a iluminar la cara de ella mientras le echaba los brazos en torno al cuello y lo besaba. Después, él la cogió por las muñecas, retiró sus brazos y, con delicadeza, la apartó.

Una nueva determinación encendió su mirada.

—Vamos. Todavía no hemos terminado.

Valfierno logró salir a la superficie del agua. Detrás de él, la abovedada boca del túnel disminuía con la distancia mientras el río subterráneo lo arrastraba y la oscuridad eclipsaba la tenue luz del andén. La corriente era irresistible, pero el agua tenía menos de un metro ochenta de profundidad, por lo que podía mantener los pies en el suelo del túnel y tomar aire. El agua glacial le abrasaba la piel de la cara y las manos. A pesar del urgente deseo de soltar el maletín para liberar el brazo, se obligó a sí mismo a aferrar con fuerza el asa.

Cada quinientos metros, más o menos, una tenue lámpara en el techo iluminaba débilmente el túnel como si fuese la casa encantada de una feria. Siguiendo hacia delante, poco más podía ver que la larga línea curvada de bombillas. Después, algo blanco apareció en la pared, a su derecha. Se acercó rápidamente y, estupefacto, vio que era Ellen, agarrada a una tubería vertical que subía por la pared hacia el techo. A unos dos metros, una escalera metálica estaba pegada a la pared, ascendiendo paralela al tubo. Con solo unos segundos para reaccionar, pasó el maletín a su mano izquierda, extendió la derecha y agarró la barra lateral de la escalera.

Valfierno se detuvo con una brusca sacudida y poco faltó para que se dislocara el hombro. Pero siguió agarrado y se las arregló para afianzarse en uno de los peldaños, pasando el brazo alrededor de la barra lateral de la escalera. Miró a su alrededor para orientarse. La tubería y la escalera estaban pegadas a un tramo perpendicular de pared instalado en el túnel abovedado. Estaba demasiado oscuro para ver con claridad la parte superior de la escalera, pero supuso que llevaría a algún tipo de puerta de acceso.

Ellen estaba agarrada a la tubería a metro y medio, más o menos. Se sostenía con ambos brazos, pero la rápida corriente le arrastraba las piernas, levantándole el cuerpo casi horizontalmente. Valfierno podía ver el agotamiento y el miedo en sus ojos.

—Edward —le gritó sobre el ruido del agua torrencial—, no puedo más.

—Tienes que aguantar —dijo él.

Pasó el maletín de una mano a otra, cambió el brazo alrededor de la barra lateral de la escalera en el sentido de la corriente y volvió a coger el maletín con la mano izquierda. Esto le permitió agarrar con el mismo brazo la escalera y el maletín. Se estiró todo lo que pudo, con la espalda mirando al túnel. Ella estaba todavía a una distancia de casi un brazo.

—¿Puedes acercarte más? —le gritó él.

Con gran esfuerzo, ella se arrimó más a la tubería y estiró la mano cuanto pudo hacia Valfierno, pero la fuerza del agua retenía su espalda y las puntas de sus dedos apenas se tocaban.

—No puedo... —jadeó Ellen, con voz cada vez más débil.

—Un poco más —dijo él, pero ella había llegado al límite. Valfierno sabía que en cuestión de segundos perdería la fuerza que le quedaba para mantenerse agarrada y quedaría a merced de la corriente.

Tenía que hacer algo rápidamente. Miró el maletín. No era precisamente una cantidad de dinero sin importancia. Se volvió a Ellen y, en un instante, comprendió la terrible verdad: no podría salvar a ambas...

* * *

Las insistentes y rotundas llamadas a la puerta arrancaron a Roger Hargreaves de la historia de Valfierno como un despertador saca a una persona dormida de un vívido sueño.

Capítulo 51

LAS REPENTINAS LLAMADAS A LA PUERTA DEJARON A Valfierno con la palabra en la boca. Exhaló un largo y triste suspiro y su cabeza se hundió más en la almohada.

Hargreaves se volvió hacia la puerta, con la cara tensa por la agitación.

—¿Qué ocurre? —preguntó.

A pesar de la insistente llamada precedente, la voz de *madame* Charneau sonaba apagada e indecisa a través de la puerta.

—Solo estaba tratando de asegurarme de que todo está bien, *monsieur.*

—Sí, sí —dijo bruscamente Hargreaves—. Todo está perfectamente. —Se volvió de nuevo a Valfierno—. ¿Qué ocurrió? ¿Logró salvarla? ¿Qué pasó con el dinero? ¿Y con el cuadro?

Las palabras de Valfierno se escurrían como el siseo agonizante de un neumático pinchado.

—Dudé... un momento demasiado largo...

Ahora apenas se le oía. Hargreaves se inclinó hacia delante, tratando de escuchar, pero Valfierno se estaba alejando.

—...Y al final —su voz se iba apagando— lo perdí todo.

Valfierno se tensó, atragantándose en una brusca y desesperada inspiración de aire. Hargreaves y él se miraban fija y frenéticamente, y la mano de Valfierno agarró las solapas del hombre y se cerró sobre ella. Levantando ligeramente la cabeza, Valfierno tiró hacia abajo de Hargreaves hasta que sus caras estuvieron a unos centímetros de distancia.

—Casi tuve el mayor tesoro que pueda poseer un hombre... pero dejé que se me escapase entre los dedos...

—¿A qué se refiere? —resopló Hargreaves—. ¿Al cuadro? ¿Al dinero? ¿A *mistress* Hart? ¿A qué tesoro?

La expresión de Valfierno era tensa por el miedo; sus ojos estaban clavados en algún terror sin nombre que se acercaba desde lejos. El corresponsal trató de echarse para atrás, pero Valfierno no lo soltó. Hargreaves sentía una terrorífica fascinación mientras los ojos del hombre perdían su enfoque, como si se retrocedieran a unos negros pozos sin fondo. Las pupilas dilatadas iban a la deriva bajo sus párpados hundidos, antes de que se cerraran agitados, sellando para siempre aquellos pozos cerrados.

Un último aliento vibrante se escapó de la garganta de Valfierno mientras se escapaba la fuerza de los músculos de sus brazos y él mismo se hundía en la cama, con la boca abierta bloqueada en un ahogado grito silencioso.

Un helado y espantoso silencio se hizo en la habitación antes de que Hargreaves se percatara de que la mano de Valfierno seguía firmemente aferrada a su solapa. Asqueado, tuvo que hacer considerable fuerza para liberarse de la fría garra de la muerte antes de levantarse y apartarse de la cama.

—*Madame* —consiguió articular—. *Madame!* ¡Venga deprisa!

Madame Charneau entró volando en la habitación y se acercó rápidamente a la cama; allí cogió la mano de Valfierno, buscando el pulso. Después, bajó la cabeza y puso la oreja al lado de su boca abierta.

—Ha muerto, *monsieur* —dijo ella solemnemente—. ¡Que Dios se apiade de su alma!

Sacó una caja de cerillas del bolsillo del delantal y encendió una lámpara en la mesa lateral. La noche se había colado en la habitación sin que Hargreaves se diera cuenta siquiera. Cuando *madame* Charneau se acercó a la ventana y utilizó la lámpara para indicar a los hombres que esperaban en el patio, un objeto que estaba sobre la mesa llamó la atención de Hargreaves. Lo cogió.

Era un guante, un único, largo y sedoso guante blanco de señora.

Roger Hargreaves y *madame* Charneau estaban de pie, en el patio, observando a los frailes que depositaban el pesado féretro en la parte trasera de la carroza funeraria. El empleado de pompas fúnebres y los tres hombres encapuchados no habían dicho una palabra cuando subieron el ataúd a la habitación de Valfierno, lo colocaron dentro y lo bajaron de nuevo.

Los frailes subieron a la parte trasera de la carroza y el empleado de pompas fúnebres cerró la puerta tras ellos.

El hombre alto volvió a subir al pescante y se quitó solemnemente el sombrero de copa ante *madame* Charneau. Tomando las riendas, arreó los caballos con un latigazo. Los animales se pusieron en marcha y la carroza funeraria salió traqueteando del patio.

—Bueno, *monsieur* —dijo *madame* Charneau con aire conclusivo—, espero que haya conseguido lo que buscaba. *Bonne nuit.*

Madame Charneau desapareció en el interior de la casa. Echando un vistazo al patio vacío, Hargreaves cayó en la cuenta de que había estado tan embelesado con el relato de Valfierno que se había olvidado de tomar notas. Y había perdido todo interés por el entretenimiento vespertino en el Moulin Rouge. Se sentía agotado y exhausto y solo quería regresar al hotel para dormir unas horas antes de coger el tren para Calais para allí tomar el *ferry* de vuelta a Inglaterra.

Mientras salía caminando de la *cour* de Rohan hacia Saint-Germain, reflexionó sobre todo lo que Valfierno le había contado. Parecía tener la calidad de un sueño, con algunas partes indeleblemente grabadas en su mente y algunas otras que empezaban a desvanecerse.

Los detalles no eran importantes, pensó. Lo esencial era que ahora conocía casi toda la historia del delito más intrigante del nuevo siglo. Ahora podía darse la agridulce conclusión al misterio y todo el crédito sería suyo.

El marqués de Valfierno, naturalmente, seguía siendo la clave, pero probablemente fuese para mejor. Aunque al público le gustara ver atados todos los cabos, también disfrutaba con que los datos estuviesen sazonados con una dosis de misterio. Probablemente tuviera que inventarse una historia sobre los orígenes del hombre, convertirlo quizá en un noble cuya familia hubiese venido a menos en tiempos difíciles —ciertamente, había bastantes de ellas en París— y se viera obligado por las circunstancias a llevar una vida de engaño y delitos. Sí, eso sonaba bien.

Pero podría pensar en todo eso mañana. Ahora se sentía agotado y cansado. Dormiría en el tren y después en el *ferry*. Sí, cuando llegara a Dover descansaría y después recordaría todo con más claridad.

Los tres frailes, sentados en un banco de madera al lado del féretro, se balanceaban ligeramente al ritmo del movimiento de la carroza. Bajo sus pies, una rueda se metió en un agujero entre los adoquines y el carruaje dio una sacudida, obligándolos a apoyarse involuntariamente cada uno en los demás para no caerse. También provocó que la tapa no trabada ni asegurada se deslizara parcialmente. Los frailes no hicieron nada para volver a ponerla en su sitio, sino que observaron en silencio cómo de su interior emergía silenciosamente una mano y sus dedos agarraban el borde de la tapa. Con un enérgico empujón, la mano levantó la tapa y Valfierno se elevó lentamente hasta quedarse sentado.

—¿Es que nunca van a arreglar esta calle? —dijo con una sonrisa diabólica.

Uno de los frailes elevó los brazos, se quitó la capucha y la cabeza de Émile apareció tras la tosca vestimenta.

—Casi no puedo respirar con esto —dijo.

—No fue idea mía llevar estas cosas —dijo Julia mientras se echaba para atrás la capucha de su ropaje.

Ellen echó atrás su capucha y dijo:

—Ya está bien para nuestros votos de silencio.

Todos se volvieron al sonido de la llamada. Vincenzo Peruggia, sentado en el asiento del cochero, los miró, sonriendo, mientras tocaba con los nudillos el cristal que dividía el carruaje.

—Bien —dijo Ellen, tendiendo una mano a Valfierno para ayudarlo—, ¿contaste nuestra pequeña historia a *mister* Hargreaves?

—Por supuesto —replicó Valfierno, cogiendo su mano para apoyarse mientras salía del ataúd—, aunque puede que me dejara uno o dos detalles sin importancia...

Capítulo 52

VALFIERNO SOLTÓ EL MALETÍN DEL DINERO. Inmediatamente, la corriente se apoderó de él, llevándoselo a la oscuridad. Soltó el brazo de la barra de la escalera, se dejó llevar un instante y agarró el barrote con la mano izquierda. Ahora, que llegaba más lejos, extendió el otro brazo y agarró la muñeca de Ellen.

—¡Coge mi muñeca! —gritó.

Ella hizo lo que le decía, reforzando su conexión.

—¡Suelta la tubería!

Él respondió a la mirada temerosa de los ojos de Ellen, animándola con un gesto de la cabeza.

—No te suelto.

Ella hizo una profunda inspiración y soltó la tubería. El río subterráneo se esforzó por llevársela, sin querer renunciar a su presa. Valfierno tiró de ella con toda la fuerza que pudo reunir, acercándola poco a poco a la escalera. Cada vez más débil, Ellen hizo un esfuerzo final y agarró la barra con la mano que tenía libre. En unos segundos, ambos estaban bien colocados sobre los peldaños de la escalera.

Recuperando poco a poco sus fuerzas, Ellen escudriñó un momento el túnel antes de volverse a Valfierno.

—El dinero...

Él sonrió y se encogió de hombros.

—Solo era papel.

—¿Y la pintura?

—Solo pintura y madera. Ni siquiera pude empezar a decirte dónde está ahora mismo.

Ella le dirigió una sonrisa cansada y, haciendo frente a la corriente, inclinó su rostro hacia él. Él se encontró con ella a medio camino y se besaron tan apasionadamente como pudieron, dadas las circunstancias.

Lentamente, ella se volvió y dijo:

—Te amo, Edward.

Él sonrió, con una cálida y sincera sonrisa.

Pasado un momento, ella dijo:

—¿Y bien?

Él vaciló un momento más antes de hablar.

—Y yo...

Un fuerte ruido chirriante atrajo su atención. Levantaron la vista, entrecerrando los ojos a causa de la ligera lluvia que les cayó en la cara: una luz plateada, como una luna en cuarto creciente que aumentara hasta hacerse llena mientras una tapa de alcantarilla se deslizaba haciendo un fuerte ruido. La cara de Julia, iluminada desde atrás por la fuerte luz de una bombilla incandescente, apareció sobre el borde.

—¡Están ahí abajo! —gritó.

La cara de Émile apareció al lado de la de ella.

—¿Estáis bien? —preguntó él.

—Émile —dijo Valfierno, aliviado—, no cabe duda de que tu sentido de la oportunidad ha mejorado mucho.

El derrumbe de los sacos terreros que provocó la inundación de las calles redujo la presión de la subida del río, permitiendo que el agua empezara a descender. Mucho más abajo, cerca de la estación de Orsay, un grupo de soldados exhaustos descansaba sobre un montón de sacos terreros.

—Mirad —gritó un sargento, señalando un cuerpo que se dirigía a toda velocidad hacia la orilla—. Acaba de salir por esa tubería. —Señaló una ancha cañería de desagüe de hierro que salía del muro del río. Los soldados bajaron gateando por los escalones de piedra a tiempo para enganchar la ropa del hombre y sacarlo del agua.

—¿Está muerto? —preguntó un joven soldado.

Como si respondiera, el cuerpo del hombre convulsionó y empezó a expulsar agua tosiendo. El sargento abofeteó la cara del hombre y los ojos de Vincenzo Peruggia se abrieron.

* * *

La caída de la noche cubrió la ciudad de París con una oscuridad turbia como no se había conocido en casi un siglo. Las cuadrillas de obras públicas no podían emplear las luces de gas para iluminarse; las plantas generadoras de electricidad de la ciudad, río arriba, en Bercy, habían dejado de funcionar. Los generadores de emergencia mantenían encendidas algunas luces en edificios públicos y las lámparas de petróleo que llevaban los soldados y los agentes de policía perforaban la noche como mariposas en una noche de verano.

Las calles del Barrio Latino aún estaban inundadas. Una luna llena menguante, que acechaba tras un fino velo de nubes, lavaba la escena con una luz de otro mundo. Las *passerelles,* pasarelas y puentes de madera para peatones construidas apresuradamente, ya habían empezado a aparecer entre los edificios. Plataformas improvisadas de toneles y planchas compartían los lagos urbanos con los botes Berthon, tripulado cada uno por dos marineros que impulsaban los botes con velas plegables que manejaban con largos mástiles. Desde la proa de uno de estos botes, un agente divisó algo al borde del círculo de luz que proyectaba su linterna. El cuerpo inerte de un hombre estaba tendido sobre una verja de hierro forjado, con la chaqueta atrapada en las puntas de los balaustres. Llevaba algo en los brazos. Tenía los ojos cerrados, pero su cabeza se movía ligeramente y parecía que trataba de hablar.

—Aún está vivo —dijo el agente cuando el bote se acercó.

El agente y uno de los marineros izaron a la víctima por la borda. El hombre era de mediana edad, corpulento y bien vestido. Llevaba una pequeña tabla de madera.

—No tema, *monsieur* —dijo el agente—, ahora está a salvo.

Tras ordenar a los dos marineros que se dirigieran a un hospital de campaña instalado en una iglesia cercana, el agente dejó la linterna y trató de liberar la tabla rectangular de los brazos del hombre, que la aferraban. A pesar de estar solo semiinconsciente, la víctima rehusó dejarla, agarrándola con todas sus fuerzas.

Joshua Hart protestó con incomprensibles gruñidos cuando, por fin, lograron liberar la tabla. El agente le dio la vuelta, levantó su linterna y se encontró con la sonrisa vagamente burlona de *La Joconde*.

* * *

Río abajo, a unos kilómetros de la ciudad, donde el Sena recorre uno de sus muchos meandros en su camino hacia el norte, el cuerpo de un hombre calvo y grande iba a la deriva, boca abajo. Iba acompañado en su viaje por una flotilla de billetes de cien dólares. Flotaban a su alrededor, como lirios verdes, muchos de ellos con el perfil de Benjamin Franklin mirando maravillado el cielo nocturno que clareaba poco a poco.

* * *

Cerca, a la orilla del río, un agricultor de nombre Girard buscaba en las aguas poco profundas a la tenue luz de la luna velada un ternero que pensaba que podría haberse ahogado en la riada. Algo le llamó la atención y se acercó caminando por el agua somera hasta una tabla rectangular de madera atascada en unas ramas sobresalientes. La recogió. Era una pintura de una mujer con las manos cruzadas en su regazo y una leve sonrisa en la cara. No estaba mal. Y en sus ojos había algo vagamente familiar.

Tenía suerte, porque el cumpleaños de su esposa era pronto. La tabla estaba mojada, pero parecía que no estaba dañada. Quizá le gustara a Claire como regalo.

Capítulo 53

ONSIEUR Duval, fotógrafo oficial del Louvre, estaba en medio de la muchedumbre reunida en el salón Carré para la reposición oficial de *La Joconde*. Políticos, dignatarios, oficiales del ejército y sus esposas llenaban el salón, dejando un reducido espacio para una arpista y un cuarteto de cuerda confinado en un rincón. Habían pasado escasamente dos semanas desde que un agente de policía recuperara la pintura de las calles inundadas del Barrio Latino. Era digno de mención el hecho de que ni la pintura ni la tabla hubiesen sufrido prácticamente daño alguno. Las muchas capas de barniz que se le habían aplicado durante cientos de años tanto por delante como por detrás de la tabla la habían protegido durante el tiempo aparentemente corto que había estado a merced de los elementos. Bajo la supervisión de *monsieur* Montand, el director del museo, varios conservadores habían autenticado la pintura y se había preparado apresuradamente esta ceremonia.

A Duval mismo solo se le había permitido un examen somero de la pintura. Su trabajo había consistido en compararla con fotografías recientes, cosa que no había servido de mucho. Siempre había sido difícil captar la imagen con una iluminación constante y esto hacía problemática una comparación precisa. De todos modos, su inclusión en el proceso había sido únicamente formal. A los pocos minutos, le recogieron la tabla y le agradecieron sus servicios. Evidentemente, Montand tenía prisa en devolver la pintura a su sitio y dejar atrás el desafortunado incidente. Tras el robo, pensó Duval, Montand tendría que haber echado mano de todos los favores que le debieran para mantenerse en el puesto.

Como diversos políticos y patronos pudieron comprobar, la pintura —ya encerrada en una nueva vitrina— fue izada y puesta sobre sus escarpias en la pared, entre el Correggio y el Tiziano. Fue en ese momento cuando Duval se dio cuenta de lo que le había estado inquietando desde su examen. La pintura misma parecía auténtica; era difícil imaginar que un artista pudiera recrear de un modo tan perfecto la técnica del maestro. No, era otra cosa. Algo de la tabla en sí y no de la parte delantera, sino del dorso. De todos modos, era imposible estar seguro.

Después lo recordó: de todas las fotografías hechas a la obra maestra, solo una se había realizado a la tabla posterior para documentar una reparación del siglo pasado.

Naturalmente.

Se abrió paso entre la masa de espectadores que trataban de conseguir un mejor punto de vista. Tenía que volver a su despacho para ver la fotografía.

De pie ante la impaciente muchedumbre, *monsieur* Montand pensó brevemente en el inspector Carnot cuando reconoció al comisario de policía Lépine de pie en primera fila. Carnot había desaparecido dos semanas antes. Se dijo que había perecido en la inundación, quizá incluso aprovechando la oportunidad de ahogarse en vez de tener que soportar la vergüenza de su miserable fracaso para detener a los ladrones. Carecía de importancia. A Montand nunca le gustaron mucho los modales del hombre, por no hablar de sus trajes baratos que no le quedaban bien.

Y ahora, diversos dignatarios habían pronunciado sus discursos, elogiando tanto a la policía como a los conservadores del museo —incluyendo, naturalmente, al mismo *monsieur* Montand— por haber hecho posible este día. Montand podía confiar en que su puesto de director —que había estado peligrosamente en el alero— estaba ahora asegurado, al menos durante el futuro previsible.

Después de la recuperación, los otros conservadores habían estado completamente de acuerdo: cuanto antes ocupara *La Joconde* su lugar en la pared del salón Carré, mejor. No hacía falta esperar la llegada de los autoproclamados expertos italianos que habían ofrecido sus servicios para autenticar la pintura; los franceses podían encargarse muy bien solos del asunto, muchas gracias. Duval había insistido en intervenir en el procedimiento, de manera que Montand se vio obligado a dejar que examinara la tabla, aunque durante el menor tiempo posible.

Y ahora ya estaba. El mundo había exigido que la obra de arte fuera devuelta al pueblo de Francia y así se había hecho.

Por supuesto, había habido un pequeño detalle del que Montand había tenido que encargarse para asegurarse de que todo marchara bien. Aunque era experto en muchas cosas relacionadas con las miles de obras de arte a su cuidado, estas lo dejaban extrañamente impasible. Le interesaban más los aspectos técnicos del arte y empleaba buena parte de su tiempo estudiando la técnica de los falsificadores conocidos. Con esta visión había evaluado *La Joconde.* La pintura recuperada de la inundación —la misma que ahora colgaba en la pared, dentro de la vitrina— era exquisita. El hombre tuvo que ser un maestro por derecho propio y habría engañado al mismo Montand, si no hubiese sido por una cosa.

Con independencia de la bondad de su técnica, la naturaleza de su trabajo relegaba a los falsificadores a una completa oscuridad. Para contrarrestar esto, muchos habían puesto una señal —una especie de firma— que solo ellos reconocerían. Este hombre había sido endiabladamente listo. Mientras que la mayoría de los falsificadores cambiaban algún aspecto minúsculo de la imagen —un cabello o una brizna de hierba de más—, él había puesto su señal en el dorso de la tabla. Nadie entre un centenar de personas se hubiera percatado de que la tira cruzada de madera, aplicada en el pasado siglo para reparar el daño causado por la eliminación del marco original, debería estar a la derecha del centro y no a la izquierda como estaba en esta. Consideró la posibilidad de que esto pudiera haber sido un error del falsificador, pero la pintura misma era demasiado perfecta, demasiado carente de errores; la posición incorrecta de la cruz tenía que ser la marca del falsificador. Eso le había hecho sonreír a Montand. Ese simple cambio. Esa audaz declaración. Ese perverso genio.

Y entonces había recordado a Duval.

El hombre siempre lo había irritado. Montand nunca había visto el valor de las contribuciones del estudio de los fotógrafos; resultaba caro, sobre todo cuando se pensaba en el salario de Duval. En varias ocasiones, había tratado, infructuosamente, de que cerraran aquel departamento. Por eso, siempre estaba pendiente de todo lo que hacía Duval, y recordó algo que había visto en una visita por sorpresa que había hecho poco antes del robo. Había pedido ver todas las fotografías hechas a *La Joconde* a lo largo de la existencia del departamento. Había muchas imágenes y Montand había esperado utilizar este dato como prueba de un gasto innecesario. En todo caso, ¿por qué se habían hecho tantas fotografías y tan caras? ¿No había ya suficientes? Pero el consejo de administración había hecho oídos sordos a su queja; estaban demasiado cautivados por esta ciencia relativamente nueva.

Pero, poco después de autenticar la pintura, había recordado una fotografía concreta que había visto, diferente de las demás. En su momento, pareció carente de interés. ¿Qué utilidad podía tener una fotografía del dorso de la pintura? Era un tanto irónico que esta única fotografía pudiera echarlo todo a perder, incluyendo la reputación que tanto le había costado recuperar. Pero no había ninguna razón para preocuparse. Ya se había encargado de ello personalmente.

Monsieur Duval abrió los grandes cajones deslizantes que contenían su colección fotográfica. Era un hombre meticuloso y localizó inmediatamente la serie de fotografías de *La Joconde*. Estaban numeradas sucesivamente y recordaba que la imagen del dorso de la tabla estaba, más o menos, en el medio.

Metódicamente, fue ojeando las fotografías. La que había tomado del dorso de la tabla no estaba. Los números saltaban abruptamente del 26 al 28. Alguien había retirado la número 27. Acudió a un gran armario en el que estaban almacenadas las placas de cristal negativas Autochrome originales. Cada una estaba en su propia carpeta de cartón para evitar tocar las placas. Como se temía, también faltaba la placa número 27.

No cabía duda. Alguien había retirado la placa de cristal negativa y la única fotografía que había tomado del panel trasero de *La Joconde*. No había podido poner en pie lo que le había llamado la atención y, sin la fotografía, no había pruebas de que la pintura que se estaba montando para su exposición en ese momento no fuese la original. Es más, sin la fotografía, ni él mismo podría estar seguro.

SEXTA PARTE

Y así se venga el torbellino del tiempo.

SHAKESPEARE, *La noche de Reyes.*

Capítulo 54

T RES SEMANAS DESPUÉS DE SU PUBLICACIÓN EN EL *London Daily Express,* la historia de Hargreaves aparecía reimpresa en el *New York Times,* como una curiosidad, enterrada en las críticas de arte. Al aparecer, como lo hizo, casi quince años después del sensacional robo, el artículo no causó gran revuelo, aunque sí se percató del mismo el secretario financiero de *mister* Joshua Hart, que se lo leyó a su patrono.

Hart estaba sentado en el asiento de mimbre de su silla de ruedas, colocada frente al caballete en su estrecho estudio al fondo de su galería subterránea. A los setenta y cinco años, podía confundírsele con facilidad con un hombre diez años mayor. Paralizado de la cintura para abajo a consecuencia de las lesiones prolongadas sufridas en la gran inundación de París, había mandado construir un ascensor, en realidad no más que un montaplatos glorificado, para transportarlo al y del estudio. En los años transcurridos desde la inundación, su mente había ido deteterorándose de forma constante y ahora dependía de la ayuda de un pequeño ejército de enfermeras y sirvientes que lo atendían las veinticuatro horas del día.

Seguía convencido de dos cosas: había tenido en sus manos —aunque solo durante un tiempo trágicamente corto— la mayor obra maestra de todos los tiempos, y, aunque nunca volviera a echarle la vista encima, le seguía perteneciendo a él y solo a él. Y ahora tenía la satisfacción de saber, de una vez por todas, que el marqués de Valfierno —el hombre que había osado engañarlo— estaba muerto. Siempre había esperado que hubiera sucumbido ahogado, pero nunca tuvo ninguna prueba. Ahora, el artículo del periódico confirmaba que, aunque Valfierno sobreviviera a la inundación, acabó sus días en la indigencia, agotado y estragado por una vida de pecado y mentiras.

El artículo no hacía mención de la parte que Hart había desempeñado en el asunto. Los abogados del *London Daily Express* se habían puesto en contacto con el secretario financiero de Hart y llegaron rápidamente a un acuerdo que garantizaba una discreción completa al respecto. La historia sí mencionaba que la compañera de Valfierno —a la que se aludía en el artículo como Ellen Stokes— se había ahogado en la inundación. Hart sintió un deje de inesperado remordimiento. El sentimiento se apagó rápidamente, reemplazado por el alivio. Siempre había temido que ella pudiera tener la tentación de utilizar contra él sus conocimientos de sus diversas operaciones de negocios poco escrupulosas, por no hablar de las relacionadas con el arte. Además, tenía bien merecido lo que le ocurrió. Durante muchos años, había gastado gran cantidad de dinero en detectives privados, tratando de cazar tanto a Valfierno como a Ellen. Ya no necesitaría sus servicios nunca más.

En estas fechas, Hart contemplaba su colección solo mientras lo empujaban en su silla de ruedas en su ir y venir al y del diminuto estudio al fondo de la galería. En esta estancia era donde pasaba la mayor parte del tiempo.

Levantó el pincel y añadió más detalles al árbol de la pintura. Había estado trabajando en él durante varios meses, ¿o eran años? Los árboles que había pintado eran tan realistas que parecía que sus ramas se balanceaban a la suave brisa que atravesaba el paisaje imaginado. La luz de un sol resplandeciente tostaba las oscilantes hojas, reflejándose en un cielo azul, emplumado con tenues nubes. Una familia —madre, padre e hijo— estaba dándose las manos en corro sobre la suave pendiente de la falda de una colina.

La puerta que estaba detrás de Hart se abrió y Joseph —un hombre grande cuya piel negra como el carbón contrastaba con su inmaculado uniforme blanco— se acercó a la silla de ruedas. Era el único de los ayudantes autorizado para entrar en la galería.

—¿Está bien, señor? —preguntó Joseph, observando el sudor que brillaba en el rostro de su patrono—. Hace mucho calor aquí abajo. Quizá sea hora de que lo lleve arriba.

Joshua Hart habló con voz fina y áspera:

—Joseph, ¿qué piensas de esto?

Joseph miró el lienzo que estaba sobre el caballete. Vio una mezcla imposible de colores y unas formas sin sentido desparramadas al azar por el lienzo, como de un niño pequeño. Unos chorritos de pintura habían saltado del borde del caballete, formando manchas secas en el suelo. En realidad, un niño podría haber hecho algo mejor que crear este batiburrillo, un batiburrillo que parecía empeorar día a día.

—Es realmente bello, *mister* Hart. Realmente bonito.

—¿Ves los árboles, el cielo, el sol, Joseph?

—Bueno, naturalmente.

—¿Ves la familia?

—Una familia verdaderamente bonita, *mister* Hart. Es la pintura más bonita que he visto nunca, y eso es así.

Hart gruñó, cansándose ya del esfuerzo que le suponía hablar.

—Es hora de subir, señor.

Joseph retiró suavemente el pincel de la mano de Hart y lo metió en un tarro lleno de agua sucia. Soltó el freno de la silla de ruedas y la giró, maniobrando para salir de la estancia.

—Quizá debería encender algunas luces más aquí abajo, señor —dijo Joseph mientras empujaba la silla de ruedas a través de la galería débilmente iluminada—. Así podría ver todas estas bellas pinturas.

Hart no respondió. Mantenía la vista fija en el suelo, sin levantarla nunca.

Capítulo 55

CINCO MESES DESPUÉS DE LA PUBLICACIÓN DEL ARtículo del *London Daily Express* sobre el robo de la *Mona Lisa,* diecisiete hombres, incómodos por el calor en sus cuellos almidonados y sus ternos, estaban sentados en tres filas de sillas elegantemente labradas en el salón del último piso del hotel Athénée. Su impaciencia había ido aumentando mientras esperaban sometidos al opresivo calor veraniego, de manera que, cuando por fin se abrió la puerta y un caballero bien vestido de unos cincuenta y tantos años entró en el salón, lo recibieron con un murmullo de excitada anticipación. Con un séquito de dos hombres y dos mujeres, el hombre mayor, cuyo cabello gris acero flotaba hacia atrás como la estela de un buque, se acercó a grandes zancadas a un juego de pesadas cortinas colgadas ante un gran ventanal y levantó las manos en señal de silencio.

—Soy Victor Lustig —comenzó—, y les ruego me disculpen por haberles hecho esperar. Mis colaboradores y yo se lo agradecemos de todo corazón y les puedo asegurar que la paciencia de, al menos, uno de ustedes será bien recompensada.

Sus colaboradores se sentaron en unas sillas dispuestas en una fila, detrás de él.

—Ustedes han sido cuidadosamente seleccionados —continuó Lustig— como el afortunado grupo que tendrá el privilegio de pujar por esta oportunidad única en la vida. Ustedes se han distinguido entre los empresarios más exitosos y más sagaces de su singular y noble profesión.

Era patente que los hombres no cabían en sí de orgullo.

—Como extraordinarios vendedores de chatarra, han alcanzado su posición entre la élite de los auténticos líderes de la Tercera República. Pero nadie los ha preparado para el monumental encargo que el más audaz de ustedes tendrá que emprender ahora.

Hizo una seña con la cabeza a una de sus colaboradoras. Ella se levantó, se acercó a las cortinas y asió un grueso cordón que colgaba.

—El esfuerzo requerido será monumental —continuó—, pero los beneficios que se consigan han pertenecido hasta ahora al terreno de los sueños, porque quien puje más alto en los próximos minutos tendrá el distinguido honor de desmontar como chatarra el mayor engendro arquitectónico creado nunca por el hombre...

Algunos de los hombres del público se inclinaron hacia delante, con los ojos abiertos de par en par por sus expectativas.

—... esa odiosa columna de metal atornillado...

Un zumbido de cuchicheos, como el ruido de abejas privadas de néctar, se elevó de entre los reunidos.

—... esa monstruosa construcción...

La colaboradora joven todavía sentada dejó escapar una sonrisita infantil que cortó en seco el codazo del joven que estaba a su lado.

—... ese esqueleto gigante y malhadado... ese horroroso espárrago de hierro...

Cuando su discurso *in crescendo* llegaba a su máximo, Valfierno se volvió a Ellen y le hizo una leve inclinación de cabeza. Con un tirón, abrió los dos pesados cortinajes, bañando en luz el salón y revelando una perfecta visión a través del Sena. La voz de Valfierno se elevó en un clímax:

—*La Tour Eiffel!*

Un grito ahogado se elevó del público. Émile, Julia y Peruggia se pusieron en pie y empezaron a aplaudir. En ese mismo momento, los hombres rompieron en una ovación, saltando como marionetas movidas por cuerdas ocultas en el techo.

Ellen y Valfierno intercambiaron sonrisas triunfantes con los hombres que, con todas las cautelas hechas añicos por la representación de Valfierno, gritaban sus frenéticas ofertas.

EPÍLOGO

S I UN HOMBRE ES CAPAZ DE MORIR DE SOLEDAD, ESA ES la fatalidad que le sucedió al agricultor llamado Girard. Su esposa, Claire, había fallecido repentinamente un año antes; en un minuto estaba ocupándose de su jardín, detrás de la casa, y al siguiente se había ido para siempre. Con ella, se llevó el corazón y el alma de Girard, dejando tras de sí a un hombre tan hundido y frágil como un tronco putrefacto.

Las cosas que ella dejó en la casa de labranza proporcionaban ciertas comodidades al principio, pero pronto se convirtieron en dolorosos recordatorios y él fue retirándolas metódicamente para no verlas. Guardó las figuritas que tanto le habían gustado en cajas colocadas al fondo de oscuros armarios; reunió y empaquetó toda su ropa y la llevó a la iglesia para que la distribuyeran a los pobres; incluso la decorativa fuente en la que conservaba los tomates y las peras frescos fue relegada a un oscuro rincón de la despensa.

Y después estaba la pintura, la que le había regalado por su cumpleaños, hacía ya muchos años. Ella la había considerado como un tesoro, por encima de todo lo demás que poseía. Durante cuarenta y cuatro años había adornado la repisa de la chimenea. Todas las noches, cuando se sentaba a hacer punto delante del fuego, levantaba de vez en cuando la mirada y sonreía. Girard había visto incluso cierto parecido entre su esposa y la mujer de la pared. Naturalmente, la mujer no envejecía, nunca sufrió los estragos del tiempo, mientras que el rostro de su esposa mostraba con demasiada claridad la dureza de la vida conyugal con un simple campesino. Solo los ojos de Claire nunca parecieron envejecer. Como los de la mujer de la pintura, siguieron siendo claros, bien enfocados y bondadosos hasta el final.

Por eso, cuando llegó el día en que ya no pudo soportar aquellos ojos, retiró la pintura, la llevó a uno de los graneros y la dejó en un estante del mismo.

Después de eso, cada noche, antes de dejar reposar su cabeza en la almohada, musitaba solo una oración, rogando que nunca volviera a despertarse sino que, en cambio, pudiera unirse con su amada Claire en el Reino del Padre. Y una noche, hacía unos pocos días, sus oraciones habían sido por fin escuchadas.

Monsieur Pilon, el juez municipal, cerró la puerta de la casa de labranza, puso un candado en la cerradura recién instalada y lo cerró con llave. Girard, el agricultor que fuera propietario de la casa, no tenía hijos y, de acuerdo con la información que *monsieur* Pilon pudo reunir, carecía de parientes vivos. La casa de labranza permanecería cerrada hasta que pudiese resolverse la sucesión. Para empeorar las cosas, aquel era un mal momento para estas cuestiones. Hacía unos meses que corrían rumores de una próxima guerra y nadie se atrevía a vaticinar lo que traería el futuro. Lo único que sabía Pilon era que él ya había hecho lo suyo en la guerra anterior. Que los jóvenes se las arreglaran ahora.

Pilon regresó a su coche, tirándose del cuello de la camisa porque el calor del día perduraba aun ahora que el sol descendía al oeste. Cuando llegó hasta el picaporte, el graznido chillón de un cuervo le hizo volverse hacia el granero. Silueteados contra el sol de la caída de la tarde, una línea de grandes aves negras adornaba el caballete del tejado como si esperaran pacientemente a tomar posesión de la casa. Enjugándose el sudor de la frente con la manga de la chaqueta, Pilon subió al coche, apretó el botón de arranque y se marchó.

En cuanto desapareció el gemido del motor del coche, los cuervos levantaron el vuelo desde el caballete del tejado del granero y se dirigieron a los campos a aprovechar la cosecha olvidada. Pero un ave solitaria rompió el orden, posándose en el umbral del granero abierto. Pequeñas nubes de polvo mezcladas con partículas de heno seco se elevaron del suelo del granero mientras el cuervo saltaba en busca de algún insecto o ratón muerto. El sonido de algo que raspaba en la oscuridad detuvo en seco al ave, que se quedó quieta como una estatua. La cabeza de la criatura se movió de un lado a otro, en alerta ante el peligro. Un movimiento sobre la pared llamó su atención. Un delgado rayo de luz solar había atravesado una hendidura lateral e iba serpenteando lentamente por las planchas de madera.

Reflejándose como puntitos blancos en los ojos negros del cuervo, la luz se movió a través de un parche de piel, revelando otros dos ojos que miraban directamente al ave como un depredador que esperara en la oscuridad. Otro sonido de raspadura procedente del rincón movió al ave a la acción. Graznando a lo loco, el ave movió sus alas y, en una nube de polvo, escapó por la puerta del granero al encuentro de la noche.

En la pared, el rayo de luz se movió lentamente entre los ojos, pasando por una larga nariz aguileña a los labios fruncidos en una paciente y eternamente divertida sonrisa.

En menos de un minuto, la luz había pasado, velando una vez más el rostro con la oscuridad.

NOTA DEL AUTOR

El retrato de *Mona Lisa* de Leonardo da Vinci —conocido en Francia como *La Joconde* y en Italia como *La Gioconda*— fue robado del museo del Louvre en 1911 de manera similar a la relatada en esta novela. Dos años más tarde, un italiano de nombre Vincenzo Peruggia trató de devolverla a Italia. Fue detenido por su acción. En 1925, apareció un artículo en el *Saturday Evening Post* que decía ser una entrevista con un tal Eduardo de Valfierno, autoproclamado estafador que afirmaba haber sido el cerebro del robo en el contexto de un elaborado plan de falsificación. El artista de fama mundial con el que me he tomado inexcusables libertades fue, en realidad, interrogado por la policía en relación con el robo. Jean Lépine era el prefecto de policía en la época de este relato. Todos los demás personajes son en su totalidad producto de mi imaginación.

En la primera mitad del siglo XX, el río Sena desbordó sus famosas orillas, inundando calles, estaciones de metro y dejando sin hogar a millares de parisienses.

L'inondation de Paris tuvo lugar, realmente, en 1910, un año antes del robo de la *Mona Lisa*. Confío en que el lector me perdone por atrasar ese hecho histórico a efectos dramáticos.

AGRADECIMIENTOS

Una novela, como un hijo, necesita gente a su alrededor. En orden cronológico por sus aportaciones a este libro, tengo que manifestar mi agradecimiento a Paul Samuel Dolman, por leer la encarnación primigenia como guion cinematográfico, y de cuyo estímulo siempre pude depender; Julie Barr McClure, por escuchar mi historia antes de que se hubiese escrito una sola palabra; Cody Morton, Toni Henderson, Beverly Morton, Jim Herbert y Peter Dergee, por ser unos primeros lectores intrépidos y facilitarme retroinformación y sugerencias de incalculable valor; Jill Spence, por prestar sus oídos a la lectura final; Marie Bozzetti-Engstrom, por estar dispuesta a ser mi primera editora y por todos los desayunos en Bongo Java; Gretchen Stelter, por sus incisivas sugerencias editoriales; mi agente en la Victoria Sanders Agency, Bernadette Baker-Baughman, por su confianza en mí y su tenacidad; todo el equipo de St. Martin's Press por sus habilidades profesionales, y mi editora en Minotaur Books, Nichole Argyres, por su brillante dirección editorial y su infatigable apoyo.

Toda persona interesada en leer más acerca de los lugares y acontecimientos presentados en este libro deben pensar en los siguientes libros, que me fueron extremadamente útiles en mi investigación: *Paris Then and Now*, de Peter y Oriel Caine; *Becoming Mona Lisa: The Making of a Global Icon*, de Donald Sarason; *Paris: Memoires of Times Past with 75 Paintings by Mortimer Menpes*, de Solange Hando, Colin Inman, Florence Besson y Roberta Jaulhaber-Razafy, y *Paris Under Water: How the City of Light Survived the Great Flood of 1910*, de Jeffrey H. Jackson.